MALHAR
SECAR
DEFINIR
PARA MULHERES

MICHAEL MATTHEWS

MALHAR SECAR DEFINIR
PARA MULHERES

A CIÊNCIA DA BOA FORMA

Tradução
EDUARDO LEVY

COPYRIGHT © WATERBURY PUBLICATIONS, INC.

"AUTHORIZED TRANSLATION FROM THE ENGLISH LANGUAGE EDITION TITLED THINNER LEANER STRONGER BY MICHAEL MATTHEWS, PUBLISHED BY OCULUS PUBLISHERS. COPYRIGHT© 2014, WATERBURY PUBLICATIONS. THIS PORTUGUESE TRANSLATION PUBLISHED BY ARRANGEMENT WITH AGÊNCIA LITERARIA RIFF, THE COOKE AGENCY INTERNATIONAL AND RICK BROADHEAD & ASSOCIATES LNC."

"TRADUÇÃO AUTORIZADA DA EDIÇÃO EM INGLÊS INTITULADA THINNER LEANER STRONGER DE MICHAEL MATTHEWS, PUBLICADO PELA OCULUS PUBLISHERS. COPYRIGHT © 2014, WATERBURY PUBLICATIONS. ESTA TRADUÇÃO EM PORTUGUÊS FOI PUBLICADA POR ACORDO COM A AGÊNCIA LITERÁRIA RIFF, A COOKE AGENCY INTERNATIONAL E RICK BROADHEAD & ASSOCIATES. "

COPYRIGHT © 2018 FARO EDITORIAL
Todos os direitos reservados.
Nenhuma parte deste livro pode ser reproduzida sob quaisquer meios existentes sem autorização por escrito dos editores

Título original **THINNER, LEANER, STRONGER**

Diretor editorial **PEDRO ALMEIDA**

Preparação **TUCA FARIA**

Revisão técnica **LEWIS DIAS**

Revisão **BARBARA PARENTE**

Capa e projeto gráfico **OSMANE GARCIA FILHO**

Foto de capa © **RESTYLER**

Dados Internacionais de Catalogação na Publicação (CIP)
(Câmara Brasileira do Livro, SP, Brasil)

Matthews, Michael
Malhar, secar, definir : para mulheres / Michael Matthews ; [tradução Eduardo Levy]. — 1. ed. — Barueri, SP : Faro Editorial, 2018.

Título original: Thinner, leaner, stronger.
ISBN 978-85-9581-033-4

1. Condicionamento físico 2. Exercícios físicos para mulheres 3. Musculação 4. Nutrição 5. Treinamento com pesos I. Título.

18-14951   CDD-613.7

Índice para catálogo sistemático:
1. Condicionamento físico : Educação física 613.7

1ª edição brasileira: 2018
Direitos de edição em língua portuguesa, para o Brasil, adquiridos por FARO EDITORIAL

Alameda Madeira, 162 – Sala 1702
Alphaville – Barueri – SP – Brasil
CEP: 06454-010 – Tel.: +55 11 4196-6699
www.faroeditorial.com.br

HISTÓRIAS DE SUCESSO DE
MALHAR, SECAR, DEFINIR - PARA MULHERES

ANTES — DEPOIS

"Gostei que o livro me dá direcionamento e motivação toda vez que vou à academia."
YVONNE A.

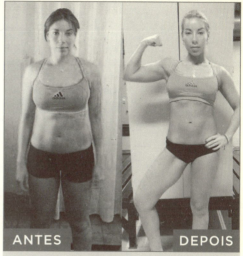

ANTES — DEPOIS

"Emagreci 5 kg e ganhei 3 kg de músculo em 7 meses!"
MARSHA M.

ANTES — DEPOIS

"Foi o livro perfeito para me instruir e orientar."
CHRISSIE R.

ANTES — DEPOIS

"Perdi 17 kg em 6 meses. Trata-se na verdade de um estilo de vida, e é possível mantê-lo permanentemente."
JENNA H.

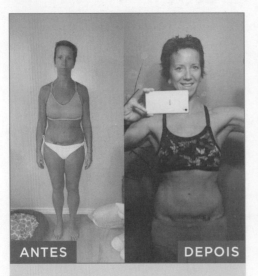

ANTES — DEPOIS

"Tenho mais energia, sinto-me magra e forte; além disso, me porto melhor!"
CINDY C.

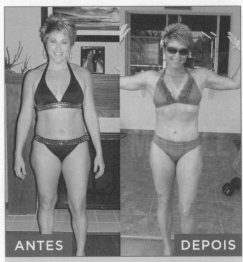

ANTES — DEPOIS

"Às vezes, olho no espelho e não consigo acreditar que este é o meu corpo!!!"
JANEL B.

ANTES — DEPOIS

"Eu finalmente me sinto saudável, forte e com mais energia."
KATHY A.

ANTES — DEPOIS

"*Malhar, Secar, Definir - Para Mulheres* foi a melhor decisão que já tomei!"
CHRISTIE C.

"Sinceramente, minha felicidade é imensa de ir até este ponto com o meu corpo!"
ASHLEY S.

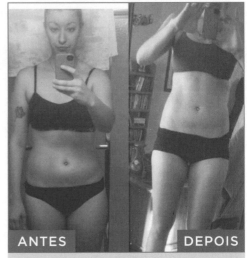

"Acho que eu poderia escrever um livro sobre a mudança que este programa causou na minha vida."
ALEXIS E.

"Consegui ganhar uma quantidade de definição e músculos que nunca tive."
ALIXIA B.

"Em 3 meses minha gordura corporal foi de 22% para 11%."
LEE U.

"Perdi 25 kg em 7 meses seguindo o livro do Mike!"
KELLY O.

"Estou morrendo de orgulho de mim mesma, e quero continuar a batalhar para melhorar mais!"
VAL M.

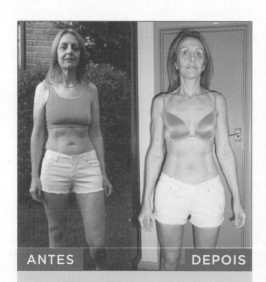

"Perdi 8 kg até agora!"
LAURA M.

"Sinto-me imensamente poderosa e estou ficando cada dia mais forte."
MELISSA A.

Sumário

Sobre o autor 13

A promessa. 19

E se eu pudesse lhe mostrar como transformar completamente seu corpo com uma rapidez que você nunca imaginou que fosse possível?

Introdução: por que *malhar, secar, definir - para mulheres* é diferente? 21

Vou lhe contar algo que os chefões da multibilionária indústria de saúde e bem-estar não querem que você saiba.

SEÇÃO I: FUNDAMENTOS

1. A barreira oculta entre você e as suas metas de boa forma e saúde. 31

O maior obstáculo para alcançar seus objetivos não é o que você pensa...

2. O que a maioria das pessoas não sabe sobre saúde, nutrição e boa forma. 34

Parte I: Aprenda o que a maioria das pessoas nunca saberá sobre a construção de músculos do corpo.

3. O que a maioria das pessoas não sabe sobre saúde, nutrição e boa forma. 40

Parte II - Saiba o que a maioria das pessoas nunca saberá sobre os efeitos que os diferentes alimentos têm no corpo.

4. O que a maioria das pessoas não sabe sobre saúde, nutrição e boa forma. 44

Parte III - Saiba o que a maioria das pessoas nunca saberá sobre o que é necessário para manter uma boa saúde geral.

5. Os oito maiores mitos e equívocos sobre desenvolvimento muscular 48

Aqui está o motivo porque a maioria das pessoas que você vê na academia está presa em uma rotina de pouco ou nenhum ganho.

6. As três leis científicas do desenvolvimento muscular 58

Construir músculos magros e fortes é mais fácil do que fizeram você acreditar.

7. Os cinco maiores mitos e equívocos sobre perda de gordura . . 62

Ficar tonificado é impossível se você cair nessas armadilhas.

8. As quatro leis científicas da perda de peso saudável 71

Todos os métodos de perda de gordura eficazes dependem dessas regras simples.

SEÇÃO II: TREINO INTERNO

9. O treino interno para ficar em forma. 81

Há muito mais para entrar em forma do que apenas treinar.

10. Como se tornar sua própria mestra: a simples ciência da força de vontade e do autocontrole. 83

O segredo para a dedicação a longo prazo e uma vontade de aço que simplesmente não vai deixar você desistir.

11. O jeito simples de estabelecer metas de saúde e boa forma que vão motivar você 110

Estabeleça um poderoso conjunto de metas que servirá como "lembretes de por quê" quando a tentação bater

SEÇÃO III: NUTRIÇÃO & DIETA

12. Indo além da "alimentação saudável": o guia definitivo da nutrição eficiente 117

A única maneira de nunca mais voltar atrás.

13. Como maximizar os ganhos com a nutrição pré-treino e pós-treino 162

Como fazer cada exercício valer ainda mais.

14. Desenvolva o corpo que deseja comendo os alimentos que ama com a "dieta" *malhar, secar, definir - para mulheres* 172

Tudo que seu corpo precisa para construir músculos, perder gordura e ser saudável.

15. Como ter alimentação saudável com pouco dinheiro 210

Quais alimentos potencializam seu progresso e quais prejudicam.

SEÇÃO IV: TREINO

16. A filosofia de treino de *malhar, secar, definir - para mulheres* . 219

Programa de *malhar, secar, definir – para mulheres* se concentrará em pesos livres, e não em aparelhos.

17. O programa de treino de *malhar, secar, definir - para mulheres*. 244

Os exercícios que irá realizar e como treinar cada grupo muscular importante de forma adequada.

18. A ficha de exercícios de *malhar, secar, definir - para mulheres* . 291

Veja como construir fichas de treino reais usando tudo o que você aprendeu.

19. Monitorando seu progresso: se não pode medi-lo, você não o conhece 310

Se você não fizer um diário, a coisa ficará desleixada muito rápido.

20. O código de uma boa parceira de treino 315

Treinar sem parceira é ruim. Ter um parceira ruim é pior ainda.

21. Como evitar lesões de treino 317

Não pegue mais pesado do que você aguenta.

SEÇÃO V: SUPLEMENTAÇÃO

22. O guia de suplementos sem conversa fiada: o que funciona, o que não funciona e com o que se deve tomar cuidado 325

Descubra o que faz bem e o que pode prejudicar sua saúde.

SEÇÃO VI: O INÍCIO

23. Daqui para a frente, seu corpo mudará 365

Agora você entrou num processo capaz de transformar seu corpo com mais rapidez do que jamais imaginou.

SEÇÃO VII: PERGUNTAS E RESPOSTAS – CONSIDERAÇÕES FINAIS

24. Perguntas frequentes 369

Perguntas e respostas frequentes de leitores e clientes sobre treinamento, nutrição e estilo de vida.

Plano gratuito de exercícios e indicações de suplementos 379

Neste relatório, compartilharei com você minhas pesquisas sobre suplementos e um plano de treinamento de 12 meses que irá garantir que você tire o máximo proveito do meu programa.

Você me faria um favor? 381

Fico muito feliz por você estar lendo meu livro e por isso vou lhe pedir um favor.

SOBRE O AUTOR

O bom senso não alcança grande coisa. Em suma, torne-se insano e desesperado.

— LORDE NAOSHIGE

EU SOU O MIKE. Acredito que todas as pessoas podem conquistar o corpo dos sonhos, por isso dou duro para fornecer a todo o mundo a oportunidade de fazê-lo por meio de orientações viáveis com base científica.

Treino há mais de uma década, e já experimentei praticamente todo tipo imaginável de programa de exercícios, de dietas e de suplementos. Embora eu não saiba tudo, sei o que funciona e o que não funciona.

Como a maioria das pessoas, eu não tinha a menor ideia do que estava fazendo quando comecei. Em busca de assistência, eu recorria a revistas de musculação, que me faziam passar duas horas por dia na academia e gastar uma fortuna por mês em suplementos inúteis para, mesmo assim, obter progressos medíocres.

Isso continuou por anos, durante os quais pulei de um programa de treino para o outro. Tentei todos os tipos de intervalos e fichas, exercícios, faixas de repetição e demais esquemas, e, embora eu tenha feito certo progresso durante esse período (é impossível não fazer se você seguir em frente), foi lento e acabou me deixando estagnado.

Por mais de um ano, tanto meu peso quanto a minha força permaneceram estáticos. Além de comer "alimentos saudáveis" e muita proteína, eu não tinha a menor ideia do que fazer com relação à minha nutrição. Busquei orientação de vários instrutores, mas eles me ofereceram mais do mesmo. Eu gostava demais de malhar para desistir, mas não estava feliz com o meu corpo, e não sabia o que estava fazendo de errado.

Esta é uma foto minha depois de seis anos de musculação:

Nada que impressione. Algo tinha de mudar.

HORA DE FICAR ESPERTO

Finalmente decidi que era hora de me instruir — de jogar as revistas fora, sair dos fóruns e de fato aprender a fisiologia do desenvolvimento muscular e da perda de gordura, e descobrir o que é necessário para desenvolver um corpo grande, magro e forte.

Procurei o trabalho dos melhores treinadores de força e halterofilismo, falei com dezenas de fisiculturistas naturais, li centenas de artigos científicos, e uma imagem nítida emergiu.

A verdadeira ciência da obtenção do físico ideal é bastante simples - muito mais simples do que desejam que saibamos as indústrias de suplementos e de saúde e boa forma. Ela derruba quase toda a porcaria que ouvimos na TV, lemos nas revistas e vemos na academia.

Em consequência do que aprendi, alterei completamente meu jeito de treinar e me alimentar. E a resposta do meu corpo foi inacreditável. Minha força disparou. Meus músculos começaram a crescer de verdade pela primeira vez em anos. Meus níveis de energia atingiram o auge.

APRESENTAÇÃO

Isso foi há pouco mais de cinco anos, e eis como o meu corpo mudou desde então:

Tremenda diferença.

O NASCIMENTO DA MINHA CARREIRA

Ao longo do caminho, meus amigos perceberam as melhorias no meu corpo e começaram a pedir orientações. Eu me tornei instrutor informal deles.

Peguei pessoas que tinham enorme dificuldade de ganhar peso e dei-lhes 15 kg em um ano. Peguei pessoas que estavam absolutamente perplexas com a própria incapacidade de perder peso, tirei delas 15 kg de gordura *e* as ajudei a ganhar quantidade perceptível de músculos ao mesmo tempo. Peguei pessoas na casa dos cinquenta que acreditavam ter níveis baixos demais de hormônios para chegar a qualquer lugar com exercícios e as auxiliei a atrasar o relógio em vinte anos em termos de porcentagem de gordura corporal e definição muscular.

Depois de anos alcançando tais êxitos repetidamente, comecei a ser pressionado pelos meus "clientes" (nunca exigi dinheiro — eu simplesmente dizia para virem treinar comigo) a escrever um livro. Descartei a ideia de início, mas então comecei a ponderar sobre a possibilidade.

Pensei: "E se eu tivesse tido um livro assim quando comecei a treinar?" Eu teria poupado uma quantidade inestimável de dinheiro, tempo e frustração, e conquistado meu corpo ideal anos atrás. Era empolgante poder ajudar os outros com o que eu aprendera, e se eu escrevesse livros e eles se tornassem populares, seria possível alcançar milhares ou mesmo centenas de milhares de pessoas. *Isso* me entusiasmou.

Agi sob esse impulso, e o resultado foi a primeira edição de *Bigger Leaner Stronger* [no Brasil, *Malhar Secar Definir*, pela Faro Editorial], que foi publicada em outubro de 2012. As vendas foram lentas a princípio, mas em um ou dois meses comecei a receber e-mails cheios de elogios dos leitores. Fiquei perplexo. Imediatamente comecei meu próximo livro, e fiz o esboço de vários outros.

A esta altura, já publiquei sete livros e vendi mais de 700 mil exemplares. E o que é ainda mais importante: recebo por dia dezenas de e-mails e mensagens em redes sociais de leitores abismados com os resultados que estão alcançando. Eles ficam exatamente tão espantados quanto eu fiquei, anos atrás, ao descobrir como era simples desenvolver massa magra saudável e perder gordura sem jamais me sentir péssimo ou faminto.

É encorajador ver o impacto que venho tendo sobre a vida das pessoas, e me sinto inspiradíssimo com a dedicação dos meus leitores e seguidores. Vocês arrasam!

E AGORA PARA ONDE?

Minha verdadeira paixão é pesquisar e escrever, assim estou sempre trabalhando em outro livro, no meu website (www.muscleforlife.com) ou em algum outro tipo de aventura literária que tenha aparecido no caminho.

Meu grande plano de conquista do mundo tem três metas principais:

1. **Ajudar um milhão de pessoas a ficar em forma e saudáveis.** "Ajudar um milhão de pessoas" tem uma magia, não acha? É uma meta ambiciosa, mas acredito que eu seja capaz de alcançá-la. E isso é mais do que simplesmente ajudar os outros a ficar bonitos — eu quero amenizar as alarmantes tendências negativas que temos visto na saúde física e mental dos indivíduos em geral.

2. **Liderar a luta contra a pseudociência que prolifera nas academias.** Infelizmente, este campo está cheio de idiotas, mentirosos e mercenários que se

alimentam dos medos e das inseguranças das pessoas, e eu quero fazer alguma coisa para combater isso. Aliás, eu gostaria de ficar conhecido como o cara a quem se deve recorrer para obter orientações práticas e fáceis de entender baseadas em ciência *verdadeira* e resultados *reais*.

3. **Ajudar a reformar a indústria de suplementos esportivos.** Aqueles que mais desprezo nesse meio são os que traficam pílulas e pós adulterados. As fraudes são inúmeras: usar ingredientes que têm nome pomposo, mas efeito nulo; diluir os produtos com porcarias como maltodextrina e até coisas como farinha e serragem (sim, isso acontece); usar pseudociência e fazer promessas ridículas para vender; diminuir a dose dos ingredientes importantes e disfarçar afirmando tratar-se de uma "receita própria"; patrocinar atletas que se enchem de esteroides para que finjam que os suplementos são o segredo de seus músculos; e por aí vai.

Espero que você goste deste livro, e tenho certeza de que, se aplicar o que vai aprender, também poderá transformar drasticamente seu físico sem odiar sua "dieta" nem malhar até a morte todos os dias.

Então, está pronta? Ótimo. Vamos lá.

A promessa

Por pior que você ache que é a sua genética, e por mais perdida que possa se sentir depois de experimentar e abandonar vários tipos de dietas e programas de treino, você, com toda a certeza, sem sombra de dúvida, pode ter o corpo magro e sensual com o qual sonha.

E SE EU PUDESSE lhe mostrar como transformar completamente seu corpo com uma rapidez que você nunca imaginou que fosse possível?

E se eu lhe desse a fórmula exata de exercícios e nutrição de acordo com a qual perder de 5 kg a 7 kg de gordura ao mesmo tempo que ganha massa muscular seria uma moleza... e só levaria de dez a doze semanas?

E se eu lhe mostrasse um modo de desenvolver o físico definido e atlético que você ama sem precisar investir não mais que 5% do seu tempo por dia?

E se eu lhe dissesse que é possível conquistar aquele corpo de arrasar sem que a sua vida tenha de girar em torno disso — sem ter de ficar horas na academia, sem passar fome e sem fazer aqueles exaustivos exercícios de aeróbico que embrulham o estômago? Vou lhe mostrar até como emagrecer e continuar se deliciando toda semana com as comidas "gordas" que você adora, como massa, pizza e sorvete.

E se eu lhe prometesse que estarei ao seu lado durante toda a jornada, ajudando-a a evitar as fraudes, as armadilhas e os problemas em que a maioria das pessoas cai, auxiliando-a, de maneira sistemática, a atingir seu verdadeiro potencial genético, e basicamente fazendo tudo o que puder para vê-la ficar com o melhor corpo que já teve?

Imagine se você se levantasse todas as manhãs, olhasse no espelho e não conseguisse não sorrir diante da sua imagem. Imagine o quanto você ficaria mais segura se deixasse de ter aquela obstinada gordurinha na barriga e nas coxas e deixasse de ser "uma garota" para ter curvas torneadas e sensuais, tornando-se "*a garota*".

Imagine, daqui a meras doze semanas, ouvir elogios constantes à sua aparência e perguntas sobre a *mágica* que está fazendo para que seu corpo progrida de modo tão impressionante. Imagine desfrutar do benefício acumulado de ter mais energia, melhor humor e menos dores, e de saber que está ficando cada dia mais saudável.

Bem, você *pode* ter todas essas coisas, e não é nem de longe tão complicado quanto a indústria de exercícios quer fazê-la acreditar que é. Não importa se você tem 21 ou 61 anos, se está em forma ou completamente fora de forma. Não importa quem você é, eu prometo que você pode fazer a transformação que deseja no seu corpo.

Então, você gostaria que eu a ajudasse?

Se a resposta foi "Sim!", então você deu não um passo, mas um *salto* em direção à meta de tornar-se mais magra, definida ou musculosa.

Sua jornada em direção ao corpo feminino ideal começa assim que você virar a página.

INTRODUÇÃO

Por que Malhar, secar, definir – para mulheres é diferente?

Toda verdade passa por três estágios. Primeiro, é ridicularizada. Depois, enfrenta oposição violenta. Por fim, é aceita como autoevidente.

— ARTHUR SCHOPENHAUER

VOU LHE CONTAR ALGO que os chefões da multibilionária indústria de saúde e bem-estar não querem que você saiba:

Você não precisa da porcariada que eles vendem para entrar em forma e ficar com o corpo melhor do que nunca.

- Você não precisa passar fome fazendo dietas com restrição severa de calorias para perder e deixar de ganhar gordura. Na verdade, assim você destrói seu metabolismo e garante que todo quilo perdido volte em dobro para se vingar.

- Você não precisa gastar milhões por mês com os suplementos e queimadores de gordura inúteis promovidos em propagandas com modelos.

- Você não precisa mudar constantemente de ficha de exercícios para "confundir" os músculos. Tenho certeza absoluta de que os músculos carecem de capacidade cognitiva, portanto, esse é um bom meio de confundir você mesma, isso sim.

- Você não precisa dar o sangue duas horas por dia na academia fazendo toneladas de séries, superséries, séries descendentes, séries gigantes etc. (Aliás, tudo isso é um ótima receita para retardar seus ganhos e não chegar a lugar nenhum.)

- Você não precisa se abster completamente de alimentos "gordos" enquanto diminui sua porcentagem de gordura corporal até os níveis ideais. Ao contrário, se consumi-los de modo correto, você poderá *acelerar* a perda de gordura.

MALHAR SECAR DEFINIR PARA MULHERES

Essas são somente pequenas amostras das nocivas falácias em que muitas pessoas acreditam, falácias que a enterrarão num buraco de frustração sem nenhum resultado real, o que levará inevitavelmente à desistência.

Foi isso que me motivou a escrever *Malhar, Secar, Definir — Para Mulheres*. Já há muitos anos que amigos, familiares, conhecidos e colegas de trabalho vêm até mim procurando orientações de treino, e quase sempre estão convictos de muitas ideias estranhas, desnecessárias e inviáveis sobre dietas e exercícios.

Assim como estou prestes a fazer com você, instruí muitas pessoas, ajudando-as a derreter gordura e a desenvolver massa magra, e não somente a exibir um aspecto excelente, mas a *se sentirem* excelentes também. E embora seja recompensador auxiliar amigos, amigos de amigos e familiares, eu desejava poder ajudar milhares (ou dezenas de milhares, ou até centenas de milhares!) de indivíduos. Assim nasceu *Malhar, Secar, Definir — Para Mulheres*.

Ora, de onde vêm muitos dos mitos de treinamento e alimentação? Bom, não quero desperdiçar seu tempo com detalhes chatos, mas em resumo é o seguinte:

Enquanto as pessoas estiverem motivadas para resolver um problema e dispostas a gastar enormes somas para isso, jamais haverá escassez de *tralhas* para comprarem, e sempre existirão dezenas de marqueteiros brilhantes inventando novas artimanhas para fazer com que elas continuem gastando.

A coisa é bem simples. Basta observar as fontes a que a maioria recorre para obter orientações de treinamento e alimentação. Quase todo o mundo busca uma ou mais destas fontes: revistas, *personal trainers* ou amigos... e a maior parte daquilo que se pode aprender com eles é basicamente inútil.

Por que faço afirmações tão rudes? Pois bem, vamos falar um minutinho sobre as revistas de musculação.

A última vez em que verifiquei, havia uma meia dúzia delas na prateleira do supermercado, com modelos sensuais prontas para atrair vítimas como plantas carnívoras fotoshopadas.

A raiz da questão é: toda vez que você compra uma dessas revistas, está pagando para ser enganada.

Eis um fato curioso que provavelmente você desconhece: as grandes revistas de boa forma não passam, na maioria, de porta-vozes das empresas de suplementos, que ou são suas proprietárias ou as controlam financeiramente comprando todos os espaços publicitários.

Em quase todos os casos, o principal objetivo das revistas é vender suplementos, e funciona bem à beça. Elas impulsionam produtos de várias maneiras: trazem anúncios vistosos por toda parte, fazem "publieditoriais" (publicidade disfarçada de artigo informativo) rotineiramente e equilibram a miríade de propagandas com

INTRODUÇÃO

alguns artigos reais que dão orientações de treino e alimentação (os quais também acabam, em muitos casos, recomendando este ou aquele produto).

Assim, este é o primeiro golpe das revistas: dar muitas "orientações" destinadas antes de tudo a vender produtos, não a amparar você nas suas metas.

"Mas espere aí", talvez você esteja pensando, "os suplementos não me ajudam a alcançar minhas metas?".

Bem, falaremos sobre os suplementos depois, mas basta você saber por ora o seguinte: a maioria dos suplementos é um completo desperdício de dinheiro e não fará absolutamente nada para ajudá-la a ganhar músculos e força ou perder gordura.

Não acredite nem por um *segundo* que os comprimidos e pós tiveram qualquer efeito especial para as modelos ultradefinidas que os divulgam. O que você vê são anos e anos de esforço e de uso de drogas (sim, muitas modelos e atletas usam esteroides leves para acelerar o ganho de músculos e a perda de gordura).

Assim, as empresas de suplementos sabem que lhes basta fazer com que as pessoas continuem lendo essas revistas para que continuem a vender produtos, e vida que segue.

Como elas podem garantir que você continue comprando? Gerando um fluxo interminável de novas orientações, é claro. Sabe como é, novas metodologias de treino, "truques" de dieta, pesquisas com suplementos (é claro) e similares.

E este é o segundo, e provavelmente o mais prejudicial, golpe das revistas: elas enchem você de todo tipo de ideias falsas sobre o que é necessário para ficar em forma. Se simplesmente dissessem a verdade todo mês, teriam talvez vinte artigos ou algo assim que republicariam várias vezes. Ficar forte, magra e saudável não é esse mistério todo.

Em vez disso, elas têm uma enorme criatividade para vender os mais variados programas de exercícios, dietas e "truques" e, é claro, suplementos. E ainda que deixar as revistas guiarem seu treino seja melhor do que ficar no sofá comendo torresmo, isso não a levará à sua meta final.

Essa é a história das revistas. Agora passemos a uma triste verdade sobre os *personal trainers*:

A maioria deles não passa de dinheiro jogado fora.

Pode até ser que tenham boas intenções, mas a verdade é que simplesmente falta à maioria deles iniciativa e conhecimento para fazer com que os alunos obtenham excelente forma.

Os pobres clientes pagam um dinheirão para fazer o mesmo tipo de programa tolo e ineficiente que se encontra nas revistas, em geral com execução incorreta dos movimentos, e muitas vezes sem ver nenhum resultado concreto de seus esforços.

Você também já deve ter notado que muitos instrutores nem sequer estão, eles próprios, em boa forma. Como é possível se vender, honestamente, como especialista em boa forma sendo você mesmo um fracote flácido? Quem é que vai levar a sério?

Ora, por alguma razão, instrutores desse tipo recebem trabalhos o tempo todo, e seus clientes quase sempre ficam flácidos e fora de forma também.

Para piorar o desserviço está o fato de que a maioria dos instrutores nem sequer fornece aos clientes planos alimentares adequados, o que é basicamente o beijo da morte, que garantirá que os resultados não virão. O fato é: sua aparência é reflexo da sua alimentação tanto quanto do seu treino. Seja você gorda, magra, definida — sua dieta determina esse fato tanto quanto seus exercícios.

Alimente-se de maneira errada, e você continuará gorda, por mais que faça aeróbico. Alimente-se de maneira errada, e você ficará fraca e "sem forma" por mais que se esforce nos pesos.

Alimente-se de modo correto, entretanto, e você poderá destravar os máximos ganhos possíveis dos exercícios: ganho muscular e perda de gordura rápidos e sustentáveis que farão você parar o trânsito e dar o que falar à sua família e aos seus amigos.

É provável que isso não seja novidade para você, que já ouviu falar da importância da dieta adequada. Bem, se o tema "dieta" a apavora, sossegue. Tenho boas notícias: alimentar-se corretamente *não* significa restringir drasticamente a ingestão de alimentos nem eliminar tudo o que é gostoso.

Como descobrirá em breve, talvez você venha até a *gostar* de "fazer dieta". Sim, é isso mesmo. Você poderá ingerir um bocado de carboidratos por dia. Não deverá sentir jamais que está passando fome. Sua energia continuará alta.

Alimentar-se corretamente não significa nada mais do que ter metas nutricionais simples e flexíveis que lhe permitam comer os alimentos de que você gosta enquanto ganha músculos e perde gordura.

Mas trataremos disso em profundidade depois. Voltemos aos instrutores.

Talvez você esteja questionando por que os instrutores sabem tão pouco, uma vez que são profissionais graduados. Pois bem, *não* é necessário, para obter um certificado de *personal trainer*, ser especialista em exercícios e comprovar resultados — basta memorizar e regurgitar informações básicas sobre nutrição, anatomia e exercícios. É possível até fazer tudo *on-line*, com as respostas à distância de uma pesquisa no Google.

Outro problema dos instrutores é um dilema simples que têm de enfrentar todos os dias: fazer com que os clientes acreditem que eles são necessários, o que manterá seus empregos.

Embora algumas pessoas achem bom pagar a um instrutor só para forçá-las a malhar todo dia, a maioria deseja sentir que está pagando por algo mais. E o modo

INTRODUÇÃO

mais fácil de lhe dar essa experiência é trocar fichas constantemente e falar de princípios "sofisticados" de dieta e exercícios.

O resumo da ópera é que, no fritar dos ovos, a maioria dos alunos de um *personal trainer* gasta fortunas para obter ganhos medíocres e acaba desistindo em consequência da decepção.

Mas nem tudo está perdido. Sem dúvida, *existem* ótimos instrutores por aí que estão eles próprios em excelente forma, que sabem *mesmo* como fazer com que os outros obtenham resultados rápidos e efetivos e que, de fato, se importam com os clientes.

Se esse for o seu caso e você estiver lendo este livro, eu o aplaudo, porque você está carregando sobre os ombros o peso de toda uma profissão.

Assim, o título deste capítulo é "Por que *Malhar, Secar, Definir — Para Mulheres* é diferente?". Como assim?

Bem, não sei quanto a você, mas eu não malho para me divertir nem para encontrar meus amigos — malho para me sentir melhor e melhorar minha aparência, e quero obter o máximo dos meus esforços.

Se puder obter resultados melhores fazendo metade dos exercícios que outros fazem, é isso que eu quero. Se estivesse começando a levantar pesos e minhas opções fossem perder 5 kg de gordura *e* ganhar músculos em dois meses fazendo os mesmos exercícios toda semana (realizados de maneira correta e com a intensidade e a progressão de pesos adequadas) ou perder metade desses ganhos fazendo o programa confuso de última moda, escolheria o primeiro.

Tudo o que interessa em *Malhar, Secar, Definir — Para Mulheres* é malhar e obter resultados. O livro fornece um regime preciso de treino e alimentação, que proporciona ganhos máximos no mínimo de tempo.

Os princípios de alimentação e treinamento não são nada de novo nem sofisticado, mas provavelmente você nunca transformou todos eles em um sistema como eu lhe ensinarei a fazer. Não há nada inovador na arte de alimentar-se e treinar corretamente, mas a maioria das pessoas faz tudo errado.

Porém, você sabe quem entende dessas coisas, não é? As mulheres que costumam ser consideradas "as mais sensuais do mundo": as modelos da Victoria's Secret.

Se for parecida com a maioria das mulheres, você dirá que faria de tudo para ter o corpo delas, e embora as modelos adorem fingir que conquistaram o corpo que têm sem esforço, não caia nessa — elas dão um duro danado para manter seu físico invejável.

No entanto, há algo que talvez você não saiba: o treino das modelos da Victoria's Secret é bem parecido com o dos homens. Claro, elas fazem aeróbico, mas contam antes de tudo com exercícios de força para ter os corpos que têm. Você vai precisar ter uma boa quantidade de músculos na sua constituição se quiser ter braços tonificados e sensuais; pernas magras e definidas; um bumbum perfeito; e ainda ser magra.

Não acredita em mim?

Miranda Kerr treina com pesos quatro dias por semana e faz exercícios como agachamento com barra, avanço com barra e afundo com barra para levantar o bumbum e tonificar as pernas.

Chanel Iman afirmou que tem dificuldade em tonificar o corpo, por isso recorre a "muito agachamento e levantamento de peso" para se manter em forma para a passarela.

Alessandra Ambrósio faz agachamento, afundo e levantamento terra para ter o famoso bumbum e as famosas pernas que tem.

Eu poderia continuar, mas você pegou a ideia.

Talvez você tenha ficado confusa e esteja questionando: "Levantar peso não deixa as mulheres com o corpo feio, todo musculoso?"

Eu lhe digo que essa deve ser a maior mentira que circula no meio da preparação física feminina. Ganhar músculos é a chave para acelerar o metabolismo, obter curvas sensuais e ficar magra.

A não ser que você seja parente de Hércules, seguir este programa não a tornará musculosa. Na verdade, você não poderia chegar lá nem se quisesse, pois faltam ao seu corpo os hormônios e a programação genética para isso.

Veja bem, as mulheres não ganham músculos na mesma proporção em que os homens ganham. Você tem mais ou menos um sexto da testosterona média dos homens, e ela é o principal impulso hormonal do crescimento muscular.

Isso significa que é basicamente impossível para você crescer como os homens crescem. A musculatura grande e forte tem aspecto muito diferente nos homens e nas mulheres, e para elas é *muito* mais demorado desenvolvê-la.

Talvez a sua próxima pergunta seja a seguinte: "Então como você explica as meninas enormes do CrossFit?" É uma boa pergunta, pois isto é algo que vemos muito: mulheres comuns fazendo programas pesados de musculação e com o corpo... grande. Grande demais. Musculoso demais.

Pois bem, embora algumas mulheres de fato gostem desse tipo de corpo e se esforcem para obtê-lo, o problema para as outras não é a musculação — é a composição corporal. As mulheres simplesmente têm gordura demais no corpo, e se conseguissem chegar à faixa entre 17% a 20% de gordura, ficariam fantásticas.

A raiz da questão é que se o seu objetivo for ficar com o corpo magro, tonificado e atlético, você terá de ganhar músculos e ficar magra. Quando mulheres com sobrepeso começam a fazer musculação sem trabalhar a dieta e reduzir a gordura corporal, sabe o que acontece? Pois é: ficam um pouquinho maiores.

Portanto, não tema os pesos. A musculação moderada e adequada é, na verdade, a chave para ficar magra, esbelta, tonificada e forte.

E com *Malhar, Secar, Definir — Para Mulheres*, você vai conseguir perder de 5 kg a 7 kg de gordura nos três primeiros meses de musculação, ao mesmo tempo que melhora a forma e a tonificação dos músculos de modo visível... sem ter de passar fome... sem ter de abster-se completamente de alimentos... e sem ganhar tudo de volta depois que o sofrimento acaba.

Se está magrinha e quer ganhar músculos e forma, *Malhar, Secar, Definir — Para Mulheres* é perfeito para você. Pode esperar de 3 kg a 4 kg de músculos nos primeiros seis meses, o que pode não parecer muito, mas é uma mudança *drástica*. Especialmente porque boa parte estará nas suas pernas e no seu bumbum, que adquirem uma forma maravilhosa quando treinados corretamente.

E então, você está pronta?

Eis o primeiro passo: *Esqueça o que acha que sabe a respeito da arte de ficar em forma*.

Sei que pode soar meio severo, mas confie em mim: é para o seu próprio bem. Simplesmente deixe tudo isso para trás e mantenha a mente aberta com relação a *Malhar, Secar, Definir — Para Mulheres*. Ao longo do caminho, você descobrirá que algumas coisas em que acreditava ou que fazia estavam certas, ao passo que outras estavam erradas, e não há nenhum problema nisso.

Como eu disse antes, cometi todos os erros imagináveis; portanto, você está em boa companhia.

Basta seguir o programa e os resultados falarão por si mesmos.

Então, vamos começar!

SEÇÃO I
FUNDAMENTOS

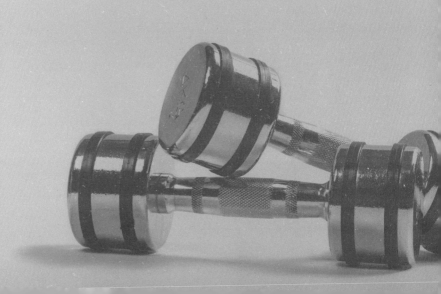

A barreira oculta entre você e as suas metas de boa forma e saúde

O começo da sabedoria é a definição dos termos.

— SÓCRATES

VOCÊ DEVE TER questionado por que há tanta gente na mais completa confusão a respeito dos temas de saúde e boa forma. Faça perguntas sobre o tema por aí um dia desses, e ouvirá toda espécie de orientações e opiniões conflitantes e ilógicas.

Contar calorias não funciona. Brócolis tem mais proteína que frango. Qualquer tipo de carboidrato que você ingerir à noite se transformará automaticamente em gordura corporal. Você precisa fazer várias refeições pequenas todo dia para perder peso.

Isso é uma amostra *bem* pequena das muitíssimas ideias falsas que ouvimos por aí.

Então, como isso acontece? Por que as pessoas são tão suscetíveis a mentiras, informações falsas e alegações estranhas?

Embora talvez pareça que a resposta é profunda e filosófica, na verdade é bem simples.

Da próxima vez que ouvir alguém dizendo que contar calorias não é necessário ou não funciona, faça-lhe esta singela pergunta:

O que *é* caloria?

Então você verá a expressão de confusão estampada no rosto de seu interlocutor. Ou talvez ele balbucie uma definição estranha. O fato é que as pessoas não fazem a menor ideia do que a palavra significa. E isso é só o começo, claro.

O que é carboidrato?

O que é proteína?

O que é gordura?

O que é músculo?

O que é hormônio?

O que é vitamina?

O que é aminoácido?

Poucas pessoas são capazes de responder a essas questões de modo simples e definitivo; assim, é claro que acreditarão em quase qualquer coisa que lhes disserem. Como você pode desenvolver compreensão correta e total de um tema se não entende as palavras básicas usadas para explicá-lo? Isso remonta a Sócrates, que disse que o começo da sabedoria é a definição dos termos.

É por isso que as maiores barreiras ocultas à compreensão, totalmente ignoradas por quase todo o mundo, são as *palavras*.

Simplificando, se você não entender direito as palavras usadas para comunicar conceitos específicos, a reprodução adequada deles não ocorrerá na sua mente. Você chegará a conclusões particulares e distorcidas graças às falhas de compreensão.

Se eu lhe dissesse que "as crianças têm de ir embora ao crepúsculo", você se perguntaria do que estou falando.

Bem, "crepúsculo" significa simplesmente o período do dia em que o sol está logo abaixo do horizonte, especialmente o período entre o pôr do sol e a noite. Agora a frase faz sentido, não é?

Aprendemos na escola a tentar simplesmente adivinhar o sentido das palavras analisando o contexto em que aparecem ou comparando-as a outras palavras em nosso vocabulário. É claro que se trata de um método de estudo pouco confiável, pois o autor do texto tinha conceitos específicos a comunicar e escolheu as palavras exatas para fazê-lo, com base, esperamos, na crença geral de que seria possível encontrar o significado delas no dicionário.

Se quiser receber informações com o mesmo sentido que o autor deu a elas, você precisa ter a idêntica compreensão que ele tem das palavras usadas para expressá-las, e não chegar a conclusões subjetivas baseadas no que *acha* que as palavras significam.

No caso do "crepúsculo" do exemplo acima, o contexto revela apenas que a palavra pode se referir a um período do dia, o que não é suficiente para inferir o sentido dela. Então você fica olhando para a forma da palavra e pensa, talvez, algo assim: "Ora, 'crepúsculo' tem a ver com o sol. E o sol brilha. Será então que se refere ao amanhecer?"

É por isso que a primeira parte de *Malhar, Secar, Definir — Para Mulheres* será única: eu vou partilhar com você a definição correta das principais palavras que têm relação com o tema. São termos fundamentais que usarei ao longo do livro e que você *tem de* entender corretamente para que tudo faça sentido direitinho.

Sei que ler definições de palavras é sem graça, mas confie em mim, vai ajudar bastante. Essa é a única forma de ter certeza de que estamos falando a mesma língua e que você está entendendo as coisas como pretendo que entenda.

Tive o cuidado de preparar esses "glossários" para que a sua compreensão vá do simples ao mais complexo, e espero que o progresso do aprendizado seja suave. Tenho certeza de que você vai tirar de letra e atinar para várias coisas.

Ao final dos próximos capítulos, você saberá mais sobre saúde, nutrição e boa forma do que a maioria. Sim, a coisa vai muito mal.

Não só isso, mas você também vai poder se proteger da quantidade completamente pavorosa de informações falsas que circulam por aí. Basta saber o significado correto de muitas das palavras usadas para julgar muito bem, instantaneamente, a validade das ideias expostas.

Então, vamos começar com a primeira lista de palavras-chave.

2

O que a maioria das pessoas não sabe sobre saúde, nutrição e boa forma

Ser ignorante é menos vergonhoso do que não desejar aprender.

— BENJAMIN FRANKLIN

PARTE UM: CURSO BÁSICO DE FISIOLOGIA

ENERGIA

1. Energia é o poder recebido da eletricidade, de combustíveis, de alimentos e de outras fontes para executar um trabalho ou produzir um movimento.

2. Energia é a força física ou mental que uma pessoa possui e pode direcionar a alguma atividade.

MATÉRIA

Qualquer material do universo que tenha massa e tamanho.

QUÍMICA

É o ramo da ciência que lida com a identificação das substâncias de que a matéria é composta, o estudo das características dessas substâncias e as formas em que interagem, combinam-se e transformam-se.

QUÍMICO

Químico significa ter relação com química ou com o modo como as substâncias são constituídas, e as reações e transformações pelas quais passam.

SEÇÃO I FUNDAMENTOS

PRODUTO QUÍMICO

Qualquer substância que possa sofrer processo químico ou transformação.

Quando falam de produtos químicos, as pessoas geralmente se referem a substâncias criadas pelo homem, mas a definição não se restringe apenas a esse sentido.

ORGANISMO

Organismos são entes vivos unitários, como pessoas, animais ou plantas.

CÉLULA

É a unidade básica de todos os organismos vivos.

Alguns organismos vivos existem como uma única célula. Um homem de tamanho médio consiste em 60 trilhões a 100 trilhões de células.

As células se mantêm vivas, produzem energia, trocam informações com as células vizinhas, multiplicam-se e por fim, quando chega a hora, morrem.

TECIDO

Material corporal animal e vegetal que consiste em grandes números de células de forma e função similares.

MÚSCULO ESQUELÉTICO

O músculo esquelético conecta-se ao esqueleto para formar parte do sistema mecânico que move os membros e outras partes do corpo.

GORDURA

1. Gordura é uma substância natural oleosa ou gordurosa presente no corpo dos animais, especialmente quando depositada como uma camada sob a pele ou em volta de certos órgãos.

2. Gordura é uma substância desse tipo usada na culinária feita de produtos animais ou vegetais.

GORDURA SATURADA

Gordura saturada é uma forma de gordura presente em produtos constituídos de gordura de origem animal, como creme, queijo, manteiga, banha e carnes gordas, bem como em certos produtos de origem vegetal, como óleo de coco, óleo de algodão, azeite de dendê e chocolate.

A gordura saturada é sólida à temperatura ambiente. Embora se tenha acreditado por muito tempo que ingerir alimentos ricos em gordura saturada aumentaria os riscos de problemas cardiovasculares, pesquisas mais recentes mostraram que não é verdade.

GORDURA INSATURADA

Esta é uma forma de gordura presente em alimentos como abacate, sementes oleaginosas e óleos vegetais, como óleo de canola e azeite. Carnes contêm gordura tanto saturada quanto insaturada. A gordura insaturada é líquida à temperatura ambiente.

GORDURA TRANS

A gordura trans é um tipo de gordura insaturada incomum na natureza e criada artificialmente. Ela está presente em alimentos processados como cereais, produtos de padaria, *fast food*, sorvete e congelados. Tudo o que contém "óleo parcialmente hidrogenado" contém gordura trans.

Vários corpos científicos e governamentais do mundo consideram a gordura trans prejudicial à saúde e recomendam reduzir seu consumo a quantidades mínimas.

ÓRGÃO

Órgãos são compostos de um grupo de dois ou mais tipos de tecido que trabalham juntos para realizar funções específicas no organismo.

O coração e o pulmão são órgãos; já o músculo esquelético, não, pois é apenas um tipo de tecido.

GRAMA

Unidade de medida do sistema métrico.

QUILO

Um quilo é igual a 1.000 gramas.

MILIGRAMAS

Um miligrama é 1 milionésimo de 1 grama.

CELSIUS

Escala de temperatura na qual a água congela a 0 grau e ferve a 100 graus.

CALORIA

Unidade de medida de energia potencial.

Quando falamos da produção calórica de um organismo ou dos níveis energéticos dos alimentos, caloria refere-se à energia necessária para elevar a temperatura de 1 g de água em 1 grau Celsius. Isto também é conhecido como *quilocaloria* ou *grande-caloria*.

NUTRIENTE
Um nutriente é uma substância que dá a um corpo vivo algo de que ele precisa para viver e crescer.

ALIMENTO
O alimento é o material introduzido no corpo para fornecer a ele os nutrientes de que precisa para ter energia e crescer. O alimento é essencialmente combustível para o corpo.

ELEMENTO
Um elemento (também chamado de *elemento químico*) é uma substância que não pode ser quebrada em partes menores por uma reação química.

Há mais de cem elementos, e eles são os componentes primários da matéria.

COMPOSTO
Um composto é uma substância constituída de dois ou mais elementos diferentes.

MOLÉCULA
Uma molécula é a menor partícula de qualquer composto que ainda exista como essa substância. Se fosse decomposta, ela se separaria nos elementos que a constituem (o que significa que não existiria mais como aquela substância original).

ÁCIDO
Ácido é um composto químico que normalmente corrói os materiais e costuma ter gosto azedo.

PROTEÍNA
Proteínas são compostos que ocorrem naturalmente, usados no crescimento e no reparo do corpo e na formação de células e tecidos.

AMINOÁCIDO
Aminoácidos são pequenas unidades de material usadas para formar proteína.

GÁS
Substância que está em estado gasoso (não sólido nem líquido).

CARBONO
Elemento químico ametal comum presente em grande parte da matéria da Terra e em todas as formas de vida.

OXIGÊNIO
Gás sem cor e sem odor, necessário para a sobrevivência da maioria dos seres.

HIDROGÊNIO
Gás incolor, inodoro e inflamável. É o elemento químico mais simples e mais abundante do universo.

CARBOIDRATO
Carboidratos são moléculas compostas de carbono, oxigênio e hidrogênio que servem como fonte de energia para os animais.

DIGESTÃO
É o processo de quebrar os alimentos de modo que o corpo possa absorvê-los e usá-los.

ENZIMA
Substância produzida pelos organismos que causa reações químicas específicas.

METABOLISMO
Metabolismo é o termo para uma série de processos que quebram moléculas dos alimentos para liberar energia, a qual é então usada como combustível das células do corpo e na criação de moléculas mais complexas usadas para formar novas células.

O metabolismo, que é necessário para a vida, é o meio pelo qual o corpo cria e mantém as células que o compõem.

ANABOLISMO
É um processo metabólico por meio do qual se usa energia para criar substâncias mais complexas (como tecidos) a partir de substâncias mais simples. Também é conhecido como *metabolismo construtivo*.

CATABOLISMO
É a produção de energia por meio da quebra e transformação de moléculas complexas (como músculos ou gordura) em moléculas mais simples. Também é conhecido como *metabolismo destrutivo*.

SEÇÃO I FUNDAMENTOS

* * *

Certo, é o suficiente para a primeira lista de palavras-chave. Bem simples, não é?

Tire alguns minutos para estudar qualquer coisa que não tenha feito muito sentido, pois a próxima lista se baseará na compreensão dos termos acima.

3

O que a maioria das pessoas não sabe sobre saúde, nutrição e boa forma

Há uma circunstância notável na nossa própria história que parece ter escapado à observação (...) o pernicioso efeito da aplicação indeterminada dos termos.

— NOAH WEBSTER

PARTE DOIS: NUTRIÇÃO

SAUDÁVEL

Saudável significa que o corpo está em uma boa condição física, ou seja, que tem força e altos níveis de energia, e não tem doenças nem lesões.

NUTRIR

Nutrir é dar a algo as substâncias necessárias para crescer, viver e ser saudável.

NUTRIENTE

Nutriente é uma substância que fornece a nutrição essencial para a vida e o crescimento.

NUTRIÇÃO

É o processo de ser nutrido, especialmente o processo de receber alimentos e nutrientes e de usá-los para ficar saudável, crescer e formar e substituir tecidos.

MACRONUTRIENTE

Trata-se de todo componente nutricional da dieta do qual são necessárias quantidades relativamente grandes.

Os macronutrientes são, especificamente, proteínas, carboidratos, gordura e minerais, tais como cálcio, zinco, ferro, magnésio e fósforo.

SEÇÃO I FUNDAMENTOS

DIETA

1. Dieta são os alimentos e as bebidas que uma pessoa consome normalmente.

2. Dieta é um programa especial de ingestão restrita ou controlada de alimentos e bebidas com um propósito específico, como perder peso, auxiliar um programa de exercícios ou atender a necessidades médicas.

AÇÚCAR

É uma categoria de carboidratos de sabor doce obtidos a partir de legumes, frutas, grãos e outras fontes.

GLICOSE

É um açúcar que é uma importante fonte de energia para os seres vivos. No corpo, os carboidratos são transformados em glicose, que é a principal fonte de alimentação de todas as células.

Não importa se você come alface ou chocolate: no corpo, tudo termina como glicose. A única diferença é que a alface demora bem mais tempo para ser transformada em glicose que o chocolate.

FRUTOSE

É um açúcar encontrado em muitas fontes vegetais como mel, frutas, flores e raízes.

SACAROSE

É o tipo de açúcar conhecido como "açúcar de mesa" e consiste em glicose e frutose.

A sacarose vem de fontes naturais, como frutas, mas também pode ser produzida artificialmente.

GLICOGÊNIO

É uma substância presente em tecidos corporais que age como reserva de carboidrato.

O corpo armazena glicose no fígado e nos músculos em forma de glicogênio, que pode ser transformado novamente em glicose se houver necessidade de energia.

GLICEMIA (AÇÚCAR NO SANGUE)

Sua glicemia ou nível de açúcar no sangue é a quantidade de glicose no seu sangue. A glicose é transportada pelo sangue e levada às células para que seja quebrada e a energia possa ser usada ou armazenada.

CARBOIDRATO SIMPLES

Um carboidrato simples é uma forma de carboidrato que normalmente tem sabor doce e que o corpo pode transformar rapidamente em glicose.

Exemplos de carboidratos simples são a frutose encontrada nas frutas, a lactose dos laticínios e a sacarose usada para adoçar diversos alimentos.

CARBOIDRATO COMPLEXO

O carboidrato complexo é um carboidrato composto de uma cadeia de carboidratos simples interligados. Por causa dessa estrutura, o corpo leva mais tempo para transformá-lo em glicose.

Exemplos de carboidratos complexos são os açúcares dos cereais integrais, dos grãos e das verduras.

AMIDO

O amido é um carboidrato complexo encontrado naturalmente em muitas frutas e verduras, e às vezes é acrescido a outros alimentos para engrossá-los.

Embora ele seja um carboidrato complexo, alguns alimentos específicos ricos em amido se transformam rapidamente em glicose, como os carboidratos simples.

HORMÔNIO

Hormônio é um produto químico produzido no corpo que é transportado para as células e os órgãos pelo sangue, ou por outros fluidos corporais, para causar alguma ação ou para ter algum efeito específico.

INSULINA

É um hormônio produzido no pâncreas que é liberado no sangue quando se ingerem alimentos. Ela faz com que músculos, órgãos e tecido adiposo absorvam nutrientes — que também são liberados no sangue — dos alimentos e os usem ou os armazenem como gordura corporal.

ÍNDICE

Um índice é um sistema por meio do qual informações são listadas numa ordem que permite compará-las facilmente a outras informações.

ÍNDICE GLICÊMICO

O índice glicêmico (IG) é uma escala que mede o efeito de diferentes carboidratos nos níveis de açúcar no sangue.

Os carboidratos que quebram e liberam glicose no sangue lentamente (carboidratos complexos) têm índice glicêmico baixo. Aqueles que quebram e liberam glicose rapidamente (carboidratos simples) têm índice glicêmico alto.

IG menor que 55 é considerado baixo, e maior que 70 é considerado alto. Glicose pura tem IG de 100.

SEÇÃO I FUNDAMENTOS

GRÃOS
Os grãos são sementes de diferentes tipos de gramíneas, usados em vários tipos de alimentos.

TRIGO
Planta que produz grãos.

PÃO BRANCO
É aquele feito com farinha de trigo que teve partes do grão removidas e foi refinado, de modo que assa facilmente e dura mais.

O processo de produção do pão branco remove ou mata a maioria dos nutrientes dos grãos, transformando o pão em um carboidrato mais simples.

ALIMENTOS INTEGRAIS
Alimentos que contêm grãos que não tiveram partes removidas são chamados de integrais.

FIBRA
Fibras são um tipo de carboidrato encontrado em diversos alimentos, como frutas, legumes, verduras e grãos.

ÁCIDOS GRAXOS
São as moléculas que constituem as células adiposas. Alguns ácidos graxos são necessários para formar partes de células e tecidos do corpo.

Os ácidos graxos contêm duas vezes mais calorias por grama que os carboidratos e as proteínas, e são usados principalmente para armazenar energia em células adiposas.

ÁCIDOS GRAXOS ESSENCIAIS
Alguns ácidos graxos são chamados essenciais porque são vitais para o funcionamento adequado do corpo e devem ser obtidos por meio da alimentação (o corpo não é capaz de sintetizá-los). Os seres humanos têm dois ácidos graxos essenciais: ácido alfa-linolênico e ácido linolênico.

Isso basta para a segunda lista. Espero que você as esteja achando úteis e esclarecedoras. Eu achei quando aprendi todas essas palavras!

Vamos concluir com uma última lista de palavras-chave e partir para a diversão!

O que a maioria das pessoas não sabe sobre saúde, nutrição e boa forma

A educação é o passaporte para o futuro; o amanhã pertence àqueles que se preparam para ele hoje.

— MALCOLM X

PARTE TRÊS: SAÚDE EM GERAL

SUPLEMENTO
Um suplemento é uma substância acrescida a algo para suprir uma deficiência ou para tornar algo mais funcional ou completo.

SUPLEMENTO ALIMENTAR
Um suplemento alimentar (ou nutricional) é um produto consumido para fornecer ao corpo nutrientes que não são obtidos em quantidade suficiente por meio da dieta.

VITAMINA
Uma vitamina é uma substância de que os organismos vivos precisam para que suas células funcionem, cresçam e se desenvolvam corretamente. As vitaminas essenciais de que o corpo humano necessita devem ser obtidas por meio da alimentação, pois ele não é capaz de sintetizar quantidades adequadas delas.

MINERAL
Um mineral é uma substância que não contém carbono (enquanto as vitaminas contêm) e que se forma naturalmente na terra. O corpo precisa de minerais para muitas funções fisiológicas diferentes, como formar ossos, produzir hormônios e regular os batimentos cardíacos.

DESIDRATAÇÃO

O corpo humano é composto de 65% de água. O suor, a urina e a respiração consomem água, e é preciso repô-la diariamente.

Desidratação é o estado no qual o corpo substituiu muito pouca água para que funcione adequadamente. Isto causa vários efeitos colaterais negativos, como dor de cabeça, cansaço, fraqueza e, em casos extremos, até morte.

NERVO

Um nervo é um feixe de tecido do corpo que carrega mensagens elétricas entre o cérebro, a medula espinhal, os órgãos e os músculos. Essas mensagens causam sensações e fazem com que os músculos e os órgãos operem. Os nervos são as "linhas de comunicação" do corpo.

ALIMENTOS PROCESSADOS

Processar os alimentos significa usar produtos químicos ou máquinas para transformá-los ou preservá-los. Muitos métodos de processamento destroem alguma ou a maior parte das vitaminas, dos minerais e de outros nutrientes que o alimento contém naturalmente, e muitas vezes envolvem o acréscimo de produtos químicos que podem ser prejudiciais para o corpo.

Alimentos excessivamente processados contêm menos nutrientes e mais calorias do que os seus correspondentes menos processados.

ORGÂNICO

Alimentos orgânicos não têm aditivos artificiais, e muitas vezes são produzidos com menos métodos, materiais e condições artificiais, como amadurecimento químico, irradiação e ingredientes modificados geneticamente. Permitem-se pesticidas desde que não sejam sintéticos.

Para receber o certificado de orgânicos, os alimentos devem ser cultivados e manufaturados dentro de critérios estabelecidos pelos governos dos países em que são vendidos.

ALIMENTOS NATURAIS

Supõe-se que alimentos "naturais" sejam pouco processados e não contenham aditivos como hormônios, antibióticos, adoçantes, coloríficos e aromatizantes.

Entretanto, embora o rótulo de "natural" sugira ausência de processamento e de aditivos, a falta de padrões e de regulamentação significa que ele, na prática, não vale muita coisa.

COLESTEROL

Trata-se de uma substância mole e cerosa presente na maioria dos tecidos corporais, inclusive o sangue e os nervos.

Ele é necessário para a sobrevivência, e é usado na formação das células e dos hormônios vitais do corpo, assim como para outras importantes funções. Excesso de colesterol no sangue, no entanto, aumenta o risco de ataque cardíaco, derrame e outras doenças.

O corpo produz parte do colesterol de que precisa, e o restante é obtido por meio do consumo de produtos de origem animal, tais como carne vermelha, peixe, ovos, manteiga, queijo e leite integral. O colesterol não está presente em produtos de origem vegetal.

ÍNDICE DE MASSA CORPORAL (IMC)

O IMC é uma escala utilizada para estimar o quanto as pessoas devem pesar de acordo com a sua altura.

A ideia é que o IMC seja um retrato da saúde de grandes grupos de pessoas ou populações completas, mas quando usado para avaliar indivíduos, muitas vezes ele é inexato devido à diferença entre os tipos corporais, como constituição magra, muito tecido muscular ou grande estatura.

PERCENTUAL DE GORDURA CORPORAL

O percentual de gordura corporal é uma medida da gordura do corpo expressa enquanto percentagem do peso corporal total. Por exemplo, se você tem 10% de gordura, isso significa que 10% do seu peso é gordura corporal.

Trata-se de uma medida mais precisa da gordura do que o IMC, pois mede diretamente a gordura de uma pessoa qualquer que seja seu tipo físico ou sua quantidade de músculos, fatores que não são levados em conta no IMC.

A quantidade de gordura de que o corpo precisa para executar as funções essenciais para a vida está entre 3% a 5% nos homens e 8% a 12% nas mulheres.

COMPOSIÇÃO CORPORAL

A composição corporal é usada para descrever as percentagens de gordura, ossos, água e músculos no corpo humano.

Como você aprenderá lendo este livro, o peso e o IMC não têm nem metade da importância que a composição corporal tem para medir o nosso progresso. O nosso objetivo não é atingir um certo número na balança ou um IMC específico — é alcançar certo tipo de *aparência*, e isso se resume a certa quantidade de músculos com um baixo percentual de gordura ou um certo tipo de *composição corporal*.

SEÇÃO I FUNDAMENTOS

* * *

E acabamos com as palavras-chave! Agora você conhece a terminologia básica que lhe permitirá entender e aplicar o resto das informações que aprenderá neste livro. Vamos em frente!

5

Os oito maiores mitos e equívocos sobre desenvolvimento muscular

Só para você saber, em algum lugar, uma garotinha chinesa está fazendo aquecimento com a carga máxima que você suporta.

— JIM CONROY

NOVE EM CADA DEZ pessoas que você vê na academia não malham corretamente. Sei que parece um pouco exagerado, mas é verdade, e logo você verá por quê.

Em muitos casos, eu nem me daria o trabalho de sair da cama de manhã para fazer fichas como as delas, as quais são do tipo das "revistas": várias e várias séries de exercícios isolados com pesos relativamente leves. Mesmo que estejam dando duro nos treinos, esforçando-se de fato para fazer cada vez mais repetições, ainda estão fazendo errado e não conseguirão nada além de decepcionar-se com os resultados. Sei muito bem disso, porque eu já fui um desses.

A maioria também complementa os erros de treino alimentando-se incorretamente. Em geral comem demais ou de menos, comem muitos alimentos de baixa qualidade e não equilibram os macronutrientes corretamente. Alimentar-se de maneira adequada é muito mais simples do que a maioria das pessoas pensa — é só uma questão de números (e não se trata apenas de calorias ganhas *versus* calorias perdidas — isso é a base, mas precisamos nos aprofundar um pouco para maximizar o desenvolvimento muscular e a perda de gordura).

É por causa de todos esses erros que tanta gente não consegue obter progressos visíveis por mais que se mate. Estudo de caso: a maior parte dos frequentadores da minha academia não mudou o mínimo que seja nos últimos anos. Eles ainda pegam mais ou menos os mesmos pesos que pegavam e têm mais ou menos o mesmo corpo que tinham quando eu cheguei.

Pois bem, neste capítulo vamos descobrir por quê. Especificamente, iremos repassar sete dos mais comuns mitos e equívocos de treino e dieta que impedem as pessoas de ganhar músculos e perder gordura com eficiência.

Se não tiver começado a malhar ontem, eu garanto que você já foi vítima de um ou mais desses mitos e equívocos pelo caminho. Eu sei que eu fui.

Vamos lá.

MITO E EQUÍVOCO #1
É NECESSÁRIO "TONIFICAR" E "DEFINIR", NÃO "GANHAR MÚSCULOS"

Quase todas as orientações de treino para mulheres giram em torno de três objetivos: tonificar, definir e esculpir.

"Tonificar" costuma significar tornar os músculos "mais firmes" quando não estão sendo flexionados; "definir" quer dizer mudar a forma dos músculos, tornando, por exemplo, os glúteos mais arredondados; e "esculpir" significa ganhar músculos ao mesmo tempo que se reduz a gordura corporal, de modo que fique de fato visível.

O problema é que esses termos tornam a questão da conquista do corpo ideal mais complicada do que precisa ser. Pode-se ganhar músculos e perder gordura, e isso é tudo. É assim que você conquista músculos definidos e mantém suas curvas estando magra.

A maioria dos livros e revistas para mulheres recomenda fazer uma tonelada de repetições com pesos leves para tonificar os músculos "sem aumentá-los". Isto é um mito. Se você não usar peso suficiente para estimular seus músculos, eles não vão crescer. Se não crescerem, não terão aparência nem um pouco melhor do que aquela que já têm, ainda que você perca um bocado de peso. É por isso que muitas meninas parecem "magrelas gordas" — elas não têm muita gordura no corpo, mas também não têm muitos músculos dignos de nome.

Também não é possível, nem de longe, afetar a forma ou definição dos músculos na proporção que as revistas gostariam de fazê-la crer que é. É possível tornar os músculos maiores e mais fortes e treiná-los de maneira equilibrada, o que pode resultar em uma forma mais bonita para uma perna ou um braço, mas a genética determina muita coisa aqui. Não é possível fazer exercícios especiais para alterar radicalmente a forma como os glúteos ou a perna crescem, por exemplo.

A alegação de que certas formas de treinamento de força produzirão músculos "longos e magros" como os de uma dançarina enquanto outras resultarão em músculos "corpulentos e feios" como os de uma halterofilista são fictícias. Quer você faça pilates, ioga ou musculação para fortalecer e aumentar seus músculos, a forma deles será a mesma, com a diferença de que a musculação fará com que você ganhe músculos com maior rapidez do que pilates ou ioga.

Mas não deixe que nada disso a desmotive. Com certeza você pode ter um bumbum fantástico, pernas torneadas e braços sensuais, mas não é possível ter, necessariamente, o mesmo traseiro ou as mesmas pernas da sua modelo ou celebridade favorita. Vocês duas podem fazer os mesmos exercícios e ser igualmente magras, e seus músculos simplesmente terão formatos diferentes.

Dos três termos já fornecidos — tonificar, definir e esculpir —, esculpir é o que melhor descreve o que é de fato possível. Você pode ganhar músculos e reduzir sua massa adiposa total, o que lhe dará aquele corpo magro, atlético, "de praia" que tantas mulheres invejam. E é disso que trata *Malhar, Secar, Definir — Para Mulheres*.

MITO E EQUÍVOCO #2
MAIS SÉRIES = MAIS CRESCIMENTO

Cheguei a malhar por mais de duas horas, até o ponto da completa exaustão física e mental. Depois, tudo o que eu queria fazer era comer e desmaiar.

Eu não *gostava* especialmente da dureza do programa, mas achava que era necessária para ter um excelente físico, então eu a suportei — durante anos. E não fiquei nem de longe tão trincado como seria de se esperar da intensidade do meu treino.

Pois bem, o que descobri mais tarde foi que para halterofilistas naturais, aqueles que não usam drogas, esse tipo de programa é um completo exagero (o sujeito que despertou minha atenção para esse tipo de treino, aliás, estava tomando um bocado de anabolizantes).

Fiquei sabendo que, qualquer que seja o grupo muscular treinado, fazer muitas séries e repetições por semana pode causar *sobretreino*, o que tem vários efeitos negativos: crescimento muscular deficiente, fadiga geral, níveis mais baixos de hormônios anabólicos, níveis mais elevados de hormônios catabólicos e, em casos extremos, até perda de músculos.

Sim, é isso mesmo — levantar peso em excesso todos os dias pode causar às fibras musculares lesões tão maiores do que o corpo é capaz de reparar com eficiência que você pode ficar, no fim das contas, cada vez menor e mais fraca.

Essa será uma das primeiras características do programa de *Malhar, Secar, Definir — Para Mulheres* a causar espanto. As fichas terão bem menos séries e repetições do que você deve estar esperando. Não há superséries, séries descendentes, séries gigantes nem nenhum outro dos esquemas de repetições sofisticados que costumam aparecer em outros programas.

Em vez disso, você fará algo que a maioria dos programas de malhação para mulheres mais populares *nunca* prescreve: concentrar-se em musculação pesada com exercícios compostos e apenas o número de séries e repetições suficiente para maximizar a estimulação e a sobrecarga muscular sem chegar ao sobretreino. Para fazer isso não é necessário mais do que 45 a 60 minutos por treino. (Sim, em uma hora você terá entrado e saído da academia com este programa!)

Não se iluda — os treinos não serão *fáceis*. Você vai levantar, empurrar e puxar mais peso do que jamais fez na vida, e isso requer enorme energia e esforço físico.

Entretanto, se estiver seguindo no momento algum dos vários programas de treino de "alta intensidade" que existem por aí, provavelmente você sentirá que está *subtreinando* no meu programa. É possível até que se sinta meio culpada de ir embora da academia depois de menos de uma hora.

Não se preocupe — sei exatamente como é. Logo que mudei do meu antigo estilo de sobretreino para aquele que ensino nos meus livros, eu tinha certeza de que ficaria mais fraco e perderia músculos.

Mas não foi o que aconteceu. Desde que fiz a mudança, transformei meu físico completamente, e o peso que consigo levantar em todos os grupos mais do que dobrou.

Siga o programa, e lhe acontecerá o mesmo.

MITO E EQUÍVOCO #3
VOCÊ TEM DE "SENTIR QUEIMAR" PARA GANHAR MÚSCULOS E FORÇA

Quantas vezes você já ouviu parceiros de treino gritando uns para os outros para "fazer queimar" e "espremer mais três repetições"?

Bom, "todo o mundo sabe" que injetar repetições até que a ardência de dor se torne insuportável provoca o crescimento máximo, não é? "Sem aflição não fica grandão", ou seja, *"no pain, no gain"*, certo?

Errado.

Esta deve ser uma das piores falácias que circulam por aí a respeito do desenvolvimento muscular. Para alcançar desenvolvimento muscular *não* é primordial que os músculos "queimem" ou latejem.

Quando os músculos ardem, o que você sente é um acúmulo de ácido lático, que continua a aumentar à medida que você contrai os músculos cada vez mais.

Embora o ácido lático desencadeie o que é conhecido como "cascata anabólica", que é um coquetel de hormônios indutores do crescimento, elevar os níveis de ácido lático cada vez mais não significa que você está ganhando cada vez mais músculos com o passar do tempo.

Assim, por ainda mais uma razão, quando passam duas horas na academia se matando com séries descendentes, séries de esgotamento e outras coisas do tipo, as pessoas estão se esforçando demais por muito pouco.

Se latejar e queimar não impulsiona o desenvolvimento muscular, o que impulsiona? Bem, a resposta curta é *sobrecarga progressiva*, da qual trataremos com mais detalhes em breve.

MITO E EQUÍVOCO #4
PERDER TEMPO COM OS EXERCÍCIOS ERRADOS

A maior parte daquilo que as academias oferecem em termos de aparelhos e máquinas não tem lugar em uma ficha de musculação legítima.

Como afirma o conhecido treinador de força Mark Rippetoe, se você quiser ficar forte, chute os aparelhos e pegue os halteres. Como você verá, é disso que *Malhar, Secar, Definir — Para Mulheres* trata: puxar, empurrar, levantar e agachar halteres e barras.

Para discordar dessa abordagem, muitas vezes se usam estudos que comparam aparelhos e pesos livres. À primeira vista, eles permitem concluir facilmente que as máquinas são tão efetivas quanto os pesos livres, e possivelmente até *melhores*, para desenvolver massa muscular e força.

Mas quem tira essa conclusão desconsidera algumas informações essenciais.

Os participantes desses estudos não são treinados, e os resultados obtidos por sujeitos sem treino não podem ser extrapolados diretamente para sujeitos treinados.

Os "ganhos de principiante" são muito reais e se resumem ao fato de que os músculos respondem excepcionalmente bem a mais ou menos qualquer tipo de treino pelos primeiros três a seis meses. Simplesmente se pode cometer todo tipo de erro no começo e ainda obter progressos acima da média.

Isso não dura muito, porém. Quando a "mágica" acaba, desaparece para sempre, e o que funcionou nos primeiros meses não continuará necessariamente a funcionar.

SEÇÃO I FUNDAMENTOS

É assim especialmente no treino de força. Embora um sujeito sem treino possa obter ganhos medíocres de força e massa muscular com máquinas nos primeiros meses, não existe *absolutamente* nenhum modo de conquistar o físico ideal malhando sobretudo em aparelhos.

Há pesquisas que provam o oposto: os pesos livres de fato funcionam melhor do que as máquinas para ganhar força e músculos.

Um bom exemplo é um estudo da Universidade de Saskatchewan, que demonstrou que o agachamento livre resulta em ativação 43% maior dos músculos da perna do que o agachamento na máquina Smith.

Outro exemplo é um estudo da Universidade da Califórnia, que demonstrou que o supino livre resulta em maior ativação dos músculos do tronco do que supino na máquina Smith.

Essas coisas não devem causar espanto. Há décadas os halterofilistas mais notáveis enfatizam o treinamento com pesos livres, e eu aposto que as pessoas maiores e mais fortes da sua academia fazem o mesmo.

A conclusão é que há simplesmente alguma coisa especial em forçar o corpo a manipular pesos livremente, sem auxílio, contra a pressão da gravidade. Ninguém jamais ganhou um peitoral de respeito simplesmente fazendo voador ou supino na máquina: sempre leva anos puxando halteres e barras.

No entanto, nem todos os exercícios com pesos livres são iguais. Os que funcionam melhor são aqueles conhecidos como *exercícios multiarticulares*, que envolvem e ativam múltiplos grupos musculares. Exemplos de poderosos exercícios multiarticulares são agachamento, levantamento terra e supino, que treinam bem mais do que simplesmente pernas, costas e peitoral, respectivamente.

O oposto dos exercícios multiarticulares são os *exercícios isolados*, que envolvem e ativam primariamente apenas um grupo muscular. Exemplos de exercícios isolados são o crucifixo (que isola os músculos do peito), a rosca bíceps (que isola o bíceps) e a cadeira extensora (que isola o quadríceps).

No que se refere ao desenvolvimento muscular e força, numerosos estudos científicos confirmaram a superioridade dos exercícios multiarticulares sobre os exercícios isolados.

Um desses estudos foi realizado na Universidade de Ball State em 2000, e funcionou do seguinte modo: dois grupos treinaram com pesos por dez semanas. O primeiro grupo fez quatro exercícios multiarticulares de tronco, enquanto o segundo fez os mesmos exercícios mais rosca bíceps e extensão de tríceps (exercícios isolados).

Depois do período de treino, ambos os grupos tiveram ganhos de tamanho e força, mas qual deles você acha que ficou com os braços maiores? A resposta é nenhum. Os exercícios isolados adicionais realizados pelo segundo grupo não produziram nenhum efeito adicional nem na força nem na circunferência do braço. A conclusão não é que não se deve treinar os braços diretamente, mas sim sobrecarregar todo o corpo fazendo com que tudo cresça.

Charles Poliquin, treinador de vários atletas de alto nível que competem nas Olimpíadas e jogam em times profissionais, gosta de afirmar que para ganhar 3 cm de braço é preciso ganhar 5 kg de massa muscular.

O que ele quer dizer é que o modo mais efetivo de alcançar um corpo forte e musculoso é a sobrecarga sistêmica, não o treinamento localizado. Se seu programa de musculação não girar em torno de treinamento multiarticular pesado, você jamais realizará seu potencial genético em termos do desenvolvimento global de força e massa muscular.

Ora, eu não estou dizendo que exercícios isolados são inúteis. Certos exercícios isolados, se incorporados de maneira correta a uma ficha, de fato auxiliam no desenvolvimento global. Aliás, eles são necessários para desenvolver completamente músculos menores do corpo, como ombros, bíceps e tríceps.

Assim, haverá alguns exercícios isolados no meu programa, mas a ênfase está longe de recair sobre eles.

MITO E EQUÍVOCO #5
MUDAR DE FICHA CONSTANTEMENTE

As pessoas que cometem o erro de fazer montes de exercícios ineficientes costumam acreditar no mito de "confundir os músculos", que é a crença de que é preciso mudar constantemente de ficha de exercícios para "deixar o corpo na dúvida" e obter ganhos.

Isto não faz o menor sentido. Você vai à academia para ganhar massa muscular e ficar mais forte, e isso requer quatro coisas simples: fazer os exercícios certos, pegar pesos cada vez maiores à medida que o tempo passa, alimentar-se corretamente e dar ao corpo descanso suficiente.

Mudar de exercícios com regularidade simplesmente não é necessário, porque seus objetivos limitam os exercícios que você deve fazer.

Perceba, se quiser desenvolver uma base sólida de massa muscular e força, você deve fazer os mesmos tipos de exercício toda semana, e eles deverão incluir coisas como agachamento, levantamento terra, supino, desenvolvimento militar e outros.

SEÇÃO I FUNDAMENTOS

Se você fizer esses exercícios corretamente toda semana, sua força atingirá o céu, e você ganhará músculos com mais rapidez do que imaginava que fosse possível — sem mudar uma única coisa além da quantidade de peso na barra.

Além do mais, mudar de ficha com frequência impede de avaliar o progresso corretamente. Como você conseguirá saber se está ficando mais forte se fizer exercícios e repetições diferentes a cada uma ou duas semanas?

Não conseguirá, o que é perigoso. Isso leva semana após semana a um esgotamento sem que perceba que não está obtendo progresso nenhum.

MITO E EQUÍVOCO #6
TREINAR COMO UM IDIOTA

Uma das coisas mais aflitivas de se ver na academia são os levantadores de ego erguendo com muita dificuldade grandes pesos a torto e a direito com abandono inconsequente. Fico agoniado não só de pena, mas também por antever as lesões que poderão aparecer a qualquer momento.

Embora possa parecer uma generalização chocante, é verdade. A maioria não faz a menor ideia do modo correto de realizar muitos exercícios, e essa ignorância retarda seus ganhos; causa desgastes desnecessários nos ligamentos, tendões e articulações; e abre a porta para lesões debilitantes (especialmente à medida que as cargas sobre os ombros, cotovelos, joelhos e região lombar ficam mais pesadas).

Alguns desses indivíduos são de fato ignorantes, e outros estão mais interessados em parecer descolado do que em obter progressos reais. Outros simplesmente aprenderam errado com — sim, pois é — revistas, amigos e instrutores.

Bem, você não vai cair nessa armadilha. Você fará os exercícios com a forma perfeita, e embora talvez pegue pesos menores que o Sr. Fortão, ele vai se perguntar em segredo por que você está avançando nos pesos com tanta rapidez enquanto ele está parado há meses. E quem sabe... talvez você pegue mais do que ele um dia desses!

MITO E EQUÍVOCO #7
MALHAR COM FRESCURA

Ficar com o corpo perfeito é um pé no saco. Exige muito tempo, esforço, disciplina e dedicação. Não é fácil, e quem quer que diga o contrário é ignorante ou mentiroso.

Para ser muito sincero, a maioria malha cheia de frescura, sem pegar cargas pesadas e sem fazer o trabalho duro. Essas pessoas parecem acreditar que basta ir à academia e repetir os movimentos.

Não, não basta. E o corpo delas, que muda pouco ao longo do tempo, é testemunha desse fato.

A verdade é que essas pessoas estão cedendo a um dos nossos instintos mais primitivos. Nós, humanos, somos programados para evitar a dor e o desconforto, e buscar prazer e facilidade na vida; e em algumas circunstâncias isso funciona muito bem para nós. Se deixarmos essas tendências influenciarem os nossos treinos, porém, estaremos perdidos.

Se quiser conquistar um corpo de respeito, você terá de dar *duro* na academia. Terá de lidar com pesos completamente intimidantes. Vai ter de suar para terminar aquela última série. Vai ter de conviver com dor muscular e outras dores.

Mas você passará a adorar tudo isso. Vai aprender que toda essa dureza é parte do jogo — o "dever" que é preciso cumprir antes de ter o prazer. Você ficará ansiosa pela hora diária de esforço físico intenso, desconfortável, desgastante, porque sabe que cada treino que termina a deixa um pouco mais forte, tanto física quanto mentalmente, e leva você para um pouco mais perto da "meta".

MITO E EQUÍVOCO #8
ALIMENTAR-SE PARA FICAR MAGRA OU PARA ENGORDAR

Como você já deve ter ouvido falar, os músculos crescem *fora* da academia, quando recebem descanso suficiente e nutrição adequada.

Pois bem, muita gente entende tudo errado: malha demais e depois não ingere calorias, ou especificamente proteínas, em quantidade suficiente (ou ingere muito mais do que deveria), além de consumir em excesso alimentos pouco nutritivos, e depois não entende por que não consegue causar no corpo as mudanças que deseja.

Veja bem, se você não ingerir calorias suficientes nem a quantidade necessária de proteína diariamente, seus músculos *não vão crescer*, simples assim. Por mais que malhe, se você não comer o suficiente, não vai ganhar músculos dignos de nome.

Por outro lado, se ingerir a quantidade correta de proteína por dia, mas consumir calorias demais, você pode até ganhar músculos, mas eles ficarão escondidos debaixo de uma horrorosa camada de gordura desnecessária.

SEÇÃO I FUNDAMENTOS

Se não ingerir quantidade suficiente de alimentos nutritivos, você poderá mudar a composição do seu corpo, mas acabará desenvolvendo deficiências de vitaminas e minerais que prejudicarão tanto sua saúde quanto seu desempenho, o que com o tempo irá limitar seus ganhos.

No entanto, ao saber se alimentar corretamente, você poderá ganhar uma quantidade de músculos de cair o queixo e continuar magra, e poderá perder camadas de gordura ao mesmo tempo que mantém ou até aumenta sua massa muscular total.

A RAIZ DA QUESTÃO

Você acabou de aprender a fórmula para fazer tudo errado na musculação: mate-se por horas na academia, faça toneladas de séries "até queimar", faça os exercícios errados de forma incorreta, evite dar o máximo de si e alimente-se de modo errado.

Esses erros são responsáveis por quantidades incontáveis de frustração, desencorajamento e confusão. São o principal motivo pelo qual as pessoas obtêm pouco ou nenhum progresso e desistem.

Assim, se esse é o modo errado, qual é o modo certo de ganhar músculos e perder gordura? Continue para descobrir.

RESUMO DO CAPÍTULO

- Na musculação, mais nem sempre é melhor. Muitos programas de exercícios populares resultam em sobretreino para halterofilistas naturais.

- Como halterofilista natural, você deve enfatizar exercícios multiarticulares e pesados para maximizar os resultados. Fichas com muitas repetições que enfatizam exercícios isolados são extremamente ineficientes a longo prazo.

- Ficar com os músculos latejando sem parar não estimula nem metade do desenvolvimento muscular que você imagina.

- Não é necessário mudar de ficha de exercícios constantemente para obter ganhos. Em vez disso, é recomendável ir aumentando pouco a pouco a carga em exercícios compostos fundamentais.

- Para conquistar um corpo de respeito é preciso dar duro na academia. Treinos fáceis não servem para muita coisa.

- Quem come cronicamente pouco não consegue ganhar músculos dignos de nome. Quem come cronicamente muito ganha massa muscular, mas ganha excesso de gordura junto.

As três leis científicas do desenvolvimento muscular

Felizmente, há uma solução, e não é realizar múltiplas séries de nenhum desses exercícios da moda vendidos como "A Resposta". Trata-se de apenas um pouco do bom e velho trabalho básico.

— JIM WENDLER

AS LEIS DO DESENVOLVIMENTO muscular são tão certas, observáveis e irrefutáveis quanto as da física.

Quando se joga uma bola para cima, ela desce. Quando você faz as coisas certas dentro e fora da academia, seus músculos crescem. É simples assim, e não importa se a sua genética é "boa" ou "ruim". Não existe ninguém que não consiga ganhar massa muscular — existem apenas aqueles que não conhecem as leis contidas neste capítulo e no anterior, e não agem de acordo com elas.

Esses princípios são conhecidos e seguidos há décadas por pessoas que conquistaram os melhores corpos já vistos, remontando a gente como Steve Reeves e Roy "Reg" Park, e, voltando ainda mais no tempo, o pioneiro "pai do halterofilismo moderno", Eugen Sandow.

Algumas dessas leis contradizem coisas que você leu ou ouviu, mas, felizmente, não exigem saltos de fé nem meditação. Elas são *práticas*. Obedeça-as, e você obterá resultados imediatos.

Quando elas funcionarem, você saberá que são verdadeiras, e engano algum conseguirá afastá-la delas.

A PRIMEIRA LEI DO DESENVOLVIMENTO MUSCULAR
SOBRECARGA PROGRESSIVA ANTES DE TUDO

Como você sabe, a "queimação" nos músculos é simplesmente uma infusão de ácido lático, que é um subproduto da queima das reservas de energia pelos músculos. Ele não faz muita coisa para induzir o desenvolvimento muscular.

Ficar com os músculos "latejando" depois de treinar também não prediz bem o crescimento muscular futuro. Isso é resultado de o sangue ficar "preso" nos músculos, e embora essa sensação tenha efeito psicológico positivo e alguns estudos tenham mostrado que ela pode auxiliar a síntese de proteínas (o processo pelo qual as células desenvolvem proteínas), ela não é um motor primário do crescimento.

O que, então, produz o desenvolvimento muscular?

A resposta é conhecida como *sobrecarga tensional progressiva*, que significa aumentar progressivamente ao longo do tempo os níveis de tensão sobre as fibras musculares. Isto é, pegar pesos progressivamente mais e mais pesados.

Veja bem, é preciso dar aos músculos bons motivos para crescer, e nada é mais convincente do que sujeitá-los a cada vez mais estresse e tensão mecânicos.

Isso faz sentido intuitivamente — para adaptar-se a lidar com cargas cada vez mais pesadas, os músculos precisam crescer — e é corroborado pela ciência.

Por exemplo, em uma meta-análise de 140 estudos a respeito desse tema, cientistas da Universidade Estadual do Arizona descobriram que a progressão na resistência otimiza o ganho de força e o crescimento muscular. Os pesquisadores também descobriram que trabalhar na faixa de quatro a seis repetições (80% de uma repetição máxima, ou $1RM$) funciona melhor para aqueles que treinam regularmente.

A conclusão da pesquisa é simples: a melhor forma de ganhar músculos e força é concentrar-se na musculação pesada e aumentar com o tempo o peso empregado.

Bem, isso não é apenas teoria — é fato. E é disso que trata o programa de *Malhar, Secar, Definir — Para Mulheres*: pegar cargas pesadas e fazer séries curtas e intensas com relativamente poucas repetições.

Deixe as séries descentes, séries gigantes e superséries prescritas pelas revistas para os leitores de revistas. Esses métodos são tão ineficientes para ganhar músculos quanto são exaustivos. É muito esforço para pouca recompensa.

Em vez disso, a partir de agora, você treinará de maneira diferente. Vai passar mais tempo do que passava descansando, realizará exercícios que provavelmente não fazia e pegará muito mais peso do que achava que era possível.

E a recompensa é imensa. Você não só passará a amar seus treinos como também amará ainda mais o ritmo de mudanças do seu corpo.

A SEGUNDA LEI DO DESENVOLVIMENTO MUSCULAR
O DESCANSO ADEQUADO É TÃO IMPORTANTE QUANTO O TREINO ADEQUADO

Um dos problemas mais comuns de muitos programas de musculação que circulam por aí é que são simplesmente excessivos, seja em treinos individuais, seja em volume total de treino semanal.

Eles reforçam o equívoco comum de que ganhar músculos é simplesmente uma questão de nocautear o corpo com quantidades excessivas de treino. Aqueles que adquiriram esse mau hábito precisam compreender que se fizessem menos da *coisa certa*, ganhariam *mais*.

Veja bem, quando levanta peso, você provoca pequenas rupturas nas fibras musculares, as chamadas *microrrupturas*, que o corpo então repara. Isto é parte do processo (cujo nome científico é *hipertrofia*) mediante o qual os músculos crescem.

Um dos objetivos que desejamos alcançar com o treino é uma quantidade ótima de microrrupturas nos músculos. Não tanto que o corpo não consiga reparar, o que freia o crescimento muscular, mas nem tão pouco que ganhos potenciais sejam perdidos.

Embora muita gente treine menos do que o adequado, o que causa, portanto, menos danos aos músculos do que o necessário, número bem maior de pessoas treina em excesso, o que causa danos demais. Isto é, ou seus treinos individuais resultam em excesso de microrrupturas ou elas não esperam tempo suficiente para voltar a treinar um dado grupo muscular, dada a extensão de danos causada no treino anterior.

Estudos mostraram que, dependendo da intensidade do treino e do nível de preparo físico, o corpo leva de dois a sete dias para reparar completamente os músculos sujeitos a musculação. Considerando o volume e a intensidade do programa de *Malhar, Secar, Definir — Para Mulheres*, podemos presumir com segurança que a recuperação muscular total levará de quatro a seis dias.

A TERCEIRA LEI DO DESENVOLVIMENTO MUSCULAR
OS MÚSCULOS SÓ CRESCEM QUANDO DEVIDAMENTE ALIMENTADOS

Você pode fazer os treinos mais perfeitos e dar aos seus músculos a quantidade perfeita de descanso, mas se não se alimentar corretamente, não terá progresso — *ponto*. É simples assim.

SEÇÃO I FUNDAMENTOS

Fazer a dieta correta não é especialmente complicado, mas ela tem várias partes móveis que é preciso saber coordenar.

Claro, todos conhecemos a necessidade de ingerir proteínas, mas em qual quantidade? Quantas vezes por dia? De que tipo?

E os carboidratos? Eles são bons para o desenvolvimento muscular? Quais são os melhores tipos? Em qual quantidade? Qual é o melhor horário para consumi-los para maximizar os ganhos?

E a gordura? Que papel desempenha? De qual quantidade precisamos, e quais são as melhores formas de obtê-la?

E, finalmente, quantas calorias devemos ingerir por dia e por quê? Quando será preciso fazer ajustes nisso e em que proporção?

Pois bem, todas essas são boas perguntas, e neste livro você encontrará respostas definitivas para todas elas e para ainda outras, de modo que nunca mais cometa erros na dieta.

A RAIZ DA QUESTÃO

Adquirir uma base sensual de massa muscular é, em essência, apenas uma questão de seguir religiosamente estas três leis: dar duro e pegar pesado, descansar o suficiente e alimentar o corpo corretamente. É assim que se conquista um corpo forte, saudável e trincado, e em breve você estará caminhando para ele, provando isso a você mesma e aos outros.

Então, vamos virar para o outro lado da moeda da boa forma — perder gordura — e ver os mitos, equívocos e as leis que esperam por nós.

RESUMO DO CAPÍTULO

- O motor primário do desenvolvimento muscular é a sobrecarga progressiva, não a fadiga nem a sensação de que os músculos estão latejando.
- Trabalhar primariamente com 80% a 85% da 1RM otimiza o ganho de força e o desenvolvimento muscular.
- O tempo de descanso é tão importante quanto o tempo de treino, e estudos mostram que o corpo leva de dois a sete dias para recuperar completamente músculos sujeitos a treino com pesos.

Os cinco maiores mitos e equívocos sobre perda de gordura

A estrada para lugar nenhum está pavimentada com desculpas.

— MARK BELL

HÁ MILHARES DE ANOS, o padrão ouro do físico feminino é um corpo magro e definido.

Ele era a marca das heroínas e deusas antigas, e permaneceu uma qualidade venerada; idolatrado pela cultura pop. É alcançado por poucas, mas cobiçado por muitas.

Com os índices de obesidade passando dos 35% nos Estados Unidos (e em permanente ascensão), parece que ficar definida e tornar-se parte da "elite física" requer genética sobre-humana ou um nível de conhecimento, disciplina e sacrifício que ultrapassa aquilo de que a maioria é capaz.

Pois bem, isto simplesmente não é verdade. O conhecimento é bem fácil de obter (aliás, você está aprendendo tudo o que precisa saber neste livro).

Claro, é necessário ter disciplina e fazer algum "sacrifício" no sentido de que não, provavelmente você não tem o metabolismo que lhe permita comer uma pizza grande por dia e ter o corpo que você deseja; mas aí é que está: quando estiver treinando e se alimentando corretamente, você vai *gostar* do estilo de vida. Vai esperar ansiosamente pela academia todo dia. Nunca sentirá que está passando fome, comerá tudo o que adora e não sofrerá de desejos irresistíveis.

Quando chegar a esse "ponto ideal", você se sentirá melhor do que nunca, terá o melhor corpo que já teve e achará infinitamente melhor do que ser preguiçosa, gorda e viciada em sorvete e salgadinho. Quando conseguir chegar a esse "lugar ideal", poderá fazer tudo o que quiser com o seu corpo. Os resultados serão inevitáveis; é só questão de tempo.

A maioria das pessoas, porém, jamais alcança essa meta. Falta-lhes força de vontade e desejo para chegar lá (não sabem bem qual é a própria "motivação interna") ou não sabem como chegar lá; ou ambas as coisas.

SEÇÃO I FUNDAMENTOS

Bem, neste capítulo, veremos os cinco mitos e equívocos mais comuns na jornada para ficar definida. Assim como no caso das falácias da arte de ganhar músculos, esses erros permeiam a área da saúde e da boa forma há anos e estragam as coisas para milhões de pessoas.

Vamos dissipá-los de uma vez por todas para que não atravanquem a sua jornada rumo à conquista do corpo magro e "escultural" que você deseja.

MITO E EQUÍVOCO #1
MONITORAR O CONSUMO DE CALORIAS É DESNECESSÁRIO

Se eu ganhasse um centavo a cada vez que converso com alguém que deseja perder peso, mas não quer ter de contar calorias... bem, você sabe o resto.

Isso é tão lógico quanto desejar dirigir para outro estado sem prestar atenção ao tanque de gasolina. É possível fazê-lo? Talvez. Mas será bem mais arriscado e estressante do que deveria ser.

Ora, não serei demasiado severo com essas pessoas porque muitas vezes elas nem sequer sabem o que é uma caloria. Elas simplesmente não querem ter o trabalho de contar algo ou ter a preocupação de se "podem" comer esse ou aquele alimento, e eu as entendo.

Mas a verdade é a seguinte: não importa se falamos em "contar" calorias, planejar as refeições ou outra coisa qualquer: para perder gordura efetivamente é preciso regular a ingestão de alimentos.

Veja bem, o metabolismo é um sistema energético que opera de acordo com as leis de energia. Para perder gordura é preciso fazer com que o corpo permaneça queimando mais energia do que recebe, e o potencial energético dos alimentos é medido em calorias.

É provável que isto não seja novidade para você, mas quero revisar rapidamente a parte fisiológica do processo de perda de gordura só para o caso de você não estar convencida de que ela se resume ao cálculo da diferença entre a energia absorvida e a energia gasta.

O princípio científico de base em funcionamento aqui é o do *equilíbrio energético*, que se refere à quantidade de energia gasta diariamente *versus* a quantidade dada ao corpo por meio dos alimentos.

De acordo com as leis da física em que este princípio se baseia, se você der ao corpo diariamente um pouquinho mais de energia do que ele gasta, uma porção do excedente será armazenada como gordura, e assim você ganhará peso lentamente. Se der ao corpo um pouquinho menos de energia do que ele consome por dia, ele acessará as reservas de gordura para obter a energia adicional de que precisa, deixando-a um pouquinho mais leve.

Note que, em qualquer tempo dado, seu corpo precisa de certa quantidade de glicose no sangue para continuar vivo. Ela é o combustível vital que todas as células do corpo usam para operar, e certos órgãos, como o cérebro, são verdadeiros devoradores de glicose.

Quando ingere alimentos, você dá ao corpo uma quantidade relativamente grande de energia (calorias) em um curto período. Os níveis de glicose sobem muito mais do que é necessário para manter a vida, e em vez de "jogar fora" ou queimar o excedente, o corpo armazena uma porção dele como gordura para uso posterior.

Cientificamente falando, quando o corpo está absorvendo os nutrientes ingeridos e armazenando gordura, está em estado "pós-prandial" (*pós*: "depois"; *prandial*: "relativo à refeição"). Esse estado "de saciedade" é quando o corpo está em "modo de armazenamento de gordura".

Assim que termina de absorver glicose e outros nutrientes dos alimentos (aminoácidos e ácidos graxos), o corpo entra em estado "pós-absortivo" ("depois da absorção"), no qual precisa recorrer à própria reserva de gordura para obter energia. Esse estado "de jejum" é quando o corpo está em "modo de queima de gordura".

Diariamente o corpo transita entre o estado de "saciedade" e o de "jejum", armazenando gordura dos alimentos ingeridos e passando a queimá-la quando não resta nada das refeições para usar. Eis um gráfico simples que descreve este ciclo:

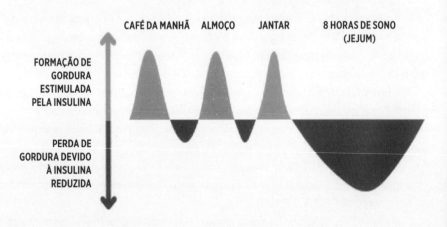

As porções mais claras são os períodos em que o corpo tem excesso de energia porque se alimentou. As mais escuras são os períodos em que o corpo não tem mais energia advinda da alimentação e, portanto, tem de queimar gordura para continuar vivo. Como você pode ver, queimamos um bom tanto de gordura quando dormimos.

Se as porções mais claras e mais escuras se equilibram todos os dias — se você armazena a mesma quantidade de gordura que queima — seu peso permanece o mesmo. Se armazena mais gordura do que queima (comendo em excesso), engorda. E se queima mais gordura do que armazena, você emagrece.

Este é o mecanismo básico no qual se baseiam o armazenamento e a perda de gordura, e ele tem precedência sobre qualquer coisa relacionada à insulina ou a qualquer outro hormônio ou função fisiológica.

Simplificando, você não engordará se não der a seu corpo mais energia do que ele queima, nem emagrecerá se não der a ele menos energia do que ele queima.

Ao contrário da crença (atualmente) popular, não importa a quantidade de carboidratos que você consome nem se o seu nível de insulina ao longo do dia é alto. O equilíbrio energético é a primeira lei da termodinâmica em funcionamento: não é possível aumentar os reservatórios de gordura sem fornecer excesso de energia, nem é possível reduzi-los sem restringir a energia.

É por isso que pesquisas mostram que, ao ingerir menos calorias do que gastam, as pessoas perdem gordura igualmente bem tanto em dietas ricas em carboidratos quanto naquelas que são pobres em carboidratos.

A conclusão é que o tipo de alimento que você ingere tem pouco a ver com a perda ou o ganho de peso. No que diz respeito a isso, uma caloria é uma caloria. O que não quer dizer, porém, que você só deve comer porcarias para perder peso. O que você come *de fato* importa quando se trata de manter a composição corporal ideal. Se você quiser perder gordura, e não massa muscular, uma caloria *não* é uma caloria; mas falaremos mais sobre isso depois.

Então, esclarecido esse ponto, voltemos ao cálculo de calorias. O que as pessoas mais detestam não é fazer o cálculo, mas tentar descobrir o que comer na agitação da vida cotidiana ou o que comprar quando dão uma corrida ao supermercado.

Quando você tem uma janela de trinta minutos para correr até o restaurante mais próximo e almoçar, não precisa abrir um aplicativo e tentar estimar calorias, e sim apenas pedir algo que pareça saudável e esperar o melhor.

Infelizmente, essas refeições "saudáveis" rápidas têm centenas de calorias a mais do que você pensa. Repita a dose no jantar, considerando também alguns lanches casuais para garantir, e você simplesmente comerá demais para reduzir sua massa adiposa total. Terá armazenado exatamente o mesmo tanto, se não mais, de gordura que gastou, e seu peso vai continuar o mesmo ou subir proporcionalmente.

Assim, o verdadeiro problema não é contar calorias, mas não conseguir fazer nem seguir um plano nutricional que lhe permita comer alimentos de que gosta ao mesmo tempo que queima mais gordura do que armazena ao longo do tempo.

Claro que é mais fácil esquentar um pratão de sobras ou comprar algo num *fast-food* e continuar com o seu dia, mas essa facilidade tem preço: perder pouco ou nenhum peso.

MITO E EQUÍVOCO #2
FAÇA AERÓBICO QUE VOCÊ PERDERÁ GORDURA

Todos os dias vejo gente acima do peso se matando nos aparelhos aeróbicos. E as semanas vão passando sem que tenha conseguido emagrecer.

Elas têm a falsa ideia de que suar no elíptico ou na bicicleta ergométrica vai de algum modo acionar um botão mágico de perda de gordura no corpo. Bem, como agora você sabe, não é assim que funciona.

O aeróbico pode *intensificar* a perda de gordura de dois modos — queimando calorias e acelerando o ritmo metabólico —, mas é só isso.

E já que toquei no assunto, vamos falar brevemente sobre o "ritmo metabólico". O corpo queima certo número de calorias a despeito de qualquer atividade física, o que é chamado de *taxa metabólica basal* (TMB). O seu *gasto energético total* (GET) em um dia é a sua TMB mais a energia gasta durante qualquer atividade física.

Quando se fala em "acelerar" ou "reduzir" o metabolismo, isso significa aumentar ou diminuir a taxa metabólica basal. Isto é, o corpo passa a queimar mais ou menos calorias em repouso.

Aeróbico, especialmente um tipo que eu recomendo chamado *treino intervalado de alta intensidade* (HIIT), pode aumentar a taxa metabólica basal por meio de algo conhecido como "efeito *EPOC* (*Excess post-exercise oxygen consumption*)". Embora o nome soe sofisticado e costume ser usado em campanhas de marketing duvidosas para produtos duvidosos, é simples: o corpo continua a queimar mais energia *depois* que você se exercita.

Mas a questão do aeróbico é a seguinte: se você não se alimentar corretamente, aquela corrida ou pedalada noturna não vai salvá-la.

Digamos que você esteja tentando perder peso e tenha inadvertidamente ingerido 600 calorias a mais do que seu corpo queimou no dia. Você corre por cerca de trinta minutos à noite, o que queima cerca de 300 calorias, com talvez outras 100 calorias queimadas no "efeito *EPOC*".

Você ainda está com 200 calorias a mais do que seu gasto, o que significa que não haverá redução na reserva total de gordura no dia — e talvez haja até crescimento.

Você pode continuar assim por *anos* e jamais emagrecer; pode, ao contrário, engordar lentamente. Essa é a razão mais comum pela qual as pessoas "não conseguem perder peso por mais que se esforcem".

MITO E EQUÍVOCO #3
FAZER DIETAS DA MODA

Dieta Atkins. Dieta *South Beach*. Dieta Paleo. Dieta HCG (essa me dá a maior agonia). Dieta de Hollywood. Dieta do tipo corporal.

Parece que surge uma dieta da moda diferente a cada mês. Já não consigo mais acompanhar essas coisas.

Embora nem todas as "dietas da última moda" sejam ruins (a Paleo, por exemplo, apesar de desnecessariamente restritiva, é bastante saudável), a enorme abundância de dietas da moda propagadas por modelos e atores definidos está confundindo todo o mundo com relação ao "modo certo" de perder peso (o que é compreensível).

O resultado é que muitos pulam de dieta em dieta sem obter os resultados que desejam. E se tornam vítimas de coisas bem estúpidas simplesmente porque não entendem a fisiologia do metabolismo e da perda de gordura como você agora entende. Ou não querem aceitá-la.

Seja como for, regras são regras, e nenhuma dieta sofisticada ou suplemento milagroso vai ajudá-la a burlá-las.

Como diz o ditado, a melhor dieta é aquela que você consegue seguir. E, como você verá, uma abordagem equilibrada e flexível da alimentação é de longe a mais agradável, e, portanto, a mais eficiente. Assim que descobrir isso por si mesma, você perceberá as asneiras completas que são boa parte das dietas que varrem as academias.

MITO E EQUÍVOCO #4
FAZER TONELADAS DE REPETIÇÕES DEIXA OS MÚSCULOS DEFINIDOS

Diversos "gurus" recomendam fichas com muitas repetições e pesos leves para "definir", mas isso é o exato oposto do desejável.

A verdade é que o seu corpo fica "predisposto" a perder músculos quando você está com déficit calórico, e ao focar exclusivamente na resistência muscular (muitas repetições), o que você vai conséguir é perder força rapidamente, com potencial para perder também quantidade significativa de massa muscular.

A chave para preservar a força e os músculos ao mesmo tempo que perde peso é levantar cargas *pesadas*. A meta é continuar a sobrecarregar progressivamente os músculos, o que garante que as taxas de síntese de proteína continuem elevadas o suficiente para evitar a perda de músculos.

Exercícios multiarticulares como agachamento e levantamento terra também podem acelerar a perda de gordura, porque são o tipo de exercícios que queimam mais calorias pós-treino.

A conclusão é que ficar realmente magra é apenas uma questão de ter uma boa quantidade de músculos e uma baixa quantidade de gordura — e nada mais. Não existem exercícios especiais para "rasgar os músculos", e fazê-los queimar com uma tonelada de repetições não tem nenhum efeito na sua aparência.

MITO E EQUÍVOCO #5
TENTAR REDUZIR A "GORDURA LOCALIZADA"

Em quase toda revista de musculação você encontrará programas para ficar com tanquinho, afinar as coxas, perder o pneuzinho em volta da cintura, e assim por diante.

Eu queria que fosse simples assim.

Embora estudos mostrem que treinar um músculo causa elevação do fluxo sanguíneo e da lipólise (a quebra e transformação de células adiposas em energia utilizável) na área, isso não acontece em quantidade suficiente para fazer diferença.

A realidade é que treinar os músculos de uma certa área do corpo queima calorias e pode resultar em desenvolvimento muscular, duas coisas que podem auxiliar a perda de gordura, mas não queima diretamente a gordura que os recobre em nenhum grau significativo.

Veja bem, a perda de gordura ocorre no corpo de forma global. Você pode criar o ambiente interno adequado para a perda de peso (déficit calórico), e seu corpo reduzirá as reservas de gordura em todo o corpo, com certas áreas reduzindo mais rápido do que outras.

Você pode fazer quantos abdominais quiser, mas nunca ficará com a barriga sensual enquanto não reduzir devidamente o percentual de gordura corporal total, o que é uma função mais da dieta adequada que de qualquer outra coisa.

SEÇÃO I FUNDAMENTOS

E, como afirmei antes, se você deseja que certa área do seu corpo seja mais magra, treinar os músculos sem ao mesmo tempo reduzir o percentual de gordura corporal só agravará o problema. Os músculos vão crescer, mas a camada de gordura continuará, o que fará com que a área fique maior e mais inchada.

É por isso que costumo repetir uma regra geral simples: quanto mais músculo você ganha, mais magra tem de ser para evitar ficar "corpulenta". Uma mulher que ganhou uma quantidade razoável de músculos (um ano ou mais de musculação) precisará ficar com 20% ou menos de gordura corporal para continuar com a aparência "atlética" de braços tonificados, barriga definida, pernas torneadas, bumbum grande etc. Para os homens, é preciso ficar com 10% ou menos de gordura para conseguir o que normalmente queremos: músculos abdominais visíveis, cintura fina, vascularidade, músculos que pareçam "densos" etc.

Ora, todos temos certas "gorduras localizadas" que nos atormentam, e isso não é nada mais que genética. Algumas mulheres que conheço armazenam cada quilinho nos quadris, enquanto outras têm a sorte de ficar com a gordura mais bem distribuída pelo corpo.

Tenha certeza, porém, de que você pode perder o quanto desejar de gordura por todo o seu corpo, e *pode* ficar magra e definida do jeitinho que deseja; você só terá de ser paciente e deixar seu corpo emagrecer do modo como ele é programado para fazer.

A RAIZ DA QUESTÃO

Assim como acontece no caso do desenvolvimento muscular, muitas pessoas lidam com a perda de gordura de modo completamente equivocado, e com isso deixam de alcançar o peso que desejam.

Mas, assim como acontece no caso do desenvolvimento muscular, as leis da perda de peso saudável são bem simples e incrivelmente efetivas. Continue a ler para conhecê-las e fazê-las trabalhar para você.

RESUMO DO CAPÍTULO

- O princípio do equilíbrio energético é a base de toda perda e ganho de peso. O tipo de alimento ingerido tem pouco a ver com a perda ou o ganho de peso.

- O que se come *de fato* importa, porém, em termos de composição corporal. Se você deseja perder gordura, e não massa muscular, uma caloria não é só uma caloria.

- O corpo transita diariamente entre estados de "saciedade" e de "jejum", armazenando gordura derivada dos alimentos ingeridos e depois a queimando quando não há mais gordura advinda da alimentação.

- Se você armazena a mesma quantidade de gordura que queima todo dia, seu peso continua o mesmo. Se armazena mais gordura do que queima (comendo em excesso), engorda. E se queima mais gordura do que armazena, emagrece.

- Fazer muito aeróbico não é suficiente para emagrecer. Simplesmente não é possível compensar uma dieta ruim com exercícios.

- A melhor dieta é aquela que se pode seguir. É por isso que abordar a alimentação de modo flexível é a única coisa que funciona a longo prazo.

- A chave para preservar a força e, portanto, os músculos ao mesmo tempo que se perde peso é pegar cargas *pesadas*.

- Treinar os músculos de uma certa área do corpo queima calorias e pode resultar em desenvolvimento muscular, duas coisas que podem auxiliar a perda de gordura, mas *não* queima diretamente a gordura que os recobre em nenhuma medida significativa.

8

As quatro leis científicas da perda de peso saudável

Para mim, a vida é estar continuamente faminto. O sentido da vida não é simplesmente existir, sobreviver, mas seguir em frente, subir, alcançar, conquistar.

— ARNOLD SCHWARZENEGGER

A EVOLUÇÃO ENSINOU ao corpo que ter gordura significa conseguir sobreviver nas épocas em que a comida é escassa. Muitos milhares de anos atrás, quando nossos ancestrais vagavam pela selva, ficavam muitas vezes dias sem alimentos, e eram suas reservas de gordura o que os mantinha vivos.

Famintos, finalmente conseguiam matar um animal e se deleitar, e seus corpos sabiam se preparar para a próxima temporada de fome armazenando a energia excedente como gordura, pois se tratava literalmente de uma questão de vida ou morte.

Essa programação genética ainda está conosco. Quando você restringe suas calorias com o propósito de perder gordura, seu corpo reduz suas reservas totais de gordura para continuar vivo, mas também diminui sua taxa metabólica basal para conservar energia.

Se você restringir as calorias com excesso de severidade ou por muito tempo, essa regulação metabólica para baixo, ou "adaptação metabólica", como costuma ser chamada, poderá se tornar bastante severa, e a taxa metabólica basal talvez venha a despencar para níveis espantosamente baixos.

É por causa desse mecanismo que o "cálculo de calorias" parece não funcionar para alguns. Não tem nada a ver com problemas hormonais, excesso de carboidratos nem coisa alguma além do fato de que a parte da equação que diz respeito ao *gasto* de energia está deficiente. O corpo não está queimando nem perto da quantidade de energia que deveria estar.

Mas esse é apenas o início dos problemas das dietas mais severas, que prescrevem déficits calóricos severos por extensos períodos:

MALHAR SECAR DEFINIR PARA MULHERES

- Você perde bastante massa muscular, o que não apenas leva à temida aparência de "falsa magra", mas também prejudica a saúde óssea e aumenta o risco global de doenças.

- Seus níveis de testosterona despencam e os de colesterol disparam, o que não apenas faz com que você se sinta péssima, mas também acelera a perda de músculos.

- Seus níveis de energia afundam, você tem fissura intensa por comida todos os dias e se torna mentalmente confusa e até deprimida.

Felizmente, é possível corrigir a adaptação metabólica e todos os outros efeitos negativos das dietas severas aumentando lentamente, ao longo do tempo, a ingestão de alimentos, trazendo assim a taxa metabólica basal de volta a um nível saudável.

Mas a verdadeira meta é evitar tudo isso, e é aí que vamos nos concentrar neste capítulo: nas leis da perda saudável de gordura, que, quando seguidas, permitem a redução consistente de peso sem grande desaceleração metabólica nem perda muscular.

A PRIMEIRA LEI DA PERDA SAUDÁVEL DE GORDURA
ABSORVA MENOS ENERGIA DO QUE GASTA PARA PERDER GORDURA

Como você já aprendeu, perder gordura é uma ciência de números. Não importa o que digam, ficar definida se resume a nada mais do que fazer com que uma simples fórmula matemática trabalhe para você: energia consumida menos energia dispendida.

Ao contrário do que afirma boa parte das orientações da moda, o que você come não importa. Se seu metabolismo for saudável e você estabelecer as calorias ingeridas corretamente — se mantiver um déficit calórico moderado, ingerindo um pouquinho menos de energia do que consome todos os dias —, você perderá peso.

Não acredita em mim?

O professor Mark Haub, da Universidade Estadual do Kansas, conduziu em si mesmo, em 2010, um estudo sobre perda de peso. Ele começou o estudo com 96 kg e 33,4% de gordura corporal (sobrepeso). Haub calculou que precisava ingerir cerca de 1.800 calorias por dia para perder peso sem passar fome.

Ele seguiu o protocolo por dois meses e perdeu 12 kg; mas aí é que está: embora seja verdade que ele tomava um shake de proteína e comia alguns legumes todo dia,

SEÇÃO I FUNDAMENTOS

dois terços de suas calorias diárias vinham de bombons, chips e cereais açucarados — uma "dieta de loja de conveniência", como ele a chamou. E Haub não apenas perdeu peso como seu colesterol "ruim", ou LDL, caiu 20%, e seu colesterol "bom", ou HDL, subiu 20%.

É claro que Haub não recomenda a dieta, mas ele a seguiu para provar um argumento: quando o assunto é perda de gordura, as calorias são soberanas.

Não há nada de novo nisso para o estudo científico da perda de peso e do equilíbrio energético. As pesquisas metabólicas sobre o gasto calórico humano remontam há mais de um século, e hoje a fisiologia é amplamente compreendida.

Uma fantástica revisão do tema pode ser encontrada em um artigo publicado por pesquisadores da Universidade de Lausanne, caso você queira mergulhar nos detalhes (que são bem complicados).

Como você também sabe, a perda saudável de gordura não consiste tão só em cortar drasticamente as calorias e passar fome. A perda de massa muscular, a desaceleração metabólica e outros efeitos indesejáveis acabam pesando demais. Por fim, quando não consegue mais aguentar o sofrimento, é bem provável que você vá na outra direção, aumentando enormemente o consumo de calorias se entupindo de toda a comida à vista por dias ou semanas, e acabe onde começou.

Aliás, você pode acabar ainda pior. Já se demonstrou que esse ciclo vicioso resulta em rápido armazenamento de gordura, muitas vezes para além dos níveis anteriores à dieta. Em outras palavras, as pessoas acabam mais gordas do que estavam quando começaram a dieta.

Então a conclusão é: você precisará prestar atenção às calorias para perder peso efetivamente. Precisará ter disciplina e abrir mão de lanches e guloseimas que não estejam no seu plano alimentar. Você provavelmente vai passar um pouco de fome de vez em quando.

Mas, se fizer tudo direitinho, você poderá ficar magra como deseja sem perder músculos... ou mesmo enquanto ganha músculos (sim, isto é possível — mais a respeito disso depois).

A SEGUNDA LEI DA PERDA SAUDÁVEL DE GORDURA
FAÇA BOM USO DOS MACRONUTRIENTES PARA OTIMIZAR A COMPOSIÇÃO CORPORAL

Como eu disse antes, embora "uma caloria seja uma caloria" quando o único propósito é a perda de peso, uma caloria *não* é uma caloria no que se refere à otimização da composição corporal. O que você come importa muito pouco se você está tentando apenas ver os números diminuírem na balança, mas importa muito se está tentando perder gordura, e *não* músculos.

Se ingerir quantidade pequena de proteína enquanto restringe calorias para perder peso, você vai perder mais músculos do que perderia se ingerisse a quantidade adequada.

Se ingerir poucos carboidratos enquanto está com deficiência de calorias, seu treino sofrerá, o reparo dos seus músculos ficará prejudicado, e seu perfil hormonal se tornará mais catabólico.

Se comer muito pouca gordura, pode experimentar queda significativa nos níveis de testosterona e outros efeitos indesejáveis.

Como você vê, se quiser que seu regime de perda de peso seja maximamente efetivo, precisa restringir as calorias, mas também ingerir proteínas e carboidratos em quantidade suficiente para preservar a massa muscular e o desempenho, assim como gordura em quantidade suficiente para manter níveis hormonais saudáveis e boa saúde de modo geral. A quantidade adequada de gordura é necessária para manter a pele e os cabelos saudáveis, isolar os órgãos do corpo contra impactos, regular a temperatura corporal e promover o funcionamento saudável das células.

Embora soe complicado, não é. Na verdade, essa deve ser a maneira mais simples que existe de fazer dieta, e mais adiante você aprenderá tudo a respeito dela neste livro.

A TERCEIRA LEI DA PERDA SAUDÁVEL DE GORDURA
ALIMENTE-SE NOS HORÁRIOS QUE SÃO MELHORES PARA VOCÊ

A maioria das recomendações para o horário das refeições envolve fazer múltiplas refeições pequenas por dia, e a razão que se costuma dar é que se alimentar dessa forma acelera o metabolismo, ajudando, assim, a perder peso mais rápido.

Parece fazer sentido à primeira vista. Quando o corpo recebe alimentos de poucas em poucas horas, ele tem de trabalhar constantemente para digeri-lo, o que deve acelerar o metabolismo, certo?

Bem, meio que sim... mas isso não ajuda na perda de peso.

Veja bem, cada tipo de macronutriente (proteína, carboidrato e gordura) requer, para ser decomposto e processado, quantidades variáveis de energia. Isso é conhecido como termogênese induzida pela dieta e é o "estímulo" metabólico que vem com a alimentação.

SEÇÃO I FUNDAMENTOS

A magnitude e a duração desse estímulo dependem da quantidade de comida ingerida. Uma pequena refeição causa um pequeno pico metabólico que não dura muito, ao passo que uma grande refeição produz um grande pico que dura mais tempo.

A questão, então, é: fazer um número maior de pequenas refeições por dia gasta mais energia total em um período de 24 horas do que um número menor de refeições maiores?

Pois bem, em uma extensa revisão da literatura, cientistas do Instituto Nacional de Saúde e Pesquisa Médica da França examinaram dezenas de estudos comparando o efeito térmico do alimento em uma ampla variedade de padrões alimentares, indo de uma a dezessete refeições por dia.

Em termos de gasto energético em 24 horas, eles não encontraram nenhuma diferença entre beliscar e se empanturrar. Pequenas refeições causaram estímulos metabólicos pequenos e curtos, e grandes refeições, estímulos maiores e mais demorados. No fim de cada dia, dava no mesmo em termos de total de calorias consumidas.

Também podemos analisar um estudo da Universidade de Ontário sobre perda de peso. Nele, os sujeitos foram divididos em dois grupos alimentares: um com três refeições por dia, e o outro com três refeições mais três lanches por dia, com ambos em um regime de restrição calórica para perder peso. Depois de oito semanas, dezesseis participantes completaram o estudo, e os pesquisadores não encontraram na média nenhuma diferença significativa nos valores de peso, gordura ou massa muscular perdidos.

Portanto, fazer refeições menores com frequência maior não auxilia nem atrapalha diretamente na perda de gordura. E quanto ao apetite? Será que ajuda aqui?

Um estudo da Universidade do Missouri com vinte e sete pessoas acima do peso/obesas descobriu que, depois de doze semanas de dieta para perder peso, aumentar a ingestão de proteína melhora o controle do apetite, mas a frequência de refeições (três ou seis por dia) não tem nenhum efeito.

Pesquisadores da Universidade do Kansas investigaram os efeitos da frequência de refeições e do consumo de proteínas na percepção de apetite, na saciedade e nas respostas hormonais em indivíduos acima do peso/obesos. Eles constataram que ingestão maior de proteína leva a maior sensação de saciedade, e que fazer seis refeições produz sensação diária de saciedade menor do que fazer três refeições.

Por outro lado, é possível encontrar estudos cujos participantes se sentiram menos saciados com três refeições por dia e mais saciados com mais refeições, o que tornou mais fácil continuar a fazer dieta.

A conclusão é que muitas variáveis estão envolvidas no apetite, inclusive as psicológicas, e os nossos padrões de fome são estabelecidos pelos nossos padrões alimentares habituais; portanto, costuma ser mais fácil trabalhar com eles, não contra eles.

MALHAR SECAR DEFINIR PARA MULHERES

É por isso que evidências clínicas mostram que tanto refeições mais frequentes quanto menos frequentes são efetivas para a perda de peso, e não têm vantagens nem desvantagens inerentes em termos de taxa metabólica e controle de apetite.

Vamos falar agora sobre o bicho-papão que apavora todo aquele que faz dieta: comer tarde da noite.

As pessoas acreditam que, de algum modo, comer em excesso no final do dia vai acelerar o armazenamento de gordura, então evitam fazê-lo a qualquer custo, preferindo passar fome por horas a se alimentar no horário que é melhor para elas.

Pois bem, como agora você sabe, perda e ganho de gordura dependem inteiramente do equilíbrio energético, e não têm nada a ver com o horário das refeições. Isso significa que você pode comer na hora que quiser. Isso também não é só teoria — é algo comprovado por inúmeros estudos científicos.

Por exemplo, um estudo da Universidade de Chieti, na Itália, descobriu que ingerir calorias de manhã ou à noite não afeta a perda de peso nem os parâmetros de composição corporal.

Um estudo realizado por pesquisadores da Universidade Vanderbilt mostrou resultados interessantes: sujeitos que normalmente tomam café da manhã perderam mais peso pulando-o e ingerindo a maior parte das calorias no jantar, ao passo que sujeitos que normalmente pulavam o café perderam mais peso passando a tomar café todos os dias. Os pesquisadores atribuíram os resultados a maiores níveis de saciedade e, consequentemente, maior conformidade com a dieta.

Outro estudo sobre o tema, desta vez da Universidade de São Paulo, mostrou que dividir as calorias entre cinco refeições diárias iguais feitas entre as nove da manhã e as oito da noite, ingerir todas as calorias de manhã ou ingerir todas as calorias à noite não afeta os padrões de perda de peso nem de composição corporal.

Eu também já testei esses resultados várias vezes, tanto no meu próprio plano de refeições quanto nos planos de pessoas a quem ajudo e com quem trabalho, às vezes enfiando grandes porções das nossas calorias diárias em jantares noturnos, seja por necessidade ou por escolha.

Como esperado, não fez nenhuma diferença nos nossos resultados. Desde que você mantenha os mesmos números diários, seu corpo responderá exatamente como deve.

Já que estamos no tema da alimentação noturna, recomendo ingerir de 30 g a 40 g de uma proteína de digestão lenta como ovo ou caseína (ou de um suplemento ou de uma fonte alimentar integral, como queijo cottage de baixa caloria) trinta minutos antes de dormir — uma vez que estudos mostram que isso melhora a recuperação dos músculos devido à disponibilidade maior de aminoácidos para reparo durante o sono.

SEÇÃO I FUNDAMENTOS

Ou seja, não é necessário ser escrava de um horário de alimentação rígido. Alimente-se com a frequência ou a falta de frequência que preferir, pois *quando* você come tem pouca influência na sua capacidade de perder gordura. Use os horários das refeições como uma ferramenta para fazer com que a sua dieta seja o mais prazerosa e o mais conveniente possível. Assim, você conseguirá segui-la, que é o que importa no final das contas.

Agora, se você estiver se perguntando por onde começar — com mais ou menos refeições por dia —, eu recomendo que faça várias refeições menores por dia (quatro a seis funcionam bem).

Na minha experiência como orientador de milhares de pessoas, a maioria é como eu e prefere fazer mais refeições menores a menos refeições maiores. Eu pessoalmente não gosto de ingerir entre 800 e 1.000 calorias para então me sentir estufado por várias horas. Prefiro uma refeição de 400 calorias que me deixe satisfeito por algumas horas, seguida por outra refeição menor de um alimento diferente.

Se você já sabe que não quer ou não pode comer com essa frequência, não se preocupe. Faça o que quer que seja melhor para você.

A QUARTA LEI DA PERDA DE PESO SAUDÁVEL
USE OS EXERCÍCIOS PARA PRESERVAR OS MÚSCULOS E ACELERAR A PERDA DE GORDURA

Você pode perder peso restringindo calorias sem se exercitar, mas acrescentar exercícios — tanto de força quanto de aeróbico — traz grandes benefícios.

Unir treinamento de força a deficiência de calorias preserva os músculos e a TMB, e fornece significativo "efeito *EPOC*". Acrescentar treinamento aeróbico queima mais energia e, assim, mais gordura.

Em minha opinião, restringir as calorias para a perda de peso sem também fazer alguma forma de treinamento de força para preservar músculos é simplesmente um erro. Isso resultará em perda muscular no mínimo moderada, o que não apenas não é bom para a aparência como é ruim para a saúde.

O aeróbico é negociável. Não há nada de inerentemente ruim ou prejudicial à saúde em não incluí-la no plano de perda de peso, mas eu afirmo o seguinte: só com dieta e treino de força você poderá ir longe.

Se você estiver planejando ficar com menos de 20% de gordura corporal, posso garantir que precisará colocar aeróbico na sua ficha para chegar lá. Felizmente, porém, não terá de ser nem metade da quantidade que a maioria das pessoas imagina.

MALHAR SECAR DEFINIR PARA MULHERES

A RAIZ DA QUESTÃO

A perda saudável de peso depende dessas quatro leis e de nada mais. Fora drogas e cirurgias invasivas, todo e qualquer método viável de perda de peso se baseia nas quatro regras simples que você acabou de aprender para obter resultados.

Claro, é possível, para ser chique, contar "pontos" em vez de calorias, restringir os alimentos disponíveis até o momento em que seria simplesmente impossível comer em excesso mesmo que você tentasse, inventar todo tipo de receita criativa de baixa caloria possível, usar truques para aumentar a saciedade e refrear a fome, e assim por diante; mas, no fim das contas, essas leis ou trabalharão a seu favor ou contra você, e determinarão se você vai conseguir perder peso.

RESUMO DO CAPÍTULO

- Quando você restringe suas calorias para perder peso, seu corpo reduz os reservatórios de energia total para permanecer vivo, mas também diminui a taxa metabólica basal para conservar energia.

- Uma caloria não é só uma caloria no que diz respeito a otimizar a composição corporal. Se você deseja que seu regime de perda de peso seja maximamente eficiente, é preciso comer proteínas e carboidratos em quantidade suficiente para preservar a massa muscular e o desempenho, e gordura em quantidade suficiente para manter a saúde geral.

- Aumentar ou diminuir a frequência de refeições não ajuda nem atrapalha a perda de peso ou o desenvolvimento muscular. Alimente-se nos horários que são melhores para você.

- Comer à noite não ajuda nem atrapalha a perda de peso ou o desenvolvimento muscular.

- Ingerir de 30 g a 40 g de uma proteína de digestão lenta como ovo ou caseína (ou de um suplemento ou de uma fonte alimentar integral, como queijo cottage de baixa caloria) 30 minutos antes de dormir melhora a recuperação dos músculos.

- O acréscimo de treino de força à deficiência calórica preserva os músculos e a TMB, e fornece substancial "efeito *EPOC*".

- O acréscimo de treino aeróbico consome mais energia e, portanto, mais gordura.

SEÇÃO II
TREINO INTERNO

O treino interno para ficar em forma

Disciplina é fazer o que você odeia fazer como se estivesse adorando.

— MIKE TYSON

QUANDO SE TRATA de ficar em forma, há algo estranho na marca de três meses. É a época em que eu vejo centenas de pessoas desistirem.

Já vi a história se repetir incontáveis vezes com dúzias de pessoas: elas vão até três ou quatro meses e então, por uma razão ou por outra, simplesmente desaparecem. Algumas ficam doentes e nunca retornam. Outras resolvem tirar uma semana de férias que se torna uma interrupção permanente. Outras só ficam com preguiça mesmo e começam a inventar desculpas para não ligar mais para a própria forma.

Mas essas pessoas, em sua maioria, têm uma coisa em comum: elas não estavam felizes com os ganhos que vinham fazendo, e, sem resultados visíveis suficientes para seus esforços, é compreensível que sua motivação tenha minguado.

Para sua sorte, você não terá esse problema. Se seguir exatamente o que aprender neste livro, terá ganhos incríveis e se sentirá mais motivada depois de três meses do que se sente agora.

Antes de entrarmos no bê-á-bá do treino e da dieta corretos, porém, eu quero que você saiba que há dois aspectos igualmente importantes na conquista do corpo dos seus sonhos. Eu os chamo de "treino interno" e "treino externo" para ficar em forma.

O treino externo é a parte física — como treinar, alimentar-se, descansar, e assim por diante —, e é nisso que a maioria dos instrutores, livros e revistas se concentra. O treino interno, porém, é menos discutido, mas igualmente importante. Se ele não estiver bem ajustado, a jornada será dura.

O treino interno, é claro, é a parte mental do desafio de entrar em forma, e é ela que separa aqueles que têm um corpo fantástico dos que têm um corpo medíocre.

Ficar com o físico de matar não é uma questão de embarcar na canoa de qualquer programa de exercícios da moda por alguns meses. É uma questão de adotar uma abordagem disciplinada e ordenada do corpo, o que para a maioria é uma grande mudança de estilo de vida.

As duas grandes barreiras ao treino interno são *falta de motivação* e *falta de disciplina*, áreas em que a maioria tem problema em algum momento, normalmente bem cedo.

O que vejo com frequência é as pessoas começarem os planos de ficar em forma com o tanque cheio de resolução, mas em algumas semanas esse combustível começa a se esgotar. Aquele novo programa de TV está começando na hora da academia... Aquela hora a mais de sono seria uma maravilha... Ficar alguns dias sem malhar não é nada de mais... Mais uma refeição fora do plano não vai fazer tanto mal...

Ceder a essas tentações coloca você no ciclo vicioso de ter resultados não tão bons, o que leva a perguntar por que é que você está se dando ao trabalho de fazer algo que naturalmente a levará à desistência. Eu já vi esse filme incontáveis vezes.

Pois bem, embora seja verdade que alguns simplesmente são por natureza mais disciplinados do que outros, todo o mundo pode usar os truques simples que vou expor nesta seção do livro para melhorar a própria preparação mental para vencer e continuar na linha, mesmo quando vier a tentação de pular fora.

Como se tornar sua própria mestra: a simples ciência da força de vontade e do autocontrole.

Você deseja um grande império? Domine a si mesmo.

— PÚBLIO SIRO

DE ACORDO COM uma pesquisa realizada pela Associação Americana de Psicologia em 2010, a falta de força de vontade é o obstáculo número um que as pessoas enfrentam para atingir seus objetivos. Muitas, além de se sentirem culpadas com a própria falta de motivação, sentem que estão decepcionando os outros, e que suas próprias vidas, em grande medida, não estão sob seu controle. Relatam sentir que suas ações são ditadas por emoções, impulsos e desejos intensos, e que exercer autodisciplina só leva, em última análise, à exaustão.

E quanto àqueles com níveis maiores de força de vontade? Bem, eles se saem melhor na escola, ganham mais dinheiro, são líderes melhores, são mais felizes, mais saudáveis e menos estressados. Têm relacionamentos sociais e românticos melhores (pois conseguem manter a língua dentro da boca) e até vivem mais. A conclusão é que, qualquer que seja a circunstância, ter mais força de vontade é melhor do que não ter.

Todos nós, onde quer que estejamos no espectro, temos de enfrentar problemas de força de vontade. Alguns são de natureza biológica — o desejo de comer coisas gordurosas e açucaradas que nossos cérebros veem como vitais para a nossa sobrevivência —, e outros são mais unicamente nossos. Alguma outra pessoa pode achar repulsivo aquilo que consideramos tentador. Os vícios dos outros podem nos parecer tão atraentes quanto comida de avião.

Quaisquer que sejam os detalhes, os estratagemas são os mesmos. A sua desculpa para faltar à academia... de novo... é notavelmente similar à justificação do comilão para se empanturrar... pelo terceiro dia seguido. O modo como você se convence a adiar aquela tarefa importante só por mais um dia é o mesmo que outra pessoa usa para aliviar a culpa de ceder à ânsia por um cigarro.

MALHAR SECAR DEFINIR PARA MULHERES

A ciência é clara: a luta interna por autodisciplina é simplesmente parte do ser humano. Mas por que ela é uma carga tão pesada para algumas pessoas? Por que elas desistem de suas metas com tanta facilidade e por que se entregam tão alegremente a tantos comportamentos autossabotadores? E o que se pode fazer a respeito? Como elas podem adquirir controle de si mesmas e das próprias vidas?

Ora, essas são boas perguntas, e, embora eu definitivamente não tenha todas as respostas, vou compartilhar as pesquisas e as intuições que me ajudaram a entender a natureza da besta e as formas de domá-la.

Como você verá, a autoconsciência que vem com a aquisição de um entendimento mais profundo do nosso funcionamento dá um poder incrível. Ao entender melhor o que pode nos fazer perder o controle, podemos manejar com habilidade as nossas "reservas de força de vontade" e evitar as armadilhas que as consomem.

Então, vamos começar nossa pequena jornada com um conceito simples: uma definição clara do que a força de vontade é de fato.

EU VOU, EU NÃO VOU, EU QUERO

O que queremos dizer quando afirmamos que alguém tem ou não tem força de vontade?

Normalmente estamos nos referindo à capacidade ou incapacidade de dizer "não". A garota precisa estudar para a prova, mas aceita um convite para ir ao cinema. Está tentando perder 5 kg, mas simplesmente não consegue dizer "não" para aquela fatia de torta. Pessoas assim têm problemas para dizer "eu não vou".

Há dois outros aspectos da força de vontade, porém: "eu vou" e "eu quero".

O poder do "eu vou" é o outro lado da moeda do "eu não vou". É a capacidade de fazer algo mesmo sem desejar fazê-lo, como suar na academia quando está cansado, pagar a conta atrasada ou varar a noite naquele projeto do trabalho.

"Eu quero" é a habilidade de lembrar *por que* quando a tentação bater — a meta de longo prazo, aquilo que você de fato deseja mais do que o sanduíche ou a compra com o cartão.

Torne-se mestra dos seus "eu vou", "eu não vou" e "eu quero" e você se tornará a mestra do seu destino. A procrastinação pode ser batida. Seus piores hábitos podem ser desmantelados e substituídos. Bafejos de tentação perdem o poder sobre você.

Mas não espere que essas habilidades venham facilmente. "Reprogramar-se" para favorecer as escolhas mais difíceis será desconfortável. Você poderá achar exaustivo no começo. Você será arrastada de volta para o que é conhecido. Fique na linha, contudo, e as peças vão começar a entrar nos eixos. Você verá se tornar cada

SEÇÃO II TREINO INTERNO

vez mais fácil dizer "não" para as distrações e "sim" para as coisas que precisa fazer sem ficar em frangalhos.

Então, agora que já determinamos o que é força de vontade e o que está em jogo, sigamos para a fisiologia do desejo e para as razões por que ele faz, às vezes, com que seja tão difícil resistir a "agir mal".

O EFEITO DA DOPAMINA SOBRE O CÉREBRO: POR QUE A IDEIA DE CEDER É TÃO ATRAENTE?

Um verdadeiro desafio de força de vontade não é um pensamento fugaz, do tipo "isso seria legal", que desaparece com a mesma rapidez com que aparece. É mais como uma aterradora batalha entre bem e mal, virtude e pecado, yin e yang se desenrolando no seu interior, e você a *sente* fisicamente.

O que está acontecendo?

Bem, fisicamente falando, você está experienciando seu cérebro quando ele está com fixação na promessa de uma recompensa. Assim que você vê aquele hambúrguer, uma substância química chamada *dopamina* jorra no seu cérebro. De repente, tudo o que importa na vida é aquela deliciosa pilha engordurada de carne, queijo e pão. A dopamina diz ao seu cérebro que você precisa consumir aquele sanduíche *agora*, qualquer que seja o custo, ou sofrer as medonhas consequências.

Para piorar as coisas, agora seu cérebro está prevendo o iminente pico de insulina e energia, então ele começa a diminuir os níveis de açúcar no seu sangue. Isto, por sua vez, faz com que você deseje o sanduíche ainda mais. E quando você se dá conta, está na fila, esperando ansiosamente a sua vez de pedir um.

Veja bem, assim que você toma consciência da oportunidade de obter uma recompensa, seu cérebro esguicha dopamina para lhe dizer que era essa a maravilha que você estava procurando. Ele toca a canção doce da gratificação imediata e abafa qualquer consideração sobre consequências de longo prazo.

Mas a substância não é desenhada para nos deixar felizes e contentes — seu papel é nos estimular à *ação*, e ela faz isso nos excitando, aguçando nossa concentração e nos empurrando para fazer algo para pôr a mão no prêmio. É o incentivo que ela nos dá. Mas ela também ameaça com punição: quando é liberada, a dopamina desencadeia a liberação de hormônios de estresse que fazem com que sintamos ansiedade. É por isso que quanto mais pensamos na recompensa desejada, mais importante ela se torna para nós. E mais acreditamos que precisamos obtê-la *agora*.

No entanto, o que nós não percebemos é que o estresse que estamos sentindo não é causado por não ter o troféu da torta, do par de sapatos ou do *Candy Crush* — é causado pelo próprio desejo, que é a ferramenta emocional da dopamina para garantir que vamos obedecê-la.

O cérebro não dá a mínima para o bem maior. Não está nem aí se você vai ficar feliz 15 kg mais gorda ou mil reais mais pobre. O trabalho dele é identificar promessas de prazer e soar o alarme, ainda que obtê-lo implique comportamentos caóticos e arriscados e cause mais problemas do que vale a pena.

Ironicamente, as recompensas últimas que procuramos talvez sejam fugazes, mas a menor possibilidade de recompensa e a ansiedade de desistir da busca podem nos manter ligados até o ponto da obsessão. É por isso que podemos chegar a nos encontrar, poucos dias depois de uma falha catastrófica de força de vontade que nos encheu de culpa, correndo de novo ansiosamente atrás do dragão: enfiando goela abaixo mais entupimento de artéria, deixando até as calças no cartão de crédito, perdendo mais horas no Facebook.

Qualquer coisa que pensamos que trará prazer faz esse sistema de procura de recompensa entrar em ação: o cheiro de um hambúrguer, a promoção da loja, a piscadela do cara que é a fim ou a propaganda do redutor de celulite. Quando a dopamina se apossa do cérebro, obter o objeto desejável ou desempenhar a ação que a ativou se torna "tudo ou nada".

Não espanta, portanto, que comer, cheirar ou mesmo apenas ver alimentos ricos em açúcar e calorias nos faça querer comer tudo à vista. Houve um tempo em que um apetite insaciável era vital para a sobrevivência. Depois de permanecer em jejum por vários dias, quando você finalmente mata um animal, é melhor engolir um número enorme de calorias a fim de obter a gordura necessária para se manter vivo até o próximo banquete. Mas isso era naquela época. Hoje em dia, embora esse instinto seja mais um encargo do que uma apólice de seguro de vida, ele ainda está lá, pronto para nos fazer engordar cada vez mais.

Porém, os problemas com a dopamina não terminam aí. Estudos mostram que quando ocorre liberação de dopamina em consequência de uma promessa de recompensa torna-se mais provável que persigamos outras promessas. Olhe para fotos de pessoas atraentes nuas e será mais provável que você tome decisões financeiras arriscadas. Sonhe que ganhou na loteria e os alimentos podem se tornar *realmente* atraentes.

Isso é ainda mais problemático no mundo contemporâneo, que em muitos sentidos é literalmente arquitetado para nos deixar querendo sempre mais. As empresas alimentícias sabem qual é a quantidade de sal, açúcar e gordura que devem colocar nas receitas para nos viciar, e sabem que uma variedade interminável de novos sabores e opções impede que nos tornemos "dessensibilizados" à recompensa que

SEÇÃO II TREINO INTERNO

oferecem. A indústria de videogames planeja cuidadosamente experiências que podem elevar os níveis de dopamina tanto quanto a anfetamina, o que explica muito do comportamento obsessivo-compulsivo visto no mundo dos *games*. Compras *on-line*, estimulação sexual constante em todas as formas de mídia, Facebook e mesmo os perfumes espargidos em lojas, hotéis, restaurantes, lanchonetes e sorveterias, tudo grita "aqui tem uma recompensa!" para o cérebro, que chafurda em toda essa dopamina como porco na lama, e nós sentimos que precisamos satisfazer todos esses impulsos o mais rápido possível.

Quando consideramos o grau extremamente excessivo com que nossos neurônios dopaminérgicos são estimulados e visados, não espanta que o cidadão médio seja um procrastinador com sobrepeso viciado em sorvete, videogames, televisão e redes sociais, e que escapar dessas armadilhas exija mudanças bastante drásticas de comportamento.

Para ter sucesso neste mundo novo, precisamos aprender a distinguir entre as "recompensas" falsas, distrativas e viciantes a que somos incitados todo o tempo e em toda parte, e as verdadeiras recompensas que nos dão autêntica satisfação e trazem sentido para a nossa vida.

O ARQUI-INIMIGO DA FORÇA DE VONTADE: O ESTRESSE

Voltemos à hamburgueria. Lembra? Você ainda está na fila, salivando com os milhares de calorias de êxtase gorduroso que está prestes a consumir.

A sua mente clareia por um momento, porém, e você se recorda de que está de dieta. Perder peso também importa. Você quer ficar saudável, em forma e feliz. Você jurou por tudo o que era mais sagrado que desta vez conseguiria.

Quando vista sob essa ótica, a comida que você está prestes a consumir parece uma *ameaça* para você, e seu cérebro também tem um protocolo para lidar com ameaças: lutar ou fugir. Os níveis de estresse sobem, mas não há nada a enfrentar ou do que fugir, porque a questão é: esta não é uma ameaça verdadeira. O hambúrguer não pode forçar entrada pela sua garganta. Ele precisa da sua cooperação. Nesse sentido, a ameaça é *você*.

Em suma, temos de nos proteger de nós mesmos, não do diabólico bife de carne moída, e é para isso que serve o autocontrole. É para relaxar os músculos, desacelerar o coração, respirar fundo e ganhar algum tempo para pensar sobre o que de fato queremos fazer a seguir, enquanto lutar ou correr serve para nos forçar a reagir o mais rápido possível.

Veja bem, estudos mostram de maneira conclusiva que nada prejudica tanto o autocontrole quanto o *estresse* — e não apenas o estresse que sentimos quando nossos cérebros estão banhados em dopamina, mas o estresse da vida cotidiana. Quanto mais estresse sentimos, maior é a probabilidade de comermos demais, gastarmos demais e fazermos muitas outras coisas de que nos arrependeremos pouco depois.

Um bom modo de medir os níveis de estresse no corpo é analisando algo chamado *variabilidade da frequência cardíaca*, que é o quanto seus batimentos cardíacos aceleram ou desaceleram à medida que você respira. Quanto mais estressada você está, menos variabilidade há na sua frequência cardíaca — mais ela fica "presa" num ritmo mais acelerado.

Pesquisas mostram que as pessoas que são menos estressadas — cuja frequência cardíaca tem uma quantidade desejável de variabilidade — exibem notavelmente mais autocontrole do que aquelas com menos variabilidade. Elas têm probabilidade maior de resistir a tentações e probabilidade menor de experimentar depressão e de desistir de tarefas difíceis, e lidam melhor com situações estressantes de maneira geral.

Qualquer coisa que causa estresse, mental ou físico, suga nossas "reservas" de força de vontade e reduz nossa capacidade de autocontrole. Assim, como um corolário, tudo que pudermos fazer para reduzir o estresse nas nossas vidas e melhorar nosso humor — tanto aguda quanto cronicamente — melhora o autocontrole.

Ora, ao que muitas pessoas se voltam quando estão estressadas? Pesquisas mostram que elas buscam "substâncias químicas que causam sensação de bem-estar", por meio, é claro, da comida, do álcool, dos videogames, da televisão, das compras, e assim por diante. Ironicamente, os mesmos indivíduos que usam essas estratégias também as qualificam de ineficientes para reduzir os níveis de estresse, e pesquisas mostram que certas atividades, como beber álcool e ver TV, podem aumentar o estresse em vez de diminuí-lo. Entregar-se a elas com frequência leva somente à culpa, seguida de mais entrega, seguida de mais culpa, e assim por diante.

Os doces são muito usados para lidar com o estresse, pois recorremos a alimentos açucarados que elevam os níveis de açúcar no sangue quando estamos nos sentindo sobrecarregados. Embora possa nos dar alívio emocional temporário, isso vem com um preço mais alto do que o mero exagero de calorias. O excesso de glicose e energia é logo sucedido por uma queda brusca, que, como o estresse, é precursora de falhas de autocontrole. Pesquisas mostram que, quando os níveis de açúcar estão baixos, é maior a probabilidade de abandonarmos tarefas difíceis, expressar raiva, estereotipar os outros e até recusar doações à caridade.

Esta é uma das muitas razões por que é mais inteligente obter a maioria dos seus carboidratos diários a partir de alimentos complexos, de digestão lenta, que mantêm os níveis de energia estáveis. Falaremos mais a respeito disso em um capítulo posterior.

SEÇÃO II TREINO INTERNO

Assim, com doces, álcool, videogames, compras e televisão fora da lista de modos de lidar com o estresse, o que devemos fazer? Bem, um modo efetivo de recuperar-se do estresse do dia a dia é simplesmente relaxar. Se quiser ver isso na prática, da próxima vez que enfrentar um desafio de força de vontade, desacelere deliberadamente sua respiração para cerca de dez a quinze segundos por respiração, ou quatro a seis respirações por minuto. Um modo fácil de fazer isso é exalar pela boca lenta e completamente com os lábios franzidos como se estivesse soprando de leve um canudo. Estudos mostram que simplesmente desacelerar a respiração desse modo aumenta a variabilidade da frequência cardíaca, ajudando a resistir melhor aos efeitos do estresse e a fortalecer a força de vontade.

Além desse elegante truque para permanecer forte diante das tentações momentâneas, é importante se lembrar de tirar algum tempo para relaxar todos os dias, pois as pesquisas mostram que isso não apenas reduz os hormônios do estresse e aumenta a força de vontade, mas também preserva a saúde. Mas não confunda "relaxamento" com "permissividade e inatividade". Uma garrafa de vinho e maratonas de seriados não vão ajudá-la.

Em vez disso, você deve se engajar em atividades que geram um tipo específico de resposta fisiológica: diminuição da frequência cardíaca, queda da pressão sanguínea, relaxamento muscular, interrupção da análise e do planejamento na mente. Tudo simplesmente desacelera. Estudos mostram que há vários meios de entrar nesse estado, como dar uma volta ao ar livre, ler, beber uma xícara de chá, ouvir música lenta, fazer ioga, deitar-se e concentrar-se na respiração e no relaxamento dos músculos, e até fazer jardinagem.

Outra parte importante da manutenção de baixos níveis de estresse é dormir bem. Dormir muito pouco habitualmente deixa você mais suscetível a estresse e tentações, e sem a "reserva de energia" necessária para continuar a praticar os bons hábitos e a controlar os maus hábitos. Em verdade, estudos mostram que privação de sono causa sintomas similares aos do transtorno de déficit de atenção: distração, esquecimento, impulsividade, dificuldade de planejamento e hiperatividade. Esses comportamentos estão bem longe de levar ao autocontrole.

Reduzir a exposição à mídia pessimista e sensacionalista também pode reduzir os níveis de estresse. Estudos mostram que se expor constantemente a notícias ruins, causas de medo e lembretes mórbidos da nossa mortalidade aumenta a probabilidade de comer e gastar em excesso e cometer outras falhas de força de vontade.

Porém, se você realmente deseja se tornar "à prova de estresse" e fortalecer sua força de vontade, precisa começar a fazer exercícios. Estudos mostram que o exercício físico regular reduz a fissura tanto por comida quanto por drogas, aumenta a

89

MALHAR SECAR DEFINIR PARA MULHERES

variabilidade da frequência cardíaca, fortalece contra o estresse e a depressão e até otimiza o funcionamento do cérebro em geral.

A conclusão é que nada parece melhorar tanto o autocontrole em todos os aspectos da vida quanto o exercício físico. Os efeitos são imediatos, e nem é preciso muito para colher os benefícios: pesquisas mostram que mesmo *cinco minutos* de exercício de baixa intensidade ao ar livre é o suficiente para melhorar o estado mental. Se você deseja uma "solução rápida" para os problemas de força de vontade, não há nada melhor que o exercício.

Então, da próxima vez que estiver se sentindo cansada demais ou sem tempo para malhar, lembre-se disso — todo exercício que você faz reabastece sua força de vontade e sua energia. Pense nele como uma "arma secreta" para conseguir o que quer.

NÃO IMPORTA O QUE CUSTARÁ, EU QUERO E QUERO JÁ

Eu quero tudo
Quero tudo e mais um pouco
Presentes e prêmios e doces e delícias
Mil sabores e substâncias
Eu quero já
Não importa o que custará
Eu quero e quero já
Não importa o que custará
Eu quero e quero já

Esses versos foram cantados por Veruca em *A Fantástica Fábrica de Chocolate*, e muitos lhe fazem coro todos os dias, ainda que não percebam.

O problema é que, no que se refere a recompensas, quanto mais temos de esperar, menos desejáveis elas se tornam. Trata-se do fenômeno "desconto do futuro", como o chamam os psicólogos, e ele explica por que, no momento de uma decisão que diz respeito a uma recompensa imediata *versus* uma recompensa futura, um ovo — ou um Big Mac — na mão hoje pode valer mais do que uma galinha amanhã.

O que quer que possamos conseguir *imediatamente* tende a parecer muito mais valioso do que o que quer que tenhamos de esperar para conseguir. É por isso que empresas de cartão de crédito ganham tanto dinheiro, lanchonetes de *fast-food* são muito mais lucrativas que academias e as pessoas tomam péssimas decisões de vida.

SEÇÃO II TREINO INTERNO

Embora estejamos todos suscetíveis a esse tipo de comportamento, alguns descontam recompensas futuras mais do que outros. E quanto mais uma pessoa se engaja nesse comportamento, pior passa a ser seu autocontrole e mais provável se torna que se comporte de modo impulsivo e venha a ter problemas com vícios.

Tudo isso se resume à seguinte questão: quanto desconforto você é capaz de suportar agora para alcançar um objetivo de longo prazo? Qual é a sua capacidade de ignorar recompensas imediatas e manter o prêmio maior em vista?

Felizmente, por mais cegos que estejamos no momento com a gratificação imediata, nós podemos mudar nossas taxas de desconto a nosso favor simplesmente mudando o modo como vemos a natureza das recompensas de hoje e de amanhã.

Por exemplo, se eu lhe desse um cheque de 200 reais pré-datado para daqui a dois meses e tentasse comprá-lo de volta por 100 reais hoje, você faria negócio? Provavelmente não. E se eu lhe desse 100 reais agora e tentasse comprar de volta com o cheque pré-datado de 200 reais, você faria o negócio? De novo, provavelmente não. Por quê? Simples: nós não queremos perder algo que temos, mesmo que seja para ganhar algo de maior valor depois. É simplesmente a natureza humana, e é por isso que tendemos a preferir recompensas imediatas menores a recompensas futuras maiores. Para quem está indeciso, um bombom agora sem dúvida parece muito mais desejável do que uma vaga perda de peso mais tarde.

Nós podemos usar essa peculiaridade psicológica para nos ajudar a perseguir objetivos de longo prazo em vez de sabotá-los.

Quando você enfrentar um desafio de força de vontade, se pensar primeiro na recompensa futura e no esforço que ceder agora representará ao progresso em direção a ela ou a alguma parte dela, será menor, segundo mostram os estudos, a probabilidade de você desconsiderar o futuro e cair em tentação. Quando estiver diante da deliciosa expectativa de se empanturrar de pizza, pense primeiro em como comê-la detona o progresso que você já fez em direção à meta de longo prazo do peso ideal ou da composição corporal ideal, e ela na hora se tornará menos atrativa.

Você está mesmo disposta a abrir mão de uma semana de progresso em direção ao corpo que sempre desejou por uma mísera comilança?

VAMOS TODOS ENGORDAR E PULAR DA PONTE

Quantas vezes você ouviu que é mínima a quantidade de pessoas que se exercita e ingere frutas e legumes em quantidade suficiente, a maioria preferindo passar o tempo na frente da TV e comer alimentos ricos em açúcar e gordura?

Esse tipo de estatística deveria nos "pôr na linha" por efeito do medo, mas os dados são música para os ouvidos dos viciados em maratonas de séries e *junk food*, pois os faz se lembrarem da reconfortante realidade de que não estão sozinhos — de que todo o mundo é como eles. E se todo o mundo é assim, será que é mesmo tão errado?

Talvez você não seja uma dessas pessoas, mas não ache que está imune a mecanismos psicológicos como esse. É confortável pensar que traçamos individualmente o nosso próprio caminho na vida, sem influências do modo como outros pensam e agem, mas isso simplesmente não é verdade. Amplas pesquisas psicológicas e mercadológicas mostram que o que os outros fazem — e mesmo o que nós *pensamos* que fazem — tem efeito pronunciado sobre nossas escolhas e comportamentos, sobretudo quando as pessoas que estamos observando são próximas a nós.

No mundo do marketing, esse efeito é conhecido como "prova social", um princípio consagrado usado numa miríade de formas para nos influenciar a comprar. Quando não sabemos com certeza como pensar ou agir, tendemos a olhar para como outras pessoas pensam e agem e imitá-las, mesmo que inconscientemente. Sempre que justificamos comportamentos como aceitáveis por causa de todos os outros que também os praticam ou de como são "normais", estamos apelando à prova social. Podemos adotar tudo dessa forma, de soluções temporárias a hábitos duradouros, e tanto as pessoas que conhecemos quanto até mesmo aquelas que vemos em filmes podem nos influenciar.

Por exemplo, ter familiares e amigos obesos aumenta drasticamente o seu risco de se tornar obesa. Quanto mais um estudante acredita que os outros colam nas provas, mais provável é que ele venha a colar (ainda que suas estimativas estejam erradas), e quanto mais as pessoas acreditam que outros sonegam impostos, mais chances há de que soneguem também.

Estudos demonstraram a natureza contagiante de hábitos e mentalidades em relação a muitos outros comportamentos, como beber, fumar, usar drogas, dormir menos que o necessário e até sentir-se solitário e deprimido. Como essas coisas passam de pessoa para pessoa, nossa sociedade têm influência muito maior nas nossas vidas do que a maioria de nós acredita.

Ainda que não costume beber, fumar ou mesmo comer em excesso, ver os outros se engajarem nessas atividades pode influenciá-la a ceder a seus impulsos. Ver alguém gastar demais pode justificar inconscientemente comer demais. Ouvir falar que alguém faltou à aula pode fazer com que você não veja problemas em faltar à academia.

O lado bom, porém, é que bons comportamentos e estados de espírito também são contagiantes. Se convivermos com pessoas que se orientam por metas, sentem-se felizes e têm altos níveis de autocontrole, nós também poderemos "pegar" essas características. Já foi demonstrado que simplesmente *pensar* em pessoas com níveis elevados de autocontrole — ter modelos de autocontrole — aumenta a força de vontade.

SEÇÃO II TREINO INTERNO

Assim, se você tiver dificuldade para ser fiel à sua dieta ou ficha de exercícios, juntar forças com outro alguém que está no mesmo caminho e pensar sobre como outros tiveram sucesso nessas questões pode tornar as coisas mais fáceis. Não é preciso sequer fazer a jornada fisicamente em conjunto; troca habitual de mensagens pode ser suficiente para alimentar o sucesso mútuo.

Também pode ser prudente limitar a exposição a exemplos de pessoas falhando nos seus desafios de força de vontade — comendo em excesso ou menosprezando exercícios, por exemplo —, uma vez que simplesmente ver os outros cederem pode provocar seu apetite e ajudá-la a encontrar razões para pular um treino.

Apesar disso, ver outros perderem o controle não *tem* de enfraquecer a sua resolução. Aliás, pode até fortalecê-la, se você estiver mentalmente preparada para ver essas demonstrações de autoindulgência como ameaças a seus objetivos de longo prazo, e não como convites tentadores.

Você pode se "vacinar" contra essas ameaças simplesmente passando alguns minutos por dia revisando suas metas e os modos como poderia ser tentada a se desviar delas. Imagine como a situação se desenrolará. Como você será seduzida? Que ações específicas ou estratégias de força de vontade usará para escapar da armadilha? Qual será a sensação de ter sucesso e continuar forte? Estudos mostram que refletir sobre essas coisas fortalece a vontade e ajuda a recusar a gratificação imediata quando necessário.

USANDO O "BOM" PARA JUSTIFICAR O "MAU"

Você já disse a si mesma que agiu "bem" quando fez o que precisava ou não cedeu à tentação, mas agiu "mal" quando procrastinou ou perdeu uma batalha com seus impulsos?

Você já usou o "bom" comportamento como permissão para justificar o "mau"?

É provável que tenha respondido sim e sim, e tudo bem. Você tem experiência própria daquilo que os psicólogos chamam de "licenciamento moral" [*moral licensing*], que é um insidioso destruidor de força de vontade.

Veja bem, quando atribuímos valores morais às nossas ações, elas se tornam matéria-prima para nosso desejo de simplesmente nos sentirmos bem (o suficiente) a nosso próprio respeito, ainda que estejamos sabotando nossos objetivos de longo prazo ou prejudicando outros. Agindo "bem", acreditamos, "mereceremos" o "direito" de agir um pouco (ou bastante) "mal". Por exemplo, se você treina e segue sua dieta por um dia e se dá os parabéns por ter ido muito "bem", pode acabar comendo demais amanhã ao mesmo tempo que se sente virtuosa, sem culpa e no controle.

93

É interessante que os "bons" comportamentos que as pessoas usam para justificar os "maus" não têm sequer de estar relacionados. Compradores que não adquirem algo que desejam têm mais chances de crer que é justificável se entregar a alimentos tentadores. Quando lembradas de que são virtuosas, as pessoas doam menos para caridade. As pesquisas mostram até que quando as pessoas simplesmente *pensam* em fazer algo bom, aumenta a probabilidade de que pratiquem comportamentos imorais ou indulgentes. E numa artimanha ainda mais estranha de acrobacia mental, quando alguns imaginam o que *poderiam* ter feito, mas não fizeram, sentem-se virtuosos. Eles *poderiam ter* comido a torta inteira, mas só comeram uma fatia. *Poderiam* ter pulado quatro treinos, mas pularam apenas três. *Poderiam* ter comprado o terno de 2 mil reais, mas em vez disso compraram o de 700 reais.

Só para ilustrar o quanto o licenciamento moral pode ficar absurdo, você consegue adivinhar por que, depois de acrescentar itens saudáveis ao cardápio, o McDonald's passou a vender mais Big Macs do que nunca? Sim — a mera *oportunidade* de comer coisas saudáveis deu sutilmente às pessoas parte da satisfação de fazê-lo de fato, o que lhes permitiu escolher a gratificação imediata de um sanduíche.

Como você pode ver, quando começamos a procurar permissão moral para nos afastar de nossas metas, não é difícil inventar alguma virtude para obter sinal verde. Para algumas pessoas, pedir um prato principal saudável leva a bebidas, acompanhamentos e sobremesas mais calóricos. Pessoas que compram chocolate para caridade tendem a "recompensar" a própria benevolência comprando chocolates para si mesmas. O Oreo orgânico é visto como um produto com menos calorias e mais adequado para consumo diário que o Oreo comum.

A grande ironia de tudo isso é que, no fim das contas, todos esses maus comportamentos "licenciados" simplesmente impedem as pessoas de alcançar o que verdadeiramente importa — um corpo em forma, uma vida longa, um orçamento equilibrado, um projeto concluído, e assim por diante. Elas estão se convencendo de que jogar fora a própria saúde, as próprias finanças, o próprio tempo, as próprias oportunidades e os próprios relacionamentos é um "prêmio" — que a autossabotagem é uma recompensa a ser desejada. A quem estão enganando? Apenas a si mesmas.

A moral desta seção é que nós simplesmente não podemos confiar nos nossos sentimentos para guiar nossas ações. Se caminharmos pela vida correndo atrás de "bons sentimentos", descobriremos vários modos de não nos sentir mal a respeito de cada "bocadinho" de procrastinação, excesso de comida, excesso de gastos e o que você desejar; e um belo dia você acabará se perguntando por que diabos está tão gorda, quebrada, preguiçosa e ignorante.

Escapar dessa armadilha requer, em primeiro lugar, que paremos de moralizar nosso comportamento — que paremos de usar sentimentos vagos de "certo" e

SEÇÃO II TREINO INTERNO

"errado" e "bom" e "mau" para guiar nossas ações imediatas. Precisamos, ao contrário, lembrar por que assumimos o compromisso de fazer coisas "difíceis" como malhar, controlar gastos, trabalhar depois do expediente, e assim por diante.

Em termos de dieta e exercícios, é preciso vê-los como passos independentes necessários para alcançar o corpo que você deseja, não como "bons" comportamentos que você pode trocar por prazeres. Seguir sua rotina de treinos não "compra" o direito de trapacear na dieta.

Lembre-se de que a meta não é um bom treino ou um dia de alimentação correta: é um físico radicalmente transformado. Há razões maiores pelas quais você está fazendo tudo isso, como boa forma, saúde, autoconfiança e todo o resto. E tomar atitudes como se empanturrar de pizza e deixar de treinar não são pequenos deslizes que você pode apagar com justificativas. São *ameaças* a essas metas abrangentes.

Sempre que estiver lutando com um desafio de força de vontade, revise os seus porquês. O que você ganhará, no final, ficando forte? Qual é a grande recompensa? Quem mais se beneficiará disso? Como será a sua vida quando aquilo que quer se tornar uma realidade? Você está disposta a postergar a gratificação para chegar lá? A experimentar um pouco de desconforto no presente para ter esse futuro?

"AH, QUE SE DANE, EU SOU UMA PREGUIÇOSA IDIOTA MESMO!"

O que todos tendem a fazer depois de um pequeno lapso de força de vontade, quando, por exemplo, saem da dieta? Interrompem o comportamento errado, voltam à linha e seguem em frente? Ou dizem "que se dane, já está tudo perdido mesmo" e enchem o prato no restaurante?

Infelizmente, a última opção é bem mais comum. Para muitos, o ciclo vicioso de deixar-se levar, arrepender-se e deixar-se levar mais seriamente — que os psicólogos chamam de "efeito que se dane" — parece inevitável e inescapável. O bocadinho de salgadinho se torna o saco inteiro. As duas mordidinhas de chocolate são seguidas por várias outras. A taça de vinho é prelúdio de uma garrafa... ou duas.

Sempre que, ao confrontar um obstáculo, as pessoas dizem para si mesmas "Eu já estraguei tudo, então que se dane, pelo menos vou me divertir um pouco", elas se entregam à espiral descendente do "efeito que se dane". Elas cedem e se sentem mal. Então, para se sentir melhor, recorrem à mesma coisa que deu início a todo o problema, o que desperta sentimentos ainda piores de vergonha e culpa, o que leva a falhas ainda maiores, e por aí vai.

Pois bem, você vai cometer alguns erros ao longo do caminho. Comerá demais na festa ou faltará a um treino a que poderia ter comparecido. Por melhor que eu seja em manter a bola rolando, também cometo alguns deslizes às vezes. Não há nada de errado conosco — somos simplesmente humanos como todos os demais. O que fazemos depois é o que importa de fato.

A atitude que nós definitivamente *não* devemos tomar é nos condenar muito quando fazemos besteira. Partir para a autocrítica só fará crescer os sentimentos de culpa e vergonha, o que só aumentará a probabilidade de recorrermos ao que quer que faça com que nos sintamos bem (e lá vamos nós, de volta ao pote de biscoitos). Quanto mais duros, exigentes e violentos somos com nós mesmos, pior ficamos no final.

Devemos, ao contrário, dedicar a nós a mesma compaixão e o mesmo perdão que dedicaríamos a um amigo. Isso provavelmente soa contraintuitivo para você. Será que assim não teríamos uma desculpa para continuar com o comportamento indesejado? Estudos mostram que não — várias pesquisas revelam que ser gentil consigo mesmo em momentos de estresse e fracasso está relacionado à maior força de vontade e ao autocontrole. A autocompaixão nos ajuda a aceitar a responsabilidade pelas nossas ações e a seguir em frente, tendo aprendido a lição.

O orgulho é outra arma eficiente que podemos utilizar para superar nossos desafios de autocontrole. Pesquisas mostram que imaginar o orgulho que sentirá ao atingir as próprias metas, aqueles a quem contará e a reação deles aumenta a força de vontade e nos torna mais propensos a fazer o necessário para tornar essas metas uma realidade. Prever a vergonha e a desaprovação dos outros que vêm com o fracasso também pode ajudar a ficar forte em face da tentação, mas não tem o mesmo poder que o orgulho.

A BOLA DE CRISTAL DA ILUSÃO

Um dos meios que mais usamos para abandonar o autocontrole é justificar os pecados do presente com planos de virtudes no futuro. Por exemplo, pesquisas mostram que simplesmente planejar fazer exercícios mais tarde pode aumentar a probabilidade de trapacear na dieta.

Este tipo de pensamento não apenas exala licenciamento moral, mas também acrescenta à mistura outra falha suprema: a suposição de que de algum modo nós tomaremos no futuro decisões diferentes das que hoje tomamos. Hoje eu vou repetir a sobremesa, mas amanhã seguirei a dieta. Hoje eu vou pular o treino, mas amanhã treinarei em dobro. Hoje passarei horas vendo meu programa de televisão favorito, mas não assistirei a mais nada no resto da semana.

Nós simplesmente damos excesso de crédito aos nossos eus futuros, contando que irão conseguir fazer aquilo que não somos capazes de nos levar a fazer agora. Supomos irrefletidamente que teremos mais entusiasmo, energia, obstinação, diligência, motivação, coragem, força moral... insira virtudes infinitas... em alguns dias, semanas ou meses.

Esse otimismo não seria um problema se soubéssemos que poderíamos de fato confiar em tudo isso. Mas sabemos que não é assim que funciona. Quando o futuro finalmente chega, aquela nobre versão idealizada de nós mesmos não pode ser encontrada em parte alguma, e as exigências que enfrentamos não são nem de longe fáceis como havíamos dito a nós mesmos que seriam. O que fazer, então? Adiar tudo de novo, é claro, esperando que nosso salvador nos resgate da próxima vez.

Esse tipo de pensamento simplesmente sobrecarrega nosso eu futuro com uma carga impossível de tarefas e responsabilidades.

À medida que prossegue no programa de *Malhar, Secar, Definir — Para Mulheres*, mantenha-se atenta para não cair no engano de acreditar que a virtude futura justifica o vício de hoje. Evite a armadilha de ver seu Eu do Futuro como uma entidade abstrata qualquer cujas emoções e desejos serão diferentes daqueles do Eu do Presente. Perceba que, quando o amanhã chegar, as chances de levar adiante de fato o que você não fez antes serão pequenas. Com mais frequência, você se encontrará exatamente no mesmo estado mental de antes, e vai se trair mais ainda.

À medida que fica melhor nisso, você melhora o que os cientistas chamam de "autocontinuidade futura", que é a capacidade de relacionar consequências futuras com ações presentes. Níveis elevados de autocontinuidade futura não apenas a ajudarão a entrar em forma como também melhorarão muitas outras áreas da sua vida.

Você também pode usar alguns exercícios mentais para construir a sua autocontinuidade futura. Pesquisas mostram que simplesmente pensar sobre o futuro — nem precisa ser nas recompensas em si — pode fortalecer a força de vontade. Assim, ao imaginar-se no futuro fazendo o que precisa fazer ou deixando de fazer o que não deveria, você pode aumentar a probabilidade de ter sucesso. Por exemplo, se estiver com dificuldades para começar uma dieta, apenas se imaginar comprando e comendo alimentos diferentes será suficiente para tornar a coisa mais "real" e agradável.

Outro exercício é escrever uma carta ao seu Eu do Futuro sobre como você acha que ele será, quais são suas esperanças para ele, o que você está fazendo por ele agora que trará recompensas mais tarde, o que ele poderia dizer a respeito do seu Eu do Presente, e mesmo no que resultarão, no futuro, as consequências da sua força de vontade presente. A página futureme.org [em inglês] oferece uma ótima ferramenta para isto, que lhe permite escrever um e-mail para si mesma e escolher uma data futura na qual ele será enviado.

O exercício final é similar aos outros e consiste em imaginar o seu Eu do Futuro em detalhes vívidos, o que, como já se demonstrou, aumenta o autocontrole. Explore as consequências dos comportamentos atuais, os bons e os maus. Como será seu Eu do Futuro se você não assumir o compromisso de mudar de direção? Quais serão as prováveis consequências físicas, mentais e emocionais? Doenças, arrependimento, vergonha, feiura, depressão e solidão? Não modere. E se você de fato mudar? Como será sua vida, então? Qual será sua aparência, como você se sentirá? Ficará orgulhosa e grata? De novo, explore as possibilidades.

NÃO LUTE CONTRA A FISSURA — SURFE A ONDA

Você acabou de sentar-se no sofá depois de um dia longo e cansativo, e sua mente começa a vagar. De repente, uma taça de sorvete se materializa, e suas papilas gustativas gritam por atenção. Não, você pensa, qualquer coisa menos sorvete. *Não* pense em sorvete!

Mas as ordens não funcionam. Quanto mais você tenta banir as visões das nuvens macias e cremosas de delícia, mais o pensamento domina sua consciência e suas glândulas salivares. Por fim, a única forma de fazer com que pare é comer a coisa.

Ironicamente, porém, a experiência quase nunca corresponde às expectativas.

O problema neste cenário não é a faísca de imaginação que deu início a ele, mas antes a tentativa violenta de suprimi-la. Estudos mostram que a disposição para pensar os pensamentos e sentir os sentimentos sem ter de agir com base neles é um método eficiente de lidar com uma ampla variedade de desafios, tais como desordens de humor, ânsia por comida e vícios. Por outro lado, tentar suprimir os pensamentos e sentimentos negativos, tais como autocrítica, preocupações, tristeza e ânsias, pode levar a maiores sentimentos de inadequação, ansiedade, depressão e mesmo a comer em excesso.

Assim, quando tiver pensamentos perturbadores, enfrente-os com calma em vez de tentar enfiá-los debaixo do tapete mental. Você não precisa *acreditar* neles nem contemplar seu significado; precisa apenas aceitar que estão lá e ficar consciente deles. Não tente interpretá-los — apenas os minimize. Eles não são tão importantes assim, e vão perder cada vez mais força até desaparecer.

Isto é especialmente importante com relação à dieta, já que pesquisas mostram que a supressão de pensamentos é uma estratégia de dieta bastante pobre. Quanto mais suprime pensamentos sobre comida, mais provável se torna que você venha a ter problemas com impulsos e acabe comendo demais. Quando a fissura bater, em vez de tentar discutir consigo mesma ou se distrair, observe e aceite os sentimentos. Perceba que, embora nem sempre possa controlar os locais por onde sua mente vaga, você *sempre* pode controlar suas ações. E antes de agir com base nos seus desejos, lembre-se da sua meta e das razões por que resolveu se abster do objeto de desejo. Surfe a onda do desejo até que ela finalmente quebre e se dissolva.

Pesquisadores da Universidade de Washington chamam este procedimento, que se revelou eficaz para ajudar fumantes a diminuir o número de cigarros fumados por dia, de "surfar a fissura". O processo ajudava os tabagistas a aprender a lidar internamente com os próprios sentimentos em vez de recorrer a algo externo para obter apoio.

Uma regra geral simples de aplicação desta técnica é esperar dez minutos antes de agir para satisfazer uma fissura ou outro estímulo impulsivo de praticar algo que você sabe que não deveria. Isto não apenas lhe dá tempo para pausar e refletir sobre a questão como também tira o poder da gratificação imediata e do desconto do futuro. Empurrando a recompensa para apenas dez minutos mais tarde, você pode despi-la da arma mais eficiente que ela possui contra a sua força de vontade.

Se, por outro lado, você estiver enfrentando um desafio de "eu vou" — se estiver evitando algo que sabe que precisa fazer —, então se comprometa a fazê-lo por dez minutos e *então* decida se continuará. Provavelmente o que descobrirá é que, uma vez em movimento, você quer continuar.

O QUE NÃO ME MATA ME FORTALECE

São seis da tarde e você acabou de terminar o trabalho por hoje. Está se sentindo esgotada. Incêndios foram apagados, reuniões suportadas, chefes aplacados. Você se arrasta para o carro, e uma sensação de pavor se apossa de você quando se dá conta de que agora deveria ir à academia treinar pernas. Ugh!

Antes que você perceba, sua mente acelera com razões para simplesmente ir para casa. Será um treino terrível mesmo. A academia fica lotada nas segundas. Você pode compensar na semana que vem. Você não mata tantos treinos quanto suas amigas. O ataque quebra rapidamente as suas defesas enfraquecidas, e você prossegue para a próxima decisão: pedir uma pizza para o jantar ou cozinhar algo saudável? Se pedir agora, pode buscar no caminho para casa...

Essa experiência é bastante familiar para muitos. Eles usam tudo o que podem — cansaço, dores, fadiga ou depressão — como desculpa para faltar a treinos, trapacear dietas, irritar-se com entes queridos e adiar tarefas que já passaram muito do prazo. Estar "exaustas", para essas pessoas, é simplesmente um modo fácil de ficar em paz com os próprios fracassos.

Pois bem, assim como os atletas de elite conseguem se pressionar até muito além das primeiras sensações de fadiga física — o ponto no qual as pessoas "normais" desistem, acreditando ter chegado ao limite —, nós também temos de aprender a nos pressionar a ir além da barreira da fadiga física e emocional, que pode nos convencer a nos desviar de nossas rotinas e metas.

E isso não é tão difícil quanto parece. Pesquisas mostram que pessoas que simplesmente não acreditam que usar autocontrole resulta em fadiga mental ou enfraquecimento do "músculo da força de vontade" não experimentam a mesma deterioração gradual do poder de sua força de vontade vista naqueles que acreditam.

Assim, em um sentido bastante real, você tem a resistência que acredita ter e é capaz de exercer tanto autocontrole quanto acredita que pode. Da próxima vez que se sentir "cansada demais" para dizer "eu vou" ou "eu não vou", aprume a espinha e se force a superar essa sensação. Desafie-se a ir além desse ponto, a entrar no desconforto, e com toda a probabilidade descobrirá que é capaz de fazê-lo sem consequências.

USE OU FIQUE SEM — COMO TREINAR A SUA FORÇA DE VONTADE

A vida moderna nos bombardeia com desafios de força de vontade que exigem que convoquemos nossos mecanismos de autocontrole para conseguir evitar distrações e fazer o que precisamos fazer, e não aquilo que não deveríamos fazer.

O problema com isso é que pesquisas mostram que podemos, em algum momento, "ficar sem" o combustível do autocontrole, o que nos deixa suscetíveis a tentações. Cientistas observaram que, qualquer que seja o tipo de tarefa desempenhado, o autocontrole das pessoas está no topo de manhã e declina sem parar à medida que o dia passa. Resistir a doces, lutar contra impulsos emocionais, desviar-se de distrações, compelir-se a realizar tarefas difíceis ou mesmo tomar decisões triviais quanto ao que comprar são ações que parecem extrair combustível da mesma reserva de força de vontade.

Essas descobertas fizeram surgir a metáfora da "força de vontade como músculo": ela tem apenas determinada força, e cada vez que você a "flexiona", ela se torna um pouquinho mais fraca. O lado positivo da metáfora, porém, é que é possível treinar o "músculo da força de vontade" como um músculo físico e torná-lo mais forte e mais resistente à fadiga.

Estudos também embasam isso. Podemos aumentar nossa força de vontade em geral realizando pequenos atos habituais de autocontrole, como comer menos doces, vigiar gastos, corrigir a postura, evitar dizer palavrões, apertar um *handgrip* todos os dias e usar a nossa mão não dominante para várias tarefas.

O que estamos de fato treinando quando fazemos essas coisas "triviais" é o que os psicólogos chamam de "reação de pausa e planejamento", que consiste em pausar antes de agir, observar o que estamos prestes a fazer e fazer algo diferente.

Podemos usar essas pesquisas para fortalecer nossos próprios "treinos de força de vontade", que trabalham o autocontrole. Por exemplo, você pode treinar o poder do "eu não quero" evitando encurvar-se ao se sentar, assumindo o compromisso diário de não se permitir comer alimentos sem valor nutricional ou de não dizer palavrões. Você pode treinar o poder do "eu quero" comprometendo-se a realizar algum novo hábito diário, como fazer cinco minutos de exercícios de respiração, uma caminhada ao ar livre, vinte flexões ao acordar, encontrar algo que precisa ser limpo em casa e limpar, monitorar algo na sua vida a que normalmente não presta atenção, como quantas calorias você ingere e gasta por dia, a quantidade de café que bebe, o tempo que gasta na internet.

Talvez você se espante com o grau em que esses "pequenos" exercícios de autocontrole podem aumentar sua capacidade de fazer mudanças maiores, como adotar um novo estilo de vida mais saudável.

Outro meio altamente efetivo de treinar a força de vontade é usar a estratégia conhecida como "pré-comprometimento", que consiste em agir agora para fortalecer sua postura e seu compromisso com um comportamento e afastar qualquer tentativa ardilosa de sabotagem do seu Eu do Futuro. Para muitas pessoas, o melhor modo de vencer a tentação é simplesmente evitar enfrentá-la desde o início.

Por exemplo, se for um problema para você procrastinar na internet em vez de trabalhar, pode baixar um programa chamado *Freedom* (www.macfreedom.com), que desliga a internet por um período determinado. O *Anti-social* (www.anti-social. cc) bloqueia redes sociais e e-mail. Se a sua luta for para seguir uma dieta, você pode fazer um pré-comprometimento jogando fora todo alimento calórico tentador que tiver em casa e deixando de comprar alimentos desse tipo, levando diariamente para o trabalho um almoço saudável que preparou ou fazendo parte de um "Desafio de Dieta" em www.dietbetter.com [em inglês]. Se quiser garantir que fará todos os seus treinos, pode pagar o plano anual da academia em vez de pagar mês a mês.

MALHAR SECAR DEFINIR PARA MULHERES

Outra boa ferramenta de pré-comprometimento é o website Stickk [em inglês] (www.stickk.com), que foi criado por Ian Aryes, economista da Universidade de Yale. A página permite estabelecer uma meta e um período, investir dinheiro, decidir o que acontecerá com a quantia se você fracassar (pode ir para caridade, por exemplo, ou até para uma organização de que você *não* gosta, o que pode ser incentivo mais forte), designar um "árbitro" que monitorará seu progresso e confirmará a veracidade dos seus relatórios, e convidar apoiadores para torcer por você.

Em suma, qualquer coisa que puder fazer para mostrar que a coisa é séria e tornar difícil e desconfortável mudar de ideia e desistir vai ajudá-la a manter seus impulsos e sentimentos sob controle, e assim manter você no curso devido.

UMA ANDORINHA NÃO FAZ VERÃO

Depois de escolher uma meta, pelo que mais ansiamos? *Progresso*, é claro. Queremos ver mudanças positivas e movimento para a frente para nos dar energia para nos esforçar ainda mais. Mas não é necessariamente assim.

O que acontece é que o progresso vem com um risco: complacência. Estudos mostram que algumas pessoas usam o progresso em direção a um objetivo como desculpa para tirar o pé do acelerador e se engajar em atos de autossabotagem.

Quando progredimos, às vezes somos embalados pela sensação de que já somos vitoriosos e de que somos predestinados. Como acontece com o licenciamento moral, podemos sentir que ter dado um passo à frente nos concedeu o privilégio de poder dar dois passos para trás.

Em vez de nos dar tapinhas nas costas e ponderar sobre todo o progresso que conquistamos, o que aumenta a probabilidade de agir em sentido contrário a ele, nós devemos ver nossos sucessos como evidência de que nossas metas são importantes para nós, ou do *compromisso* que temos de levar o processo até o fim.

Isto é, devemos procurar motivos para continuar andando, não para diminuir o passo e admirar o cenário.

A RAIZ DA QUESTÃO

A natureza humana é cheia de paradoxos, e o tema do autocontrole não é exceção. Somos atraídos tanto pela gratificação protelada quanto pela gratificação imediata

SEÇÃO II TREINO INTERNO

nas formas de metas de longo prazo e golpes temporários de prazer. Somos inerentemente suscetíveis a tentações, mas temos o poder de resistir. Estamos constantemente alternando entre sensações de estresse, ansiedade, medo, tristeza e calma, esperança e excitação.

Embora eu não acredite que possamos mudar fundamentalmente a nós mesmos por meio do fortalecimento da nossa força de vontade, sem dúvida podemos melhorar nossa habilidade de satisfazer as exigências da vida diária com mais consciência, efetividade e segurança.

RESUMO DO CAPÍTULO

INTRODUÇÃO

- As pessoas com níveis maiores de força de vontade? Bem, elas se saem melhor na escola, ganham mais dinheiro, são líderes melhores, são mais felizes, mais saudáveis e menos estressadas. Têm relacionamentos sociais e românticos melhores (pois conseguem manter a língua dentro da boca) e até vivem mais.

- A sua desculpa para faltar à academia... de novo... é notavelmente similar à justificativa do comilão para se empanturrar... pelo terceiro dia seguido. O modo como você se convence a adiar aquela tarefa importante só por mais um dia é o mesmo que outra pessoa usa para aliviar a culpa de ceder à ânsia por um cigarro.

EU VOU, EU NÃO VOU, EU QUERO

- A maioria pensa na força de vontade como a capacidade de dizer "eu não vou", mas também há dois outros aspectos dela.

- O poder do "eu vou" é o outro lado da moeda do "eu não vou". É a capacidade de fazer algo mesmo sem desejar fazê-lo, como suar na academia quando está cansado, pagar a conta atrasada ou varar a noite naquele projeto de trabalho.

- "Eu quero" é a capacidade de lembrar *por que* quando a tentação bater — a meta de longo prazo, aquilo que você de fato deseja mais do que o sanduíche ou a compra com o cartão.

O EFEITO DA DOPAMINA SOBRE O CÉREBRO: POR QUE A IDEIA DE CEDER É TÃO ATRAENTE

- Assim que você se dá conta da oportunidade de obter uma recompensa, seu cérebro esguicha dopamina para lhe dizer que era essa a maravilha que você estava procurando. Ele toca a canção doce da gratificação imediata e abafa qualquer consideração sobre consequências de longo prazo.

- Quando a dopamina é liberada, ela desencadeia a liberação de hormônios de estresse que fazem com que sintamos ansiedade. É por isso que quanto mais pensamos na recompensa desejada, mais importante ela se torna para nós. E mais acreditamos que precisamos obtê-la *agora*.

- Ironicamente, as recompensas últimas pelas quais procuramos podem escapar o tempo todo, mas a menor possibilidade de recompensa e a ansiedade de desistir da busca podem nos manter ligados até o ponto da obsessão.

- Estudos mostram que quando ocorre liberação de dopamina em consequência de uma promessa de recompensa, torna-se mais provável que persigamos outras promessas. Olhe para fotos de pessoas atraentes nuas e será mais provável que você tome decisões financeiras arriscadas. Sonhe que ganhou na loteria e os alimentos podem se tornar *realmente* atraentes.

- Para ter sucesso neste mundo, precisamos aprender a distinguir entre as "recompensas" falsas, distrativas e viciantes a que somos incitados todo o tempo e em toda parte, e as verdadeiras recompensas, que nos dão verdadeira satisfação e trazem sentido para a nossa vida.

O ARQUI-INIMIGO DA FORÇA DE VONTADE: O ESTRESSE

- O autocontrole serve para relaxar os músculos, desacelerar o coração, respirar fundo e ganhar algum tempo para pensar sobre o que de fato queremos fazer a seguir, ao passo que lutar ou correr serve para nos forçar a reagir o mais rápido possível.

- Estudos mostram de maneira conclusiva que nada prejudica tanto o autocontrole quanto o estresse — e não apenas o estresse que sentimos quando nossos cérebros estão banhados em dopamina, mas o estresse da vida cotidiana. Quanto mais estresse sentimos, maior é a probabilidade de comermos demais, gastarmos demais e fazermos muitas outras coisas de que nos arrependeremos pouco depois.

- Qualquer coisa que causa estresse, mental ou físico, suga nossas "reservas" de força de vontade e reduz nossa capacidade de autocontrole. Assim, como um corolário, qualquer coisa que pudermos fazer para reduzir o estresse nas nossas vidas e melhorar nosso humor — tanto aguda quanto cronicamente — melhora o autocontrole.

- Um modo efetivo de recuperar-se do estresse do dia a dia é simplesmente relaxar. Se quiser ver isso na prática, da próxima vez que enfrentar um desafio de força de vontade, desacelere deliberadamente sua respiração para cerca de dez a quinze segundos por respiração, ou quatro a seis respirações por minuto.

SEÇÃO II TREINO INTERNO

- Estudos mostram que há vários meios de entrar nesse estado, como dar uma volta ao ar livre, ler, beber uma xícara de chá, ouvir música lenta, praticar ioga, deitar-se e concentrar-se na respiração e no relaxamento dos músculos, e até fazer jardinagem.

- Dormir muito pouco habitualmente deixa você mais suscetível a estresse e tentações, e sem a "reserva de energia" necessária para continuar a praticar os bons hábitos e a controlar os maus hábitos.

- Estudos mostram que expor-se constantemente a notícias ruins, causas de medo e lembretes mórbidos da nossa mortalidade aumenta a probabilidade de comer e gastar em excesso, e cometer outras falhas de força de vontade.

- Estudos mostram que o exercício físico regular reduz a fissura tanto por comida quanto por drogas, aumenta a variabilidade da frequência cardíaca, fortalece contra o estresse e a depressão e até otimiza o funcionamento do cérebro em geral.

NÃO IMPORTA O QUE CUSTARÁ, EU QUERÓ E QUERO JÁ

- No que se refere a recompensas, quanto mais temos de esperar, menos desejáveis elas se tornam. Os psicólogos chamam esse fenômeno de "desconto do futuro", e quanto mais uma pessoa se engaja neste comportamento, pior é seu autocontrole, e mais provável se torna que ela se comporte de modo impulsivo e venha a ter problemas com vícios.

- Segundo mostram os estudos, se você, ao enfrentar um desafio de força de vontade, pensar primeiro na recompensa futura e no sacrifício que ceder agora representará ao progresso em direção a ela ou a alguma parte dela, menor será a probabilidade de você descontar o futuro e cair em tentação.

VAMOS TODOS ENGORDAR E PULAR DA PONTE

- Amplas pesquisas psicológicas e mercadológicas mostram que o que os outros fazem — e mesmo o que nós pensamos que fazem — tem efeito pronunciado sobre nossas escolhas e nossos comportamentos, sobretudo quando aqueles que estamos observando são próximos a nós.

- Quando não sabemos com certeza como pensar ou agir, tendemos a olhar para como os outros pensam e agem e imitá-los, mesmo que inconscientemente. Podemos adotar tudo dessa forma, de soluções temporárias a hábitos duradouros, e tanto as pessoas que conhecemos quanto até mesmo pessoas que vemos em filmes podem nos influenciar.

- Estudos demonstraram a natureza contagiante de hábitos e mentalidades em relação a muitos outros comportamentos, como beber, fumar, usar drogas, dormir menos que o necessário e até sentir-se solitário e deprimido.

- Bons comportamentos e estados de espírito também são contagiantes. Se convivermos com pessoas que se orientam por metas, sentem-se felizes e têm altos níveis de autocontrole, nós também poderemos "pegar" essas características.

- Se você tiver dificuldade para ser fiel à sua dieta ou ficha de exercícios, juntar forças com outro alguém que está no mesmo caminho e pensar sobre como outros alcançaram sucesso nessas questões pode tornar tudo mais fácil.

- Estudos mostram que refletir sobre suas metas e os modos como você poderia ser tentada a se desviar delas fortalece a vontade e ajuda a recusar a gratificação imediata quando necessário.

USANDO O "BOM" PARA JUSTIFICAR O "MAU"

- Veja bem, quando atribuímos valores morais às nossas ações, elas se tornam matéria-prima para nosso desejo de simplesmente nos sentir bem (o suficiente) a nosso próprio respeito, ainda que estejamos sabotando nossos objetivos de longo prazo ou prejudicando outros. Agindo "bem", acreditamos, "mereceremos" o "direito" de agir um pouco (ou bastante) "mal".

- Se caminharmos pela vida correndo atrás de "bons sentimentos", descobriremos vários modos de não nos sentir mal a respeito de cada "bocadinho" de procrastinação, excesso de comida, excesso de gastos e o que você desejar; e um belo dia você acabará se perguntando por que diabos está tão gorda, quebrada, preguiçosa e ignorante.

- Escapar dessa armadilha requer, em primeiro lugar, que paremos de moralizar nosso comportamento — que paremos de usar sentimentos vagos de "certo" e "errado" e "bom" e "mau" para guiar nossas ações imediatas. Precisamos, ao contrário, lembrar por que assumimos o compromisso de fazer coisas "difíceis" como malhar, controlar gastos, trabalhar depois do expediente, e assim por diante.

- Sempre que estiver lutando com um desafio de força de vontade, revise os seus porquês.

"AH, QUE SE DANE, EU SOU UMA PREGUIÇOSA IDIOTA MESMO!"

- Sempre que, ao confrontar um obstáculo, as pessoas dizem para si mesmas "Eu já estraguei tudo, então que se dane, pelo menos vou me divertir um pouco", elas se entregam à espiral descendente do "efeito que se dane".

- O que nós definitivamente *não* devemos fazer é nos condenar muito quando fazemos besteira. Quanto mais duros, exigentes e violentos somos com nós mesmos, pior ficamos no final.

SEÇÃO II TREINO INTERNO

- Devemos, ao contrário, ter por nós mesmos a mesma compaixão e perdão que teríamos por um amigo. Isso provavelmente soa contraintuitivo para você. Vários estudos mostram que ser gentil consigo mesmo em momentos de estresse e fracasso está relacionado à maior força de vontade e ao autocontrole.

- Pesquisas mostram que imaginar o orgulho que sentirá ao atingir as próprias metas, as pessoas a quem contará e a reação delas aumenta a força de vontade e nos torna mais propensos a fazer o necessário para tornar essas metas realidade.

- Prever a vergonha e a desaprovação dos outros que vêm com o fracasso também pode ajudar a ficar forte em face da tentação, mas não tem o mesmo poder que o orgulho.

A BOLA DE CRISTAL DA ILUSÃO

- Um dos meios que mais usamos para abandonar o autocontrole é justificar os pecados do presente com planos de virtudes no futuro.

- Supomos irrefletidamente que teremos mais entusiasmo, energia, obstinação, diligência, motivação, coragem, força moral... insira virtudes infinitas... em alguns dias, semanas ou meses.

- Pesquisas mostram que simplesmente pensar sobre o futuro — nem precisa ser nas recompensas em si — pode fortalecer a força de vontade. Por exemplo, se estiver com dificuldades para começar uma dieta, simplesmente se imaginar comprando e comendo alimentos diferentes é o suficiente para tornar a coisa mais "real" e agradável.

- Outro exercício é escrever uma carta ao seu Eu do Futuro sobre como você acha que ele será, quais são suas esperanças para ele, o que você está fazendo por ele agora que trará recompensas mais tarde, o que ele poderia dizer a respeito do seu Eu do Presente e mesmo no que resultarão, no futuro, as consequências da sua força de vontade presente.

- O exercício final é similar aos outros e consiste em imaginar o seu Eu do Futuro em detalhes vívidos, o que, como já se demonstrou, aumenta o autocontrole.

NÃO LUTE CONTRA A FISSURA — SURFE A ONDA

- Estudos mostram que a disposição para pensar os pensamentos e sentir os sentimentos sem ter de agir com base neles é um método eficiente de lidar com uma ampla variedade de desafios, tais como desordens de humor, ânsia por comida e vícios.

- Tentar suprimir os pensamentos e sentimentos negativos, tais como autocrítica, preocupações, tristeza e ânsias, pode levar a maiores sentimentos de inadequação, ansiedade, depressão, e mesmo a comer em excesso.

- Quando a fissura bater, em vez de tentar discutir consigo mesma ou se distrair, observe e aceite os sentimentos. Perceba que embora nem sempre possa controlar os locais por onde sua mente vaga, você sempre pode controlar suas ações.

- Uma regra geral simples de aplicação desta técnica é esperar dez minutos antes de agir para satisfazer uma fissura ou outro estímulo impulsivo de praticar algo que você sabe que não deveria.

O QUE NÃO ME MATA ME FORTALECE

- Pesquisas mostram que aqueles que simplesmente não acreditam que usar autocontrole resulta em fadiga mental ou enfraquecimento do "músculo da força de vontade" não experimentam a mesma deterioração gradual do poder de sua força de vontade vista naqueles que acreditam.

- Da próxima vez que se sentir "cansada demais" para dizer "eu vou" ou "eu não vou", aprume a espinha e se force a superar essa sensação. Desafie-se a ir além desse ponto, a entrar no desconforto, e com toda a probabilidade descobrirá que é capaz de fazê-lo sem consequências.

USE OU FIQUE SEM — COMO TREINAR A SUA FORÇA DE VONTADE

- Pesquisas mostram que podemos, em algum momento, "ficar sem" o combustível do autocontrole, o que nos deixa suscetíveis a tentações. Resistir a doces, lutar contra impulsos emocionais, desviar-se de distrações, compelir-se a realizar tarefas difíceis ou mesmo tomar decisões triviais quanto ao que comprar são ações que parecem extrair combustível da mesma reserva de força de vontade.

- Podemos aumentar nossa força de vontade em geral realizando pequenos atos habituais de autocontrole, como comer menos doces, vigiar gastos, corrigir a postura, evitar dizer palavrões, apertar um *handgrip* todos os dias e usar a nossa mão não dominante para várias tarefas.

- Outro meio altamente efetivo de treinar a força de vontade é usar a estratégia conhecida como "pré-comprometimento", que consiste em agir agora para fortalecer sua postura e seu compromisso com um comportamento e afastar qualquer tentativa ardilosa de sabotagem do seu Eu do Futuro.

SEÇÃO II TREINO INTERNO

UMA ANDORINHA NÃO FAZ VERÃO

- Estudos mostram que algumas pessoas usam o progresso em direção a um objetivo como desculpa para tirar o pé do acelerador e se engajar em atos de autossabotagem.

- Em vez de nos dar tapinhas nas costas e ponderar sobre todo o progresso que conquistamos, o que aumenta a probabilidade de agir em sentido contrário a ele, devemos ver nossos sucessos como evidência de que nossas metas são importantes para nós, ou do *compromisso* que temos de levar o processo até o fim.

O jeito simples de estabelecer metas de saúde e boa forma que vão motivar você

Não sou o tipo de cara que tenta fugir da chuva. Às vezes é preciso se molhar um pouco para chegar ao seu destino.

— ERIK FRANKHOUSER

AGORA QUE VOCÊ já fez um curso intensivo sobre força de vontade e auto-controle e o que é de fato necessário para realizar mudanças de longo prazo, vamos separar alguns minutos para estabelecer um poderoso conjunto de metas que servirá como "lembretes de por quê" quando a tentação bater.

Aqueles que desejam alcançar objetivos de saúde e boa forma vagos, irrealistas e que não são inspiradores (ou sem objetivos) são sempre os primeiros a desistir. E é fácil encontrá-los. Eles surgem aleatoriamente e parecem sonâmbulos durante os treinos, vagando de máquina em máquina, realizando os movimentos de forma monótona sem que caia nem uma gotinha de suor.

Semana após semana, elas se queixam de que é muito difícil ganhar ou perder peso, e não chegam a lugar algum. Meses podem passar sem que tenham uma única mudança visível, se chegarem a persistir por muito tempo.

Pois bem, eu garanto que as pessoas que possuem o tipo de corpo a que você aspira têm metas de saúde e boa forma específicas e realistas e são impulsionadas por elas, e progridem lenta, mas seguramente, a cada dia. Quando atingem uma meta, estabelecem outra para continuar motivadas. É isso o que vamos lhe mostrar neste capítulo.

Ora, pessoas diferentes têm razões diferentes para treinar. Algumas simples-mente gostam do jogo de ir além dos limites do próprio corpo. Outras querem ficar com boa aparência para impressionar o sexo oposto (ou o mesmo). Outros ainda querem se tornar mais seguros ou melhorar a saúde geral e simplesmente se sentir bem.

Todas essas são boas razões para ficar em forma. É claro que eu poderia fornecer uma ótima lista de benefícios de ficar em ótima forma, como ter excelente aparência, sentir-se muitíssimo bem, ter níveis de energia formidáveis, viver mais, ser resistente a doenças, e assim por diante, mas o importante é que trabalhe especificamente com o que motiva *você*.

Podemos começar com o que as pessoas consideram o mais importante: o visual. Não há do que se envergonhar aqui. Todos que conheço que construíram um ótimo corpo foram motivados pela aparência tanto quanto por qualquer outra coisa que quisessem, se não mais.

É claro que há os narcisistas destrambelhados que buscam a "estética" sem considerar a própria saúde, e isto com frequência leva ao uso de drogas e outros hábitos prejudiciais, mas não há nada de errado com um pouquinho de vaidade. Vamos encarar: ter um corpão é simplesmente muito legal.

Valorizo muito a minha saúde e não sou movido apenas pela imagem no espelho, mas estaria mentindo se dissesse que não ligo tanto para a aparência quanto para muitos dos outros benefícios de fazer exercícios regularmente. Quero sorrir ao olhar no espelho como todo o mundo.

Mas esse sou eu. Vamos ver mais de perto o que impulsionará *você*.

COMO É O SEU CORPO IDEAL?

O primeiro passo para estabelecer metas é determinar como é o seu corpo ideal — não apenas na sua cabeça, mas na realidade. Você precisa encontrar fotos exatamente de como quer o seu corpo e guardá-las para lhe dar motivação.

Pode parecer ridículo procurar na internet imagens de mulheres em forma e sensuais, mas é importante que você tenha a ideia visual exata do corpo que quer. Jogar palavras como "definido" e "sexy" ao ar para descrever sua meta não chega nem perto de motivar tanto quanto olhar fotos de corpos reais que você está se esforçando para ter.

Se sua meta não for ter o corpo de uma atleta de alto nível ou de uma halterofilista profissional, o que requer uma quantidade absurda de drogas para que se alcance, este livro lhe dará tudo de que você precisa para chegar lá.

Mas duvido que essa seja a sua meta. A maioria das mulheres só quer ficar definida e magra, e *todo o mundo* pode conseguir isso se dedicando e seguindo o plano certo.

Um bom lugar para procurar fotografias do seu corpo ideal é o BodySpace, da página BodyBuilding.com (bodyspace.bodybuilding.com)[em inglês]. Também estou fazendo uma pequena coleção de físicos femininos no Pinterest, que você pode acessar em www.pinterest.com/mikebls

Então, faça uma pausa e vá encontrar fotos do corpo que quer ter!

COMO SERIA SEU ESTADO DE SAÚDE IDEAL?

Agora que você descobriu o corpo que quer ter, vamos dar uma olhada no aspecto da saúde.

Mesmo que ter certa aparência seja sua motivação primária para malhar, você logo descobrirá que os benefícios para a saúde são igualmente motivadores. Você se sentirá melhor fisicamente, terá níveis mais elevados de energia, ficará mais forte e mais alerta mentalmente, terá mais desejo sexual, e outras coisas mais. Em suma, sua vida inteira pode simplesmente mudar.

Assim, recomendo que você também elabore uma meta de saúde que a motive. A minha é mais ou menos assim: ter um corpo vital, forte, energético e sem doenças que viva o suficiente para me permitir ficar ativo e aproveitar o máximo da minha vida.

Para mim, isso é tão motivador quanto ter o corpo perfeito. Eu quero viver uma vida longa e produtiva, sentir-me bem, ver meus filhos crescerem e nunca sofrer de doenças debilitantes.

Tenho certeza de que seus interesses de saúde vão na mesma linha, mas sinta-se livre para elaborar metas individuais com as palavras que mais fazem sentido para você e anote num papel.

POR QUE VOCÊ QUER ATINGIR ESSAS METAS?

Certo, agora que definiu o corpo e a saúde que quer ter, a próxima questão é: *Por quê?*

Quais as razões para alcançar essas metas? Isto é completamente pessoal, então escreva o que quer que mais a motive.

Por que você quer alcançar seu corpo ideal? Talvez queira se sentir mais segura. Ser melhor nos esportes? Melhorar em atividades que pratica que exigem muito fisicamente? Receber mais atenção de garotas ou garotos? Sentir a satisfação de superar barreiras físicas? Participar de atividades físicas com os filhos? Sei lá, vencer as amigas na queda de braço?

Quaisquer que sejam as suas razões, simplesmente as escreva.

E a sua meta de saúde, por que quer alcançá-la? Há certa doença na sua família contra a qual você deseja se precaver? Quer conseguir permanecer ativa bem depois de se aposentar? Desacelerar os processos de envelhecimento e conservar a vitalidade da juventude? Apenas ter um corpo que funciona como deveria?

De novo, pense um pouco a respeito e escreva tudo.

SEÇÃO II TREINO INTERNO

Você sabe que está na pista certa quando se sente estimulada — quando quer agir e começar a tornar as coisas realidade.

Deixe o que escreveu num lugar seguro e leia-o regularmente. É um ótimo modo de se manter empolgada e na linha.

A RAIZ DA QUESTÃO

Ao realizar esses três passos simples, você criará uma poderosa "cola de motivação" que sempre lhe indicará a direção correta.

Quando se sentir cansada e apreensiva com a academia, pode simplesmente dar uma olhada na cola, e provavelmente vai mudar de ideia. Quando estiver com amigas, vendo-as se empanturrar tolamente enquanto você come um prato balanceado e moderado, você saberá muito bem seus motivos.

Esta é a fórmula simples, mas poderosa que uso há anos para me manter sempre motivado a treinar e fazer dieta. Minhas metas mudaram ao longo do tempo, mas eu sempre soube com certeza por onde estava caminhando e por quê. É provável que você se beneficie muito de fazer o mesmo.

RESUMO DO CAPÍTULO

- Desenvolver um corpaço não é uma questão de embarcar em algum programa de treino da moda por alguns meses — é uma questão de adotar uma abordagem disciplinada e ordenada do próprio corpo.

- As pessoas que possuem o tipo de corpo a que você aspira têm metas de saúde e boa forma específicas e realistas e são impulsionadas por elas, e progridem lenta, mas seguramente a cada dia.

- O primeiro passo para estabelecer metas é determinar como é o seu corpo ideal. Encontre fotos de como exatamente quer o seu corpo e guarde-as para referência futura.

- Elabore também uma meta de saúde que a motive.

- Quais são as razões para atingir essa meta? Você sabe que está na pista certa quando se sente estimulada — quando quer agir e começar a tornar as coisas realidade.

- Deixe o que escreveu num lugar seguro e leia-o regularmente. É um ótimo modo de se manter empolgada e na linha.

SEÇÃO III
NUTRIÇÃO & DIETA

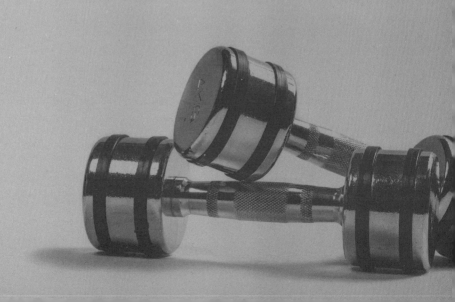

Indo além da "alimentação saudável": o guia definitivo da nutrição eficiente

A vida é mais do que treinar, mas treinar é o que mais acrescenta à sua vida.

— BROOKS KUBIK

NÃO VOU ME DAR o trabalho de repetir o clichê da enorme importância da nutrição para o desenvolvimento muscular e para a perda de gordura.

Alguns dizem que ela é 70% do jogo, enquanto outros afirmam que é 80% ou até 90%. Bem, eu digo que é 100%. E pegar pesado, sobrecarregar os músculos... também é 100% do jogo. Hidratação adequada também é 100%. Ter a atitude correta é 100% também. (Sim, já chegamos a 400%...)

O que quero dizer é: os tijolos de um corpaço são mais parecidos com pilares do que com peças de quebra-cabeça. Se uma delas não estiver forte o suficiente, toda a estrutura desabará.

Não é possível ganhar músculos em quantidade relevante sem treinar corretamente. Eles não crescem se você não dá ao seu corpo apoio nutricional adequado. O desempenho, e portanto o desenvolvimento muscular, é atrapalhado pela desidratação. Seus ganhos serão opacos se você não treinar com a atitude correta.

É por isso que quero que você tenha uma atitude do tipo "tudo ou nada" com relação às suas metas de boa forma. Quero que siga 100% de cada aspecto do programa de *Malhar, Secar, Definir — Para Mulheres* e alcance 100% dos resultados potenciais. Que as fracas e indisciplinadas deem apenas 60% no treino, 30% na dieta ou 40% na atitude. Elas farão com que você pareça uma deusa.

Então, vamos falar sobre este pilar vital — e fonte de muitas confusões — do ganho muscular... *nutrição.*

A sua dieta trabalha a seu favor ou contra você, multiplicando ou dividindo os resultados do seu treino. Pense no aspecto nutricional do jogo como uma série de pedágios na estrada para o desenvolvimento muscular. Se você não parar e pagar todos eles, não pode avançar mais. É simples assim.

Ao contrário do que as revistas costumam dizer, a nutrição correta é muito mais do que engolir baldes de suplemento de proteína toda semana e se abastecer do último suplemento lançado.

Ao contrário do que afirmam atualmente "especialistas em saúde", a coisa tem muito menos relação com "alimentação saudável" do que você deve imaginar. Também é muito mais do que fazer algumas boas refeições por dia com alguns lanches aqui e ali para não ficar com fome.

A nutrição adequada se resume a apenas duas coisas:

1. Fornecer ao corpo os nutrientes necessários para manter saúde ótima e recuperar-se dos treinos com eficiência.

2. Manipular o consumo de energia para perder, manter ou ganhar peso conforme desejado.

É isso. Sabendo como alcançar essas duas metas, você pode mudar sua composição corporal com facilidade ao mesmo tempo que é extremamente flexível com sua dieta.

Você pode comer um bom tanto de carboidratos e se sair muito bem (na verdade, eu vou *recomendar* isto). Pode comer grãos e até açúcar todo dia e ficar trincada. Pode ter mais ou menos qualquer rotina alimentar que desejar. Pode fazer refeições grandes ou pequenas. A lista continua.

O que você não pode fazer, porém, é fornecer ao seu corpo nutrientes inadequados ou obter o equilíbrio energético equivocado para as suas metas. Se lançar mão de qualquer um dos dois, você vai tropeçar, não importa o que mais faça.

Ora, há sete aspectos da nutrição que são de interesse primário ao tentar ganhar músculos e perder gordura e ficar saudável. Eles são calorias, proteínas, carboidratos, gorduras, água, vitaminas e minerais, e fibra.

Como você sabe, uma caloria é uma medida de energia potencial num alimento, venha ela de proteína, carboidrato ou gordura.

Proteínas, carboidratos e gorduras são macronutrientes, e o modo de organização deles na sua dieta é de importância vital para os seus resultados globais.

Muitos se surpreendem ao descobrir a grande importância de beber bastante água e como se sentem melhor e têm melhor desempenho quando estão com a hidratação adequada.

SEÇÃO III NUTRIÇÃO & DIETA

Depois há as vitaminas e os minerais, conhecidos como "micronutrientes", que são essenciais para o corpo desempenhar com eficiência os vários processos fisiológicos diferentes relacionados ao desenvolvimento muscular e à perda de gordura.

Por último, mas igualmente importante, vêm as fibras, que são um tipo de carboidrato indigerível encontrado em vários tipos de alimentos, como frutas, verduras, legumes e cereais, e que também são vitais para a saúde global.

Vamos mergulhar em cada um desses temas separadamente.

CALORIAS

Você já conhece o papel que as calorias desempenham na definição do equilíbrio energético do corpo e como isso determina o ganho e a perda de gordura. Nesta seção, quero abordar algumas outras coisas relacionadas a calorias que você deve saber.

Qualquer que seja a fonte, 1 g de proteína contém 4 calorias; 1 g de carboidrato contém 4 calorias também; e 1 g de gordura contém 9 calorias.

Sim, 1 g de carboidrato de uma folha de alface contém a mesma quantidade de energia que 1 g de carboidrato de uma barra de chocolate. É por isso que tantas pessoas não conseguem perder peso simplesmente com "alimentação saudável" — elas dão ao corpo uma abundância de macronutrientes comendo um bocado de alimentos nutritivos, o que é ótimo, mas também lhe dão calorias demais, o que significa nada de perda de peso.

Outro grande erro que muitos cometem com frequência é superestimar o número de calorias que queimam por dia e acidentalmente comer em excesso.

Vários fatores determinam o total de energia que o corpo consome diariamente, tais como tamanho, massa magra total, temperatura corporal, o efeito térmico dos alimentos, estimulantes como cafeína e os tipos e as quantidades de atividades físicas.

Mais adiante neste livro, quando analisarmos o modo de fazer dieta corretamente, eu lhe darei fórmulas simples de combinações de macronutrientes para perder gordura, ganhar massa muscular e manter o peso. Mas eu quero, porém, que você aprenda a calcular quantas calorias aproximadamente seu corpo queima por dia (o seu GET), uma vez que talvez você precise ajustar as fórmulas que eu darei posteriormente às suas características.

Devemos calcular primeiro a nossa TMB, o que se faz facilmente usando a fórmula de Katch McArdle. Eis como funciona:

MALHAR SECAR DEFINIR PARA MULHERES

$$TMB = 370 + (21,6 \times MCM)$$

MCM significa *massa corporal magra*, medida em quilos. Caso você não conheça o conceito, massa corporal magra refere-se aos componentes que não são gordura do corpo humano.

Para calcular sua MCM, subtraia o peso da sua gordura corporal do seu peso total, o que dá o peso de tudo no corpo que não é gordura. Eis como fica:

$$MCM = (1 - GC\% \text{ expressa em decimais}) \times \text{peso corporal total}$$

Por exemplo, eu peso atualmente 85 kg e tenho cerca de 6% de gordura corporal, então o cálculo da minha MCM fica assim:

$$MCM = (1 - 0,06) \times 85 = 80$$

O cálculo da minha TMB, portanto, fica assim:

$$TMB = 370 + (21,6 \times 80) = 2.100 \text{ calorias por dia}$$

Uma vez que conheça a sua TMB, você pode calcular o seu GET multiplicando-a de acordo com as seguintes regras:

- por 1,2 se você fizer de 1 a 3 horas de exercícios por semana;

- por 1,35 se você fizer de 4 a 6 horas de exercícios por semana;

- por 1,5 se você se exercitar vigorosamente por mais de 6 horas por semana.

O número resultante será uma medida bastante precisa do total de energia que você queima por dia.

Há quem prefira começar com a TMB e depois acrescentar as calorias gastas por meio da atividade física, como determinado por estimativas ou por um medidor de atividade, mas eu acho isso uma complicação desnecessária. Quando vemos o contexto maior, o método de cálculo do GET funciona igualmente bem, e ele torna mais fácil planejar as refeições, pois podemos usar o mesmo número todos os dias.

Caso você esteja se perguntando por que esses multiplicadores são mais baixos do que os multiplicadores padrão de Katch McArdle, e de outros modelos, a resposta é simplesmente porque os multiplicadores padrão de Katch McArdle são altos demais. Se você não tiver metabolismo anormalmente acelerado, multiplicadores

SEÇÃO III NUTRIÇÃO & DIETA

padrão vão exceder o seu GET real e fazer com que você não consiga perder ou ganhar peso rápido, dependendo do que você está tentando conseguir.

Ora, se matemática não é seu forte e você está um pouco confusa, não se preocupe. Você não tem sequer que calcular sua TMB nem seu GET, pois eu simplificarei para você a arte de fazer dieta fornecendo fórmulas de macronutrientes fáceis de seguir baseadas no seu peso, no seu percentual aproximado de gordura corporal e nas suas metas.

Eu só queria que você soubesse como calcular essas coisas, pois muitas pessoas ouvem falar delas, mas não sabem o que são nem como calculá-las corretamente.

PROTEÍNAS

Uma dieta rica em proteína é absolutamente essencial para ganhar músculos e preservá-los quando o objetivo é perder gordura. A não ser que você tenha problemas nos rins, uma dieta pobre em proteínas não faz absolutamente bem nenhum. Ponto.

Uma das maneiras mais fáceis de cair na rotina na academia é simplesmente não prestar a devida atenção à quantidade de proteína consumida numa base diária ou pular refeições e achar que não tem nada de mais.

Veja bem, quando você ingere alimentos proteicos, seu corpo os decompõe em um reservatório de aminoácidos, que pode usar para formar tecido muscular (entre outras coisas). Se a sua dieta for deficiente de proteína, seu corpo pode ficar com deficiência desses aminoácidos essenciais, o que prejudicará a capacidade de formar e reparar tecido muscular.

Isto funciona assim ainda que você não faça exercícios. Os processos básicos mediante os quais células morrem e são substituídas exigem esses aminoácidos essenciais.

Exercício habitual, e levantamento de peso em particular, aumenta a necessidade do corpo de aminoácidos essenciais, e, portanto, de proteínas. O corpo necessita reparar os danos que você está causando às fibras musculares, e isso requer muitos "alicerces". É por esse motivo que pesquisas mostram que atletas precisam ter dietas ricas em proteínas para maximizar o desempenho.

Qual é a quantidade suficiente de proteína?, pergunta você. Vamos descobrir.

MALHAR SECAR DEFINIR PARA MULHERES

AS NECESSIDADES PROTEICAS DOS ATLETAS

De acordo com o Instituto de Medicina dos EUA, de 10% a 35% das nossas calorias diárias deveriam vir de proteínas.

Mas isso não nos ajuda muito, porque de 10% a 35% é um raio muito amplo. Ainda que optemos pelos 35%, se nosso consumo diário de calorias for baixo demais, não iremos obter proteínas suficientes, e se for alto demais, obteremos mais do que o necessário.

Assim, para chegar a uma resposta mais precisa, examinemos alguns dos estudos clínicos disponíveis sobre a questão, começando com um da Universidade MCMaster.

De acordo com o trabalho, o consumo de 1,3 g a 1,8 g de proteína por quilo de peso corporal é adequado para estimular a síntese proteica máxima. Há uma observação, porém, de que pode ser necessária mais proteína no caso de treino frequente e/ou de alta intensidade, e no caso de dieta para perder gordura (restrição de calorias).

Um estudo amplamente citado realizado por pesquisadores da Universidade de Western Ontário chegou à mesma conclusão: de 1,6 g a 1,8 g por quilo de peso corporal pode ser suficiente para atletas, mas ingestão maior também pode se justificar a depender de uma variedade de fatores, como: o consumo de energia; a disponibilidade de carboidratos; o tipo, a intensidade e a duração dos exercícios; a qualidade da proteína da dieta; o histórico de treino; o gênero; a idade; o horário da ingestão de nutrientes; e outros.

Como você pode ver, o tópico é complexo, e pode não haver uma solução de "tamanho único". Apesar disso, as informações circunstanciais da "sabedoria de academia" podem fornecer alguma iluminação aqui, e ela está de acordo com as descobertas acima.

- Regra geral dos halterofilistas há décadas: 2,2 g de proteína por quilo de peso por dia.

- Níveis mais altos de consumo de proteína, normalmente no raio de 2,6 g a 3,3 g por quilo de peso por dia costumam ser recomendados para quem deseja perder gordura.

Se esses números parecerem elevados, considere estas conclusões de um estudo publicado em 2013 por pesquisadores da Universidade Tecnológica de Auckland:

SEÇÃO III NUTRIÇÃO & DIETA

É provável que as necessidades proteicas de atletas acostumados a treino de força que estão sob restrição energética sejam de 2,3 g a 3,1 g por quilo de MLG [massa livre de gordura], ajustadas para cima de acordo com a severidade da restrição calórica e a magreza.

Massa livre de gordura, a propósito, refere-se aos componentes sem gordura do corpo humano, tais como músculo esquelético, ossos e água. Tecnicamente, massa livre de gordura é diferente de massa magra, porque há gorduras essenciais na medula dos ossos e órgãos internos. Assim, a massa corporal magra inclui uma pequena percentagem de gorduras essenciais. Na prática, porém, podemos tratá-las como a mesma coisa e calcular a massa livre de gordura do mesmo modo que calculamos a massa corporal magra.

No meu caso, minha massa livre de gordura atualmente é 80 kg. Assim, de acordo com o estudo que acabamos de citar, se fosse restringir minhas calorias com o propósito de perder gordura, eu deveria comer algo entre 175 g e 245 g de proteína por dia.

Pois bem, eu cheguei à conclusão de que de fato é assim, não apenas com relação ao meu corpo, mas também com os dos milhares de pessoas com quem trabalhei. À medida que você emagrece, manter seu consumo de proteína alto se torna muito importante. Se ele ficar baixo demais (menos de 2 g por quilo de peso, na minha experiência), a perda de força e de músculos será perceptivelmente acelerada.

Terminamos por aqui com relação à quantidade de proteína que você deve ingerir. E, de novo, não se preocupe em tentar lembrar tudo o que eu disse, pois darei orientações simples para seguir quando for a hora de criar seu plano de alimentação. Por ora, você só precisa entender as pesquisas e os raciocínios por trás das orientações.

Concluída essa parte, analisemos os melhores tipos de proteína para os nossos propósitos.

AS MELHORES FONTES DE PROTEÍNA

Há dois tipos principais de proteína: proteína integral e proteína suplementar. A proteína integral, como você adivinhou, é aquela que tem origem em fontes alimentícias naturais, tais como carne vermelha, frango, peixes, legumes e similares.

Como você sabe, as proteínas não são todas metabolizadas do mesmo modo. Diferentes proteínas são digeridas em diferentes velocidades, e o corpo faz melhor uso de algumas que de outras. Por exemplo, a proteína da carne vermelha é digerida rapidamente, e 70% a 80% do que é ingerido é usado pelo corpo. Por outro lado, a proteína do ovo é digerida bem mais lentamente, mas o corpo a usa com eficiência ainda maior.

A regra geral para a ingestão de proteínas é escolher aquelas que são facilmente digeridas e que fornecem quantidade abundante dos aminoácidos essenciais exigidos pelo corpo. Para determinar quais são essas proteínas, podemos recorrer ao escore químico de aminoácidos corrigido pela digestibilidade proteica (PDCAA, na sigla em inglês), que atribui classificações em uma escala de 0 a 1 para indicar a qualidade global do alimento (com 0 sendo a pior e 1 a melhor pontuação possível), de vários tipos de proteína.

Embora eu pudesse fornecer uma tabelona com os escores de várias proteínas, prefiro simplificar: as melhores opções são carnes, laticínios e ovos; em segundo lugar, certas fontes vegetais como legumes e oleaginosas, e verduras ricas em proteínas, como ervilha, brócolis e espinafre.

A proteína da carne é particularmente útil para quem levanta peso, pois estudos demonstram que comer carnes aumenta os níveis de testosterona e é mais eficiente para ganhar músculos que fontes vegetais. Num estudo da Universidade de Arkansas, dois grupos de homens entre 51 e 69 anos, todos com saúde e composição corporal similar, seguiram um programa de musculação por 12 semanas. Um grupo seguiu uma dieta ovolactovegetariana (sem carne, mas com ovos e laticínios), e o outro, uma dieta onívora com carne. Ao final do programa, todos tinham feito mais ou menos o mesmo progresso em termos de força, mas apenas o grupo que comeu carne desfrutou de desenvolvimento muscular e perda de gordura significativos.

A propósito, "carne" não significa apenas carne vermelha. Peixe, frango, peru, porco e tudo o mais é "carne" nesse sentido.

Também é desejável escolher variedades e cortes magros de carne, uma vez que é difícil encaixar carnes mais gordas em um plano nutricional adequado. De modo geral, é um bom conselho limitar o consumo de gordura saturada e obter de fontes insaturadas uma boa quantidade das gorduras da dieta.

Se você é vegetariana, não se desespere, embora seja verdade que você faria melhor se comesse carne: contanto que ingira quantidade suficiente de proteína por dia e se limite a fontes de alta qualidade, você ainda pode se sair bem no programa.

E aproveitemos o tema de proteínas vegetais de alta qualidade para abordar a alegação de que veganos e vegetarianos precisam combinar cuidadosamente as proteínas para garantir que o corpo obtenha todos os aminoácidos de que necessita para construir e reparar os tecidos.

Esse mito, e os dados falhos em que se baseia, foi completamente desbancado pelo Instituto de Tecnologia de Massachusetts (MIT); mesmo assim ainda circula.

SEÇÃO III NUTRIÇÃO & DIETA

Embora seja verdade que algumas fontes de proteína vegetal têm *menos* quantidade de certos aminoácidos que outras formas de proteína, não há evidências científicas que comprovem que carecem completamente deles.

Vamos falar agora de suplementos de proteína. Trata-se de alimentos líquidos ou em pó que contêm proteína de várias fontes, sendo as quatro mais populares *whey*, caseína, albumina e soja, assim como suplementos de origem vegetal feitos a partir de quinoa, arroz integral, ervilha, cânhamo e até frutas.

Embora suplementos de proteína não sejam *imprescindíveis* para ficar em forma, pode ser impraticável tentar obter a quantidade total de proteína necessária por meio dos alimentos. Os pós de proteína são convenientes e, em alguns casos, oferecem alguns benefícios únicos.

Nós analisaremos cada tipo de suplemento de proteína e veremos o que os estudos dizem sobre seu valor na nossa jornada para ficar em forma.

WHEY PROTEIN EM PÓ EM PÓ

O *whey protein* [proteína do soro do leite] é de longe o tipo de suplemento de proteína mais popular no mercado atualmente. Vale quanto pesa, o sabor é bom e o perfil dos seus aminoácidos é particularmente adequado ao desenvolvimento muscular.

Mas do que se trata?

Bem, o *whey* é um subproduto líquido parcialmente claro da produção de queijo. Depois que o leite é coalhado e coado, sobra o soro, que era considerado resíduo e descartado, mas cientistas descobriram que é uma proteína completa. Ele é abundante em *leucina*, um aminoácido essencial que desempenha papel-chave na inicialização da síntese de proteína.

Quando o mundo dos esportes e da nutrição descobriu isso, o suplemento de *whey protein* nasceu.

Pode-se tomá-lo a qualquer hora, mas ele é especialmente efetivo como uma fonte de proteína pós-treino, pois é digerido rapidamente, o que causa um enorme pico de aminoácidos no sangue (especialmente leucina), o que estimula o crescimento muscular mais imediato que proteínas digeridas com mais lentidão.

Assim, o *whey* é uma versátil opção de proteína para homens e mulheres.

No entanto, devo mencionar que, mesmo que não seja intolerante a lactose, você ainda pode vir a ter problemas para digerir um dos tipos de proteína encontrados no leite de vaca. É por isso que algumas pessoas não se dão bem com formas altamente refinadas de *whey*, como isolado ou hidrolisado, dos quais se retira virtualmente toda a lactose.

Se elas irritam seu estômago, tente uma proteína que não seja derivada de laticínios e tudo deverá correr bem. Minha favorita, nesse caso, é albumina em pó, mas também há opções veganas que funcionam.

CASEÍNA

Provavelmente, o segundo tipo de proteína mais popular é a caseína, que também é derivada do leite. Os coalhos que se formam quando o leite coagula, como as bolas no queijo cottage, são caseína.

A proteína de caseína é digerida com mais lentidão que a do *whey*, causando um pico menor de aminoácidos no sangue, mas uma liberação mais estável no decorrer de várias horas.

Há um debate em curso a respeito da questão do melhor suplemento para o desenvolvimento muscular, *whey* ou caseína, mas a maioria dos especialistas importantes concorda com o seguinte:

- Devido à rapidez com que é digerido e à abundância de leucina, uma porção de 30 g a 40 g de *whey* provavelmente é a melhor opção de proteína pós-treino.

- Devido à lentidão com que libera aminoácidos, a caseína é um ótimo suplemento de proteína para "uso geral". Embora não se saiba se é tão boa quanto o *whey* para o pós-treino (a questão ainda está em aberto), há um corpo crescente de indícios de que, em termos de suplementos em pó, uma proteína de digestão lenta é a melhor opção global para o desenvolvimento muscular.

- A caseína é uma boa proteína para se consumir antes de dormir, o que pode auxiliar na recuperação muscular.

Eu uso *whey* na minha refeição pós-treino, e depois tomo uma ou duas colheres de albumina (cuja digestão é lenta) ao longo do dia para ajudar a alcançar meus números. A razão por que não tomo caseína é que meu estômago começa a me incomodar se consumo laticínios demais.

ALBUMINA

Muitos nem sequer sabem que se pode comprar um suplemento em pó de proteína do ovo ou albumina. Pode-se, e ela tem três benefícios primários:

SEÇÃO III NUTRIÇÃO & DIETA

- É bem usada pelo corpo (tem o escore perfeito de 1 PDCAA). A pontuação exata varia de acordo com a pesquisa, mas ela está sempre no topo da lista.

- De acordo com pesquisas em animais, a albumina é similar ao *whey* na sua habilidade de estimular o crescimento dos músculos.

- A albumina é digerida com lentidão ainda maior do que a caseína, o que, como você sabe, significa que ela resulta em liberação de aminoácidos no sangue por mais tempo, e isto pode ser particularmente favorável ao ganho global de músculos.

- Como os pós de albumina são produzidos a partir da clara somente, eles não têm gordura, e têm muito pouco carboidrato.

A conclusão é que a albumina é simplesmente uma ótima escolha para toda hora. Fora das necessidades de pré e pós-treino, é o que eu, pessoalmente, uso para fazer suplementação.

PROTEÍNA DE SOJA EM PÓ

A proteína de soja é complicada.

Embora pesquisas tenham mostrado que ela é uma efetiva fonte completa de proteína para ganhar músculos, também é fonte de controvérsia contínua para os homens.

De acordo com algumas pesquisas, o consumo habitual de soja causa feminização nos homens devido a moléculas semelhantes ao estrogênio presentes na soja chamadas *isoflavonas*.

Por exemplo, um estudo realizado por pesquisadores da Universidade de Harvard analisou o sêmen de 99 homens antes e depois de consumirem soja e isoflavona durante três meses. O que descobriram é que tanto a isoflavona quanto a soja estavam associadas à redução da contagem de espermatozoides. Homens que mais consumiram alimentos de soja tinham, em média, 41 milhões de espermatozoides a menos por mililitro de sêmen do que aqueles que não consumiam alimentos de soja.

Por outro lado, um estudo da Universidade de Guelph fez com que 32 homens ingerissem alimentos com poucas ou muitas isoflavonas da proteína de soja por 57 dias, e concluiu que isso não afetou a qualidade de seu sêmen. Além do mais, revisões da literatura como aquelas conduzidas por pesquisadores da Universidade de Loma Linda e da Universidade de St. Catherine sugerem que nem alimentos de soja nem isoflavonas alteram os níveis de hormônio masculino.

O que é que pega, então?

Bem, não há resposta simples no momento, mas nós sabemos, sim, que os efeitos da soja no corpo podem variar a depender da ausência ou da presença de certas bactérias intestinais. Essas bactérias, que estão presentes em 30% a 50% das pessoas, metabolizam uma isoflavona da soja chamada *daidzeina* em um hormônio parecido com o estrogênio chamado *equol*.

Em estudo publicado em 2011, pesquisadores da Universidade de Peking descobriram que quando os homens com a bactéria que produz equol comeram grandes quantidades de soja por três dias, seus níveis de estrogênio subiram e os de testosterona caíram. Esses efeitos não foram vistos em mulheres, não importando a produção ou não de equol.

Em relação a isso, um estudo conduzido com mulheres por cientistas da Universidade de Sungkyunkwan descobriu que, em um ambiente rico em estrogênio, as isoflavonas suprimem a produção de estrogênio, e em um ambiente com baixos níveis de estrogênio, aumentam a produção.

Estudos também mostram que a proteína de soja contém substâncias que inibem a digestão de moléculas de proteína e a absorção de outros nutrientes, assim como de vários alergênicos conhecidos.

Embora haja estudos que indiquem que a soja pode proporcionar benefícios especiais para as mulheres, tais como reduzir o risco de doenças cardíacas e câncer de mama, outros lançam dúvidas sobre essas conclusões. E outros estudos, ainda, mostram que a soja pode até estimular o crescimento de células de câncer.

Ainda outra questão com a qual todos têm de lidar quando ingerem soja é o fato de que mais de 90% de toda a soja cultivada nos Estados Unidos e no Brasil são geneticamente modificadas.

A questão dos alimentos geneticamente modificados é imensamente polêmica e complexa demais para ser abordada com profundidade neste livro, mas a aposta mais segura no momento é evitar alimentos geneticamente modificados o máximo possível até que sejam realizadas mais pesquisas sobre os potenciais riscos à saúde humana a longo prazo.

Assim, considerando tudo, acredito que você entenda por que eu costumo recomendar para os homens evitar totalmente a soja se possível. Há muito ainda que não sabemos a respeito dela para o meu gosto.

SEÇÃO III NUTRIÇÃO & DIETA

OUTROS SUPLEMENTOS DE PROTEÍNA EM PÓ DE ORIGEM VEGETAL

Embora a soja seja o pó proteico de origem vegetal mais popular disponível, também se encontram suplementos proteicos em pó derivados de arroz, cânhamo e ervilha. Eis como eles se saem:

Com o medíocre escore de 0,47 no PDCAA, a proteína de arroz não entusiasma muito. Quando combinada com proteína da ervilha, porém, ela melhora muito, por causa da pontuação melhor da ervilha de 0,69 no PDCAA e da grande quantidade de leucina.

Aliás, a mistura de proteínas de arroz e de ervilha costuma ser chamada de "*whey* do vegano", pois seu perfil de aminoácidos é similar ao do *whey protein*.

A proteína de cânhamo é a mais pobre das três opções. Apesar de ter excelentes micronutrientes, como ácidos graxos ômega-3 e ômega-6, o cânhamo só tem cerca de 30% a 50% de proteína por peso, ao passo que outras opções discutidas neste capítulo têm de 90% a 100%. Além disso, a pouca proteína que contém não é nem de longe tão digerível quanto a do arroz ou a da ervilha, para não falar dos produtos animais como *whey*, caseína e albumina. O cânhamo deve ser visto mais como um alimento integral do que como um suplemento de proteína puro.

Então, isso é tudo o que você precisa saber sobre que tipos de proteína consumir. Prossigamos para uma questão que me fazem muitas vezes: que quantidade de proteína podemos consumir e absorver com eficiência em uma refeição?

O MITO DA "ABSORÇÃO DE PROTEÍNA"

Uma rápida pesquisa no Google sobre números de absorção de proteína trará todos os tipos de opiniões e números. Uma recomendação comumente lançada ao ar por "especialistas" é limitar o consumo a não mais que 30 g a 40 g de proteína por refeição, uma vez que qualquer quantidade maior será descartada pelo corpo.

Esse tipo de orientação "tamanho único" cheira a besteira.

Duvido imensamente que o corpo de um jogador de futebol americano lide com o consumo de proteínas exatamente do mesmo modo que o de um fracote de 65 kg. As necessidades proteicas decorrentes de estilo de vida e da massa magra deveriam influenciar a questão do metabolismo de proteína, certo?

Além disso, se fosse verdade que as pessoas podem absorver apenas uma quantidade relativamente baixa de proteínas por refeição, então "sobredosar" as necessidades diárias de proteína em duas ou três refeições resultaria em deficiências de proteína. Esta suposição gera a questão de como a espécie humana sobreviveu no tempo dos caçadores-coletores, quando experimentávamos banquetes e carestias habitualmente, mas o corpo é incrivelmente adaptativo.

Para avaliar melhor o tópico em questão, vejamos o que acontece quando se consome proteína.

Primeiro, o estômago usa seus ácidos e suas enzimas para decompor a proteína em seus blocos constituintes, os aminoácidos. Esses aminoácidos são transportados para a corrente sanguínea por células especiais que recobrem os intestinos, e são depois levadas a várias partes do corpo, que tem apenas uma quantidade específica de células transportadoras, o que limita a quantidade de aminoácidos que podem ser lançados por hora na corrente sanguínea.

É disto, a propósito, que estamos falando com "absorção de proteínas": a rapidez com que o corpo é capaz de absorver os aminoácidos na corrente sanguínea.

Como você sabe, o corpo humano absorve diferentes proteínas a diferentes velocidades. De acordo com um estudo, o *whey* atinge de 8 g a 10 g absorvidos por hora, a caseína 6,1 g, a soja 3,9 g e a albumina 1,3 g. Esses números não são completamente precisos devido a complexidades envolvidas na medição da absorção de proteína, mas iluminam o tópico mesmo assim: certas proteínas são absorvidas lentamente, ao passo que outras podem ser absorvidas rapidamente.

Outro fato relevante para a discussão é o de que as substâncias alimentares não se movem uniformemente pelo trato digestivo, e não deixam as seções na mesma ordem em que chegaram.

Por exemplo, a presença de proteína no estômago estimula a produção de um hormônio que desacelera o "esvaziamento gástrico" (o esvaziamento do alimento do estômago) e que desacelera as contrações intestinais.

Isto faz com que o alimento se mova mais lentamente pelo intestino delgado, onde os nutrientes são absorvidos, e é assim que o corpo ganha o tempo de que precisa para absorver as proteínas ingeridas. Os carboidratos e as gorduras podem se mover e ser completamente absorvidos enquanto o corpo ainda trabalha com as proteínas.

Assim que os aminoácidos chegam à corrente sanguínea, o corpo faz várias coisas com eles, como constituir e reparar tecidos, e também pode armazenar temporariamente (por até cerca de 24 horas) o excesso de aminoácidos nos músculos para necessidades futuras. Se os aminoácidos ainda estiverem no sangue depois de fazer todas essas coisas, o corpo pode decompô-los em combustível para o cérebro e outras células.

Ora, que relação tem tudo isso com alegações rigorosas sobre a quantidade de proteína que pode ser absorvida em uma refeição? Bem, elas normalmente têm por base uma destas duas coisas:

SEÇÃO III NUTRIÇÃO & DIETA

O DESCONHECIMENTO DO MODO COMO O ALIMENTO SE MOVE PELO SISTEMA DIGESTIVO.

Alguns acreditam que todos os alimentos se movem pelo intestino delgado em duas a três horas e, portanto, também acreditam que mesmo que você tenha consumido o tipo de proteína que pode ser absorvido com maior rapidez — à taxa de 8 g a 10 g por hora — pode apenas absorver de 25 g a 30 g dela antes que ela passe ao intestino grosso para ser eliminada. De acordo com esta linha de raciocínio, proteínas de digestão mais lenta resultam em absorção de ainda menos gramas na corrente sanguínea.

Bem, como nós agora sabemos, o corpo, que é mais inteligente do que isso, regula a velocidade com que as proteínas se movimentam pelo intestino delgado para garantir que pode absorver todos os aminoácidos disponíveis.

REFERÊNCIAS A ESTUDOS RELACIONADOS À RESPOSTA ANABÓLICA AO CONSUMO DE PROTEÍNA.

Um estudo comumente citado em relação à absorção de proteína mostrou que 20 g de proteínas pós-treino estimularam a máxima síntese de proteína nos músculos em homens jovens. Isto é, consumir mais do que 20 g de proteína depois de malhar não fez nada a mais em termos de estimular maior crescimento muscular.

A falha mais óbvia deste argumento é que não se podem usar estudos sobre a resposta anabólica ao consumo de proteína para extrapolar ideias sobre a quantidade que podemos absorver de uma só vez. Respostas anabólicas agudas à ingestão de proteína simplesmente não fornecem todas as informações necessárias.

A absorção se relaciona à disponibilidade de aminoácidos em períodos ampliados, o que evita o esgotamento dos músculos e fornece matéria-prima para o crescimento. E, como hoje sabemos, nosso corpo não joga fora simplesmente todos os aminoácidos que não consegue usar imediatamente: ele pode armazená-los para necessidades posteriores.

Para corroborar essa suposição há ainda um estudo do Centro de Pesquisas em Nutrição Humana. Nele, 16 mulheres jovens ingerem 79% de sua proteína diária (cerca de 54 g) em 1 refeição ou 4 refeições no curso de 14 dias. Os pesquisadores não encontraram nenhuma diferença entre os grupos em termos de síntese ou degradação de proteínas.

Além disso, se analisarmos a quantidade de proteína usada no estudo acima em relação ao peso, descobrimos que fica em torno de 1,17 g por quilo. Aplique isso para uma mulher de 60 kg e chegará a cerca de 70 g de proteína de uma só vez. Ainda que não seja prova científica definitiva, isso faz pensar.

Pesquisas sobre o estilo de dieta conhecido como *jejum intermitente* também são relevantes. Nele as pessoas jejuam por longos períodos, seguidos por períodos de 2 a 8 horas de "janelas de alimentação". Um estudo sobre esse método concluiu que ingerir a porção correspondente a um dia inteiro de proteína em uma janela de 4 horas (seguida por 20 horas de jejum) não teve nenhum impacto negativo na preservação dos músculos.

Assim, como você pode ver, é difícil chegar a um teto preciso da quantidade de proteína que o corpo pode absorver por refeição. É definitivamente muito mais do que os 20 g a 30 g que algumas pessoas alegam.

Feitas essas ressalvas, porém, o fato é que consumir pequenas porções de proteína com mais frequência pode ser superior a consumir porções maiores em menos refeições...

O DEBATE SOBRE A "FREQUÊNCIA PROTEICA"

Outro aspecto do consumo de proteína que é tema de muitas opiniões e debates é a frequência com que se deve ingerir o macronutriente.

É uma orientação padrão, há décadas, comer proteína a cada duas a três horas para maximizar o desenvolvimento muscular, mas, como você está começando a ver, a marcha progressiva da pesquisa científica está mandando muitas das velhas vacas sagradas da musculação para o matadouro. Será que esse animal da "proteína a cada três horas" é mais um cuja hora chegou?

Bem, o que nós sabemos *de fato* é que não *temos* de ingerir proteína a cada duas horas para ganhar músculos e força nem para evitar "ficar catabólico". Alcançar suas necessidades diárias de proteína é crucial, mas o horário das refeições não.

Apesar disso, estudos demonstram que a frequência com que se consome proteína *pode* influenciar as taxas globais de síntese de proteína no corpo (e, portanto, o crescimento muscular em geral). Especificamente, pesquisadores da Universidade de Illinois descobriram que quando adultos saudáveis dividiram seu consumo de proteína (cerca de 100 g) igualmente em três refeições diárias (30 g a 33 g no café da manhã, no almoço e no jantar), as taxas de síntese de proteína muscular em 24 horas foram maiores do que quando o consumo era mais substancial no jantar (11 g no café da manhã, 16 g no almoço e 64 g no jantar).

SEÇÃO III NUTRIÇÃO & DIETA

Isso não surpreende quando consideramos o fato de que estudos também mostram que ingerir cerca de 30 g a 40 g de proteína em uma refeição estimula maximamente as taxas de síntese proteica. Se ingerimos menos, as taxas de síntese proteica resultantes são menores; e se ingerimos mais, elas não sobem (não é possível dobrar as taxas de síntese proteica consumindo 60 g de proteína).

Assim, consumir pequenas quantidades de proteína — digamos 10 g a 20 g — algumas vezes por dia deixa de estimular o máximo de síntese proteica possível. Consumir uma grande quantidade de proteínas depois estimula a síntese proteica máxima, mas não tanto que "compense" as sínteses de proteína que não foram realizadas ao longo do dia devido à inadequação das refeições anteriores.

Consumir, por outro lado, de 30 g a 40 g de proteína a cada refeição produz a quantidade máxima de síntese proteica, o que significa que, ao final do dia, o corpo terá criado mais proteínas musculares do que no exemplo anterior.

Assim, considerando tudo o que sabemos sobre as pesquisas a respeito da absorção e da frequência proteica, acredito que podemos deduzir algumas regras gerais simples:

- Consumir proteína com mais frequência provavelmente é superior a consumir com menos frequência.

- Cada porção de proteína deve conter pelo menos de 30 g a 40 g de proteína.

- As porções podem conter bem mais proteína se for necessário para atingir as metas diárias.

Por exemplo, eis como fica geralmente meu consumo diário de proteína:

Pré-treino: 30 g de proteína
Pós-treino: de 50 g a 60 g de proteína
Almoço: 40 g de proteína
Lanche da tarde: de 30g a 40 g de proteína
Jantar: de 30 g a 40 g de proteína
Antes de dormir: 30 g de proteína

Bem, isto cobre tudo o que você precisa saber sobre proteínas. Se estiver um pouco confusa devido à grande quantidade de informações que acabou de enfiar no cérebro, sinta-se livre para revisar esta seção mais tarde, para assim absorver o conteúdo.

CARBOIDRATOS

Tenho pena dos carboidratos nos dias de hoje. Eles são incompreendidos, difamados e temidos... e tudo por bons motivos.

Graças às dúzias de "especialistas" em dieta fajutos no mercado e aos vários DVDs, blogues etc. que produzem, muitas pessoas acreditam que comer carboidratos é igual a engordar.

Bem, ainda que comer carboidrato *demais* possa engordar (assim como comer proteína ou gordura demais), os carboidratos nem de longe são inimigos. Ironicamente, os carboidratos (em qualquer forma) não são armazenados pelo corpo como gordura com tanta eficiência quanto a gordura. Sim, estritamente falando, azeite de oliva é mais engordativo do que açúcar.

A realidade é que os carboidratos desempenham um papel essencial não apenas no desenvolvimento muscular, mas também no funcionamento geral do corpo. Por exemplo, quando você ingere carboidratos, uma parcela da glicose liberada na corrente sanguínea se transforma em glicogênio, que é então armazenado no fígado e nos músculos. Quando levanta peso, você esgota rapidamente as reservas de glicogênio dos músculos, e elas são renovadas com o consumo de carboidratos. Fazendo isso e mantendo os músculos "cheios" de glicogênio você irá melhorar o desempenho e reduzir o esgotamento muscular relacionado a exercício.

Mas antes de entrarmos em outros benefícios de ingerir carboidratos, analisemos mais de perto a própria molécula de carboidrato e o seu funcionamento no corpo, e vamos desencantar alguns dos mitos podres que fazem com que aqueles que fazem dieta tremam nas bases quando pensam na hipótese de comer sobremesa.

Há três tipos de carboidrato:

- monossacarídeos;

- oligossacarídeos;

- polissacarídeos.

Vamos analisar cada um deles separadamente.

MONOSSACARÍDEOS

Os monossacarídeos costumam ser chamados de carboidratos simples porque têm uma estrutura simples. *Mono* quer dizer um, e *sacarídeo*, açúcar. Então, um açúcar.

SEÇÃO III NUTRIÇÃO & DIETA

Os monossacarídeos são...

- glicose;

- frutose;

- galactose.

A glicose é um tipo de açúcar também conhecido como o açúcar do sangue, pois está presente no nosso sangue e é produzido a partir dos alimentos que ingerimos (a maioria dos carboidratos que ingerimos contém glicose, ou como única forma de açúcar ou combinada com os dois açúcares simples mencionados acima). Quando as pessoas falam de "níveis de açúcar no sangue", estão se referindo à quantidade de glicose.

A frutose é um tipo de açúcar encontrado naturalmente nas frutas e em produtos processados, como a sacarose (açúcar de mesa) e o xarope de milho com alto teor de frutose (HFCS), (presentes nos supermercados nas marcas Karo e Yoki) são constituídos de cerca de 50% de frutose e 50% de glicose. A frutose é convertida em glicose e então liberada na corrente sanguínea para uso.

A galactose é um tipo de açúcar encontrado nos laticínios e é metabolizada de modo similar à frutose.

OLIGOSSACARÍDEOS

Os oligossacarídeos são moléculas que contêm vários monossacarídeos ligados em estruturas semelhantes a cadeias. *Oligos*, em grego, significa "alguns"; assim, *oligossacarídeos* significa "alguns açúcares".

Eles são um dos componentes das fibras presentes nos vegetais. Nossos corpos são capazes de decompô-los parcialmente em glicose (deixando para trás as partes fibrosas, indigeríveis, para que cuidem do nosso intestino).

Muitos vegetais também contêm *frutooligossacarídeos* (FOS), que são cadeias curtas de moléculas de frutose, e como tal o corpo as metaboliza (ele quebra as cadeias e depois converte as moléculas individuais de frutose em glicose para uso).

Outra forma comum de oligossacarídeo que comemos é a *rafinose*, que consiste em uma cadeia de galactose, glicose e frutose (ou seja, um *trissacarídeo*), que pode estar presente em grãos integrais e em legumes como feijão, repolho, couve-de-bruxelas, brócolis, aspargos e outros.

Para terminar a lista, temos os galactooligossacarídeos (GOS), que são cadeias curtas de moléculas de galactose. Estas são indigeríveis, mas desempenham um papel no estímulo ao crescimento de bactérias saudáveis no intestino.

POLISSACARÍDEOS

Os polissacarídeos são longas cadeias de monossacarídeos, normalmente contendo dez ou mais unidades de monossacarídeos. *Poli* é "muito" em grego e, portanto, essas moléculas são constituídas por muitos açúcares.

O amido (o reservatório de energia das plantas) e a celulose (uma fibra natural presente em muitas plantas) são dois exemplos de polissacarídeos que ingerimos com frequência. Nosso corpo é capaz de transformar amido em glicose, mas não a celulose: ela passa pelo sistema digestivo intacta (tornando-se uma fonte de fibras).

HÁ UM PADRÃO AQUI... TUDO TERMINA EM GLICOSE

Você já deve ter notado que todas as formas de carboidrato que ingerimos ou são metabolizados em glicose ou não são digeridos, servindo como fibras.

Nosso corpo não é capaz de distinguir entre os açúcares naturais presentes na fruta, no mel ou no leite e o açúcar processado presente numa barra de chocolate. A digestão de todos eles é feita do mesmo modo: eles são decompostos em monossacarídeos, que são então transformados em glicose, que é depois transportada para o cérebro, os músculos e os órgãos para uso.

Sim, no fim das contas, a barra de chocolate se transforma em glicose exatamente como a xícara de ervilha. Claro, a barra vira glicose *mais rápido*, mas essa é a única diferença (com relação aos carboidratos). A barra de chocolate tem um punhado de monossacarídeos que são rapidamente metabolizados, ao passo que as ervilhas têm um punhado de oligossacarídeos que levam mais tempo para quebrar.

Ora, eu não estou dizendo que as ervilhas são "a mesma coisa que" barras de chocolate, de modo que podemos jogar as verduras fora e ir buscar os doces. Obviamente, as ervilhas são mais nutritivas que barras de chocolate, mas o buraco é mais embaixo.

Quimicamente falando, carboidratos simples como o açúcar e o HFCS presentes nos alimentos processados são bastante simples. O açúcar de mesa, ou sacarose, é um dissacarídeo (dois açúcares) composto por uma parte de frutose e uma de glicose. A sacarose ocorre em alimentos naturais como abacaxi, batata-doce, beterraba,

SEÇÃO III NUTRIÇÃO & DIETA

cana-de-açúcar e mesmo oleaginosas, pecãs e caju. Também é acrescida aos alimentos para torná-los mais doces.

O HFCS é quimicamente similar, normalmente consistindo de 55% de frutose e 45% de glicose. Ele não existe na natureza (é produzido artificialmente), e a única diferença entre ele e a sacarose é que a frutose e a glicose não estão ligadas quimicamente, o que significa que o corpo tem ainda menos trabalho para metabolizá-lo em glicose.

Pois bem, analisados por esse ângulo, nenhum dos dois parece tão nefasto. A sacarose presente no abacaxi não é quimicamente diferente da sacarose na nossa sobremesa favorita. E o HFCS é quimicamente similar à sacarose.

Qual é o problema, então? Por que nos dizem que não tem problema consumir a sacarose de um abacaxi, mas a sacarose quimicamente idêntica da barra de chocolate ou alguma outra forma de carboidrato simples é desastrosa? Por que o HFCS é considerado, com tanta frequência, o vilão metabólico máximo se é tão infinitamente similar à sacarose?

Bem, embora seja verdade que o corpo de algumas pessoas lida melhor com carboidratos (em todas as formas) que o de outras, não é verdade de modo algum que a sacarose, o HFCS ou outras formas de carboidratos simples são *especialmente* engordativos.

Como agora você sabe, essas duas moléculas não são tão especiais assim. Elas são apenas uma fonte de glicose para o corpo como qualquer outro carboidrato.

Não acredita em mim? Bem, vamos dar uma olhada nas pesquisas.

Em um estudo, pesquisadores da Agência do Açúcar do Reino Unido (encarregada de pesquisar todas as formas de açúcar, não em nos convencer a comer um montão de sacarose) resolveram determinar se deveria haver uma orientação para o consumo diário de açúcar. Eles descobriram que o aumento da ingestão de açúcar tem relação com *magreza*, não obesidade, e concluíram que simplesmente não há evidências suficientes para justificar uma orientação quantitativa do consumo de açúcar.

Outro estudo, de pesquisadores da Universidade do Havaí, fez uma ampla revisão da literatura sobre o açúcar. Eis uma citação do artigo:

> É importante afirmar desde o início que não há nenhuma conexão direta entre o consumo de alimentos com acréscimo de açúcar e obesidade, a não ser que o consumo excessivo de bebidas e alimentos açucarados leve a desequilíbrio energético e resultante ganho de peso.

Consumo excessivo e *desequilíbrio energético* são as chaves aqui.

MALHAR SECAR DEFINIR PARA MULHERES

Veja bem, é um fato conhecido que nas duas últimas décadas os americanos aumentaram o número de calorias que ingerem por dia, e muito desse aumento é na forma de carboidratos, provenientes principalmente de refrigerantes.

É aí que está o verdadeiro problema com o consumo de açúcar e HFCS e o ganho de peso: quanto mais se consome alimentos com acréscimo de açúcar, mais fácil é comer em excesso.

Isto é especialmente assim no caso de carboidratos líquidos, como bebidas com acréscimo de açúcar. Se você adora bebidas calóricas, provavelmente ficará gorda para sempre. Se beber 1.000 calorias poderá ficar com fome uma hora depois, ao passo que comer 1.000 calorias de um alimento de alta qualidade, que inclua uma boa porção de proteína e fibras, provavelmente a deixará alimentada por seis horas.

E o HFCS? O que a literatura revela sobre essa molécula semelhante à sacarose? Mais do mesmo, é claro.

Esta citação é de uma abrangente revisão da literatura sobre o HFCS publicada em 2008:

Sacarose, HFCS, açúcar invertido, mel e muitas frutas e sucos fornecem os mesmos açúcares, nas mesmas proporções, aos mesmos tecidos, dentro do mesmo quadro temporal para os mesmos caminhos metabólicos. Assim (...) essencialmente não faz nenhuma diferença metabólica qual é usado.

E esta é uma citação de uma revisão da literatura sobre o HFCS realizada por pesquisadores da Universidade de Maryland em 2007:

Com base nas evidências disponíveis atualmente, o painel de especialistas concluiu que o HFCS não parece contribuir para o sobrepeso e a obesidade de modo diferente do de qualquer outra fonte de energia.

E ainda outra revisão da literatura publicada em 2008:

Os dados apresentados indicaram que o HFCS é bastante similar à sacarose, consistindo de 55% de frutose e 45% de glicose, e, portanto, como era de se esperar, poucas diferenças metabólicas foram encontradas na comparação entre o HFCS e a sacarose. Apesar disso, o HFCS de fato contribui para o acréscimo de açúcares e calorias, e aqueles preocupados com o controle do próprio peso devem se preocupar com as calorias de bebidas e outras fontes, qualquer que seja a quantidade de HFCS que contenham.

SEÇÃO III NUTRIÇÃO & DIETA

A conclusão é que o HFCS é apenas mais um açúcar simples e, até onde sabemos no momento, só pode nos prejudicar quando consumido em excesso.

Agora, neste ponto, talvez você esteja pensando que tem carta branca para consumir o quanto quiser de açúcar e carboidratos simples. Embora fazê-lo possa não ser tão prejudicial quanto dizem, há mais a considerar.

QUANDO A INGESTÃO EXCESSIVA DE AÇÚCARES SIMPLES PODE SE TORNAR UM PROBLEMA

A ingestão excessiva e de longo prazo de carboidratos simples (dissacarídeos como sacarose e HFCS) tem sido associada à elevação do risco de problemas cardíacos e diabetes tipo 2.

Muitos "especialistas" tomam factoides como esse como evidência definitiva de que carboidratos simples destroem nossa saúde, mas isso é enganoso. Tem caroço nesse angu.

Um deles é o fato de que os efeitos dos carboidratos simples variam muito entre indivíduos, dependendo de sua quantidade de gordura e de seu grau de atividade. Corpos sedentários e com sobrepeso não têm nem de longe a mesma habilidade de lidar com açúcares simples dos magros e fisicamente ativos.

Além do mais, quando se misturam carboidratos (todos os tipos) com outras formas, a resposta da insulina é mitigada. Ou seja, comer algumas colheres de sopa de sacarose com o estômago vazio provoca uma resposta maior da insulina no corpo do que comer algumas colheres de sopa de sacarose como parte de uma refeição balanceada (contida em uma sobremesa, por exemplo).

Ainda assim, mesmo como parte de uma refeição mista, carboidratos simples de fato ainda elevam mais os níveis de insulina do que formas mais complexas de carboidratos, como os polissacarídeos presentes nos vegetais.

A partir disso, podemos tirar uma recomendação sensata: quem está acima do peso e não faz exercícios não deve comer um monte de carboidratos simples por dia. Isso faz sentido intuitivamente: os carboidratos são, antes de tudo, energéticos, e o corpo de um indivíduo sedentário não precisa de abundância de energia.

Por outro lado, o corpo de quem se exercita regularmente e não está com excesso de peso consegue lidar com carboidratos simples muito bem. Ninguém que se enquadre nessas categorias vai ficar diabético ou ter um ataque do coração por consumir um pouco de sacarose diariamente.

Outra preocupação relacionada com a saúde é o fato de que comer muitos alimentos com acréscimo de açúcar pode reduzir a quantidade de micronutrientes que o corpo obtém, e assim causar deficiências. Isso ocorre porque muitos alimentos com acréscimo de açúcar simplesmente não têm quantidades de vitaminas e minerais essenciais dignas de nota.

Mas a solução aqui é óbvia: obtenha a maioria das suas calorias diárias de alimentos densos em nutrientes, e correrá tudo bem.

Muitos dos carboidratos que eu consumo diariamente são da variedade "complexa" encontrada em frutas, verduras, legumes e certos grãos e sementes, como trigo integral, arroz integral e quinoa. Isso não só me proporciona uma abundância de micronutrientes, mas também creio que meus níveis ficam mais estáveis do que ficariam se eu ingerisse um monte de carboidratos simples.

Todo dia, no entanto, incluo algum tipo de pequena sobremesa na dieta. Pode ser um pedaço de chocolate, ou algumas colheres de sorvete, ou outra coisa gostosa. Normalmente, também lanço mão de uma sobremesa maior uma vez por semana com a minha "refeição infiel", a respeito da qual posteriormente falaremos mais.

Quando se fazem as contas, porém, eu nunca obtenho mais de 10% das minhas calorias semanais de açúcares artificiais, e considerando a quantidade de alimentos ricos em micronutrientes que consumo e a quantidade de exercícios que faço, esse nível baixo de ingestão de açúcar *jamais* me causará problemas.

Assim, todas as formas de carboidratos acabam se transformando em glicose, com a principal diferença entre os açúcares simples e complexos sendo a velocidade com que isso ocorre. Como regra geral, é desejável obter a maioria dos carboidratos de fontes complexas, de queima mais lenta.

Como podemos saber quais carboidratos são metabolizados devagar e quais são quebrados rapidamente? Podemos usar o índice glicêmico.

COMO USAR O ÍNDICE GLICÊMICO

O índice glicêmico (IG) é um sistema numérico que classifica a rapidez com que o corpo converte carboidratos em glicose. Os carboidratos são classificados em uma escala de 0 a 100, dependendo de como afetam os níveis de açúcar no sangue uma vez ingeridos.

Classificação abaixo de 55 no IG é considerada baixa, ao passo que a classificação de 56 a 69 é média, e de 70 ou mais é alta.

SEÇÃO III NUTRIÇÃO & DIETA

Os carboidratos simples são convertidos em glicose rapidamente e, portanto, têm classificação elevada no IG. Exemplos de carboidratos simples e da classificação que lhes corresponde são sacarose (65), pão branco (71), arroz branco (89) e batata-inglesa (82).

Os carboidratos complexos são convertidos em glicose mais lentamente, e assim têm classificação mais baixa no IG. Exemplos de carboidratos complexos da classificação que lhes corresponde são maçã (39), feijão preto (30), amendoim (7) e massa integral (42).

Como eu disse antes, provavelmente você notará melhoras no nível geral de energia se obtiver a maioria dos seus carboidratos de alimentos complexos e de menor IG. Eles também costumam ser mais nutritivos.

Veja bem, se analisar a classificação de vários carboidratos no IG, você vai observar rapidamente que as fontes de carboidratos não processadas e mais nutritivas estão naturalmente nas posições mais baixas no IG. A maioria dos alimentos de IG alto, como pão branco, cereais matinais, salgadinhos industrializados, doces, refrigerantes, e assim por diante, são porcarias muito pobres em nutrientes e muitas vezes cheias de produtos químicos e outros aditivos que é melhor evitar.

Se você obtivesse a maioria dos seus carboidratos a partir desse tipo de alimentos de baixa qualidade, talvez sua composição corporal não fosse visivelmente afetada, mas a sua saúde seria — com o tempo provavelmente você desenvolveria deficiências de micronutrientes e sofreria vários problemas de saúde irritantes.

Então, para repetir, minha recomendação é simples: obtenha a maioria dos seus carboidratos diários de alimentos nutritivos e não processados, que, por acaso, têm IG mais baixo, mas não tenha medo de incluir alguns alimentos de IG mais alto de que goste.

Agora, como provavelmente você notou, eu não sou contrário aos carboidratos, o que pode parecer um pouco estranho. Tenho a impressão de que hoje em dia todo guru está embarcando no bonde do baixo teor de carboidratos, e para onde se olha há mais um livro ou reportagem explicando que o caminho do futuro são as dietas com baixo teor de carboidratos.

Bem, estou no campo *oposto*.

Eu vou recomendar a ingestão de uma quantidade saudável de carboidratos por dia — mesmo que você deseje maximizar a perda de gordura. E eu tenho bons dados e boas razões para corroborar a recomendação.

Se soar como uma blasfêmia para você, eu entendo. Há *muita* informação enganosa em circulação sobre carboidratos e o efeito deles no corpo, a começar pela afirmação de que pico de produção de insulina engorda e prejudica a saúde.

MALHAR SECAR DEFINIR PARA MULHERES

Este mito que já foi desbancado pela ciência é pouco mais do que a deturpação da fisiologia básica para vender um bicho-papão que não existe.

A INSULINA NÃO É NOSSA INIMIGA — NA VERDADE, É NOSSA AMIGA

Como você sabe, quando você come, o pâncreas libera insulina no sangue, cuja tarefa é transportar os nutrientes dos alimentos para uso das células. À medida que isso ocorre, os níveis de insulina caem gradativamente, até que, por fim, quando não há mais nutrientes no sangue, eles se estabilizam na medida padrão, baixa, enquanto o pâncreas espera a próxima refeição para repetir o processo.

De modo geral, os carboidratos causam um pico de insulina maior do que proteínas e gordura, razão pela qual os "inimigos da insulina" afirmam que são tão prejudiciais.

Mas por que a insulina é tão ferozmente atacada pelos "gurus" de dieta da moda se desempenha um papel fisiológico vital no organismo? Por que dizem que ela engorda e faz mal?

A resposta diz respeito a uma das funções da insulina, que influencia o armazenamento de gordura. Especificamente, ela inibe a decomposição metabólica das células de gordura em energia e estimula a criação de gordura corporal. Isto é, a insulina ordena ao corpo que pare de queimar as reservas de gordura e, em vez disso, absorva ácidos graxos e glicose do sangue e os transforme em mais gordura corporal.

Quando a coisa é explicada dessa forma, fica fácil transformar a insulina em alvo e bode expiatório, e fica claro por que muitas vezes os carboidratos são crucificados bem ao lado dela. A "lógica" funciona assim:

Dieta rica em carboidratos = níveis elevados de insulina = menos queima e mais armazenamento de gordura = engordar cada vez mais

E, portanto, como um corolário:

Dieta com baixo teor de carboidratos = baixos níveis de insulina = mais queima e menos armazenamento de gordura = permanecer magra.

SEÇÃO III NUTRIÇÃO & DIETA

À primeira vista, essas afirmações soam plausíveis. As explicações simples são populares, e "diminuir os carboidratos" parece um modo fácil de obter o corpo desejado sem ter de se virar com os números.

Pois bem, embora seja verdade que a insulina faz com que as células adiposas absorvam ácidos graxos e glicose e, portanto, se expandam, não é esse mecanismo fisiológico o que engorda com o passar do tempo — é comer demais.

Lembre-se de que o fator primordial na perda ou no ganho de peso é o *equilíbrio energético*. Nenhum hormônio pode produzir magicamente o excedente de energia necessário para "preencher" células de gordura e fazer com que a cintura cresça. Só nós podemos fazer isso, dando habitualmente ao corpo mais energia do que ele queima.

Outro pequeno fato que as pessoas que têm fobia de carboidratos e insulina gostam de ignorar é que o corpo não precisa de níveis elevados de insulina para armazenar gordura, graças a uma enzima chamada *proteína estimuladora de acilação*.

Por isso é que não é possível perder peso simplesmente ingerindo a quantidade de gordura que se desejar. E é por isso que a literatura mostra que separar carboidratos e gorduras não afeta a perda de peso (ingerir carboidratos e gorduras na mesma refeição ou separadamente não muda nada).

Tudo isso deve ser novidade para você e talvez a deixe confusa. Todo mês, algum artigo novo pipoca por toda a internet exaltando os poderes quase mágicos de perda de gordura das dietas de restrição de carboidratos, geralmente citando um ou outro estudo para fundamentar as afirmações. Tudo parece muito convincente.

Bem, há cerca de vinte estudos que os proponentes da dieta de restrição de carboidratos espalham como prova definitiva da superioridade dessa dieta para a perda de peso. Para quem simplesmente lê os resumos de alguns desses estudos, dietas com baixo teor de carboidratos parecem definitivamente mais eficazes:

Comparada à dieta de baixo teor de gordura, o programa de dieta de restrição de carboidratos teve mais permanência de participantes e mais perda de peso. Durante a perda de peso ativa, os níveis séricos de triglicerídeos diminuíram mais, e o nível de colesterol de lipoproteína de alta densidade aumentou mais com a dieta de baixo teor de carboidratos do que com a dieta de baixo teor de gordura.

Este estudo mostra superioridade clara da dieta cetogênica de restrição severa de carboidratos sobre a dieta de restrição de gordura em termos de perda de peso e gordura a curto prazo, especialmente em homens. A perda preferencial de gordura na região do tronco com a dieta restrita em carboidratos é uma descoberta nova que potencialmente tem importância clínica, mas requer validação suplementar. Esses dados fornecem embasamento adicional para o conceito de vantagem metabólica das dietas que representam extremos na distribuição de macronutrientes.

Indivíduos severamente obesos com alta prevalência de diabetes ou síndrome metabólica perderam mais peso durante seis meses com uma dieta de restrição de carboidratos do que com dietas de restrição de calorias e de gordura, com relativa melhoria nos níveis de triglicerídeos e sensibilidade à insulina, mesmo depois de ajuste para a quantidade de peso perdida.

Bem, é nesse tipo superficial de resumo que muitos defensores dos baixos teores de carboidratos baseiam suas teorias e crenças, mas há um *grande* problema com muitos desses estudos, que diz respeito à ingestão de proteínas.

A questão é que as dietas com baixo teor de carboidratos nesses estudos invariavelmente continham mais proteínas do que as dietas com baixo teor de gordura. Sim, um por um... sem erro.

O que se analisa nesses estudos é a comparação entre uma dieta rica em proteínas e pobre em carboidratos e uma dieta rica em gorduras e pobre em proteínas, e a primeira sempre ganha. Mas não se pode ignorar a parte do alto teor de proteína e dizer que a causa da efetividade maior é o elemento da pobreza de carboidratos.

Em verdade, estudos com elaboração e execução melhor provam o contrário: que quando a ingestão de proteína é alta, a dieta de baixo teor de carboidratos não oferece benefícios especiais para a perda de peso. Mas chegaremos a isso já.

Por que a ingestão de proteína é tão importante na restrição de calorias para a perda de gordura? Você já sabe a resposta: porque é vital para preservar a massa magra, tanto em pessoas sedentárias quanto, e especialmente, em atletas.

Se não consumir proteína suficiente ao fazer dieta para perder peso, você poderá perder um bocado de músculo, o que atrapalha a perda de peso de várias maneiras:

1. Faz cair a sua taxa metabólica basal.

2. Reduz o número de calorias que você queima nos treinos.

3. Debilita o metabolismo de glicose e lipídios.

Como você pode ver, quando quer perder gordura, seu objetivo número um é *preservar a massa magra*, e ingerir a quantidade adequada de proteína diariamente é essencial para alcançar essa meta.

SEÇÃO III NUTRIÇÃO & DIETA

Agora, voltemos a atenção para os estudos mencionados antes, segundo os quais "dietas com baixo teor de carboidratos são melhores". Em muitos casos, os grupos com baixo teor de gordura receberam menos proteínas até do que a ingestão diária recomendada (IDR) de 0,8 g por quilograma de peso corporal, que é absolutamente inadequada para fins de perda de peso. Estudos mostram que mesmo o dobro ou o triplo dos níveis de proteína da IDR não é suficiente para evitar totalmente a perda de massa magra enquanto se restringem calorias para perder gordura.

Então, o que acontece em termos de perda de peso quando você mantém a ingestão de proteína elevada e compara níveis altos e baixos de ingestão de carboidratos? Existe algum estudo disponível para mostrar?

Sim.

Eu conheço quatro estudos que atendem a esses critérios, e veja você que surpresa... quando a ingestão de proteína é alta, não há diferença significativa de perda de peso entre indivíduos que fazem dietas ricas em carboidrato daqueles cujas dietas são pobres em carboidrato.

Seguem trechos de cada um dos estudos. Eu recomendo que você leia os artigos inteiros se quiser obter os detalhes ou avaliar a qualidade geral das pesquisas:

As dietas cetogênicas de restrição de carboidratos e as dietas não cetogênicas de restrição de carboidratos foram igualmente eficazes na redução do peso corporal e da resistência à insulina, mas houve relação entre a dieta cetogênica e vários efeitos metabólicos e emocionais adversos. O uso de dietas cetogênicas para perda de peso não se justifica.

(Caso não esteja claro, a dieta "não cetogênica" mencionada acima não era especialmente pobre em carboidratos — os sujeitos obtiveram 40% de suas calorias diárias de carboidratos.)

Dietas de redução de calorias resultam em perda de peso clinicamente significativa, independentemente de quais macronutrientes enfatizam.

O objetivo desta pesquisa foi avaliar o efeito de recomendar dietas com baixo teor de gordura ou baixo teor de carboidratos na perda de peso, na composição corporal e em mudanças nos índices metabólicos em sobreviventes de câncer de mama pós-menopausa acima do peso.

A média de perda de peso foi de 6,1 (3 4,8 kg) na semana 24, e não foi significativamente diferente por grupo de dieta; também se demonstrou perda de massa magra.

145

A perda de peso foi semelhante nas dietas de baixo teor de gordura (100 +/- 4 a 96,1 +/- 4 kg; P <0,001) e baixo teor de carboidrato (95,4 +/- 4 a 89,7 +/- 4 kg; P <0,001).

Contanto que mantenha um déficit calórico adequado e a ingestão de proteína alta, você vai maximizar a perda de gordura e preservar o máximo possível de massa magra. Também reduzir o teor de carboidratos não a ajudará a perder mais peso.

Agora, removidos todos esses obstáculos, vamos dar uma olhada nos benefícios de comer as quantidades adequadas de carboidratos, a começar pelo papel da insulina no apoio ao desenvolvimento muscular.

Veja bem, embora a insulina não induza diretamente a síntese proteica como os aminoácidos, ela *tem* propriedades anticatabólicas. O que isso significa é que quando os níveis de insulina estão elevados, a taxa com que as proteínas musculares são decompostas diminui. Isso, por sua vez, cria um ambiente mais anabólico em que os músculos podem crescer mais rápido.

Parece bem na teoria, não é? Mas dá certo nas pesquisas clínicas? Sim. Vários estudos mostram de maneira conclusiva que as dietas com alto teor de carboidratos são superiores às variedades de baixo teor para ganhar músculos e força.

Por exemplo, pesquisadores da Universidade Ball State descobriram que níveis baixos de glicogênio nos músculos (que são inevitáveis com dietas de baixo teor de carboidratos) prejudicam a sinalização celular pós-treino relacionada ao crescimento muscular.

Um estudo realizado por pesquisadores da Universidade da Carolina do Norte descobriu que, quando combinadas a exercícios diários, dietas de baixo teor de carboidratos aumentam os níveis de cortisol em repouso e diminuem os níveis de testosterona livre. (O *cortisol*, a propósito, é um hormônio que decompõe os tecidos, inclusive os músculos. Em termos de maximização do desenvolvimento muscular, são desejáveis níveis baixos de cortisol em repouso e altos níveis de testosterona livre.)

Esses estudos ajudam a explicar os resultados de outro, realizado por pesquisadores da Universidade de Rhode Island, que analisou a forma como a ingestão baixa e alta de carboidratos afetou as lesões musculares induzidas por exercícios, a recuperação de força e o metabolismo das proteínas de todo o corpo depois de treino intenso.

Os resultados mostraram que o grupo da dieta com baixo teor de carboidratos (que não era tão baixo assim — cerca de 226 g por dia, contra 353 g por dia do grupo de ingestão elevada) perdeu mais força, demorou mais para recuperar-se e exibiu níveis mais baixos de síntese proteica.

Um estudo de pesquisadores da Universidade MCMaster, que comparou a ingestão diária baixa e alta de carboidratos entre sujeitos realizando treinos diários de perna, obteve resultados semelhantes. Eles descobriram que aqueles com a dieta de restrição de carboidratos experimentaram taxas maiores de degradação de proteínas e menores de síntese, o que resultou em ganho total de massa muscular mais baixo do que o de seus correspondentes que estavam ingerindo altos níveis de carboidratos.

Assim, por todas essas razões, *Malhar, Secar, Definir — Para Mulheres* não envolve nenhuma forma de restrição de carboidratos. Você vai, ao contrário, ingerir vários gramas por dia na forma de carboidratos deliciosos, e isso a ajudará a ganhar músculos e a ficar magra e forte.

GORDURA ALIMENTAR

A gordura alimentar é a fonte de energia mais densa disponível para o corpo, com cada grama de gordura contendo mais do dobro das calorias de 1 g de carboidrato e proteína (9 contra 4, respectivamente).

As gorduras saudáveis, como aquelas presentes na carne, nos laticínios, no azeite de oliva, no abacate e em várias sementes e oleaginosas, ajudam o corpo a absorver os outros nutrientes que recebe, nutrir o sistema nervoso, manter as estruturas celulares, regular os níveis hormonais etc.

Quimicamente falando, a gordura alimentar é composta por cadeias de átomos de carbono que podem ter de 2 a 22 átomos de comprimento. A maior parte da gordura da dieta norte-americana é da variedade "de cadeia longa", com 13 a 21 carbonos por molécula.

Se os átomos de carbono estiverem unidos de determinada maneira, o resultado é a forma insaturada de gordura, que é líquida à temperatura ambiente e está presente em grande quantidade em alimentos como peixes, óleos e sementes oleaginosas.

Se não existem tais ligações entre os átomos de carbono, o resultado é a forma saturada de gordura, que é sólida à temperatura ambiente e está presente em grande quantidade em laticínios. Embora geralmente se acredite que as carnes são ricas em gordura saturada (e a carne vermelha em particular), elas contêm quase a mesma quantidade de gordura insaturada que de saturada.

Também é comum a crença de que consumir gordura saturada aumenta o risco de problemas cardíacos. No entanto, recentemente um painel de cientistas da Universidade de Cambridge, da Comissão de Pesquisas Médicas, da Universidade de Oxford, do Imperial College de Londres, da Universidade de Bristol, do Centro Médico da Universidade Erasmus e da Faculdade de Saúde Pública de Harvard, que analisou 72 estudos e mais de 1 milhão de sujeitos, mostrou que isso não é verdade.

Embora hoje saibamos que a gordura saturada não é o perigo que antes acreditávamos ser, não sabemos bem qual deve ser a ingestão diária ideal. O relatório mais recente (2010) de diretrizes nutricionais publicado pelo Departamento de Agricultura dos Estados Unidos (USDA) mantém a recomendação de 2002 de que obtenhamos menos de 10% de nossas calorias diárias de gorduras saturadas.

Mas pesquisadores apontam que essa recomendação é baseada em pesquisas defeituosas que relacionam a ingestão de gordura saturada com doenças cardíacas, então há uma boa chance de que essa restrição venha a ser modificada em futuras diretrizes. Até lá, recomendo que você siga, em linhas gerais, a recomendação do USDA.

O tipo de gordura que devemos evitar a qualquer custo é a *gordura trans*. Caso você não se lembre, ela é uma forma de gordura insaturada que não é comumente encontrada na natureza. A gordura trans é criada artificialmente e adicionada aos alimentos, sobretudo para que durem mais tempo, e isso não é nada bom. Estudos relacionam a ingestão de gordura trans a uma variedade de problemas de saúde: doenças cardíacas, resistência à insulina, inflamação sistêmica, infertilidade feminina, diabetes e outros. Há uma razão pela qual o Instituto de Medicina dos EUA recomenda que nossa ingestão de gordura trans seja "o mais baixa possível".

Muitos alimentos prontos baratos contêm gordura trans, como pipoca de micro-ondas, iogurte e manteiga de amendoim. Do mesmo modo, comidas congeladas — pizza, massas prontas, bolos e afins, bem como frituras — costumam ser preparadas em gorduras trans. Qualquer alimento que contenha óleo hidrogenado ou óleo parcialmente hidrogenado contém gordura trans.

Infelizmente, para evitar gorduras trans não basta procurar alimentos com rótulos que aleguem não contê-las. Para atender à definição da agência de vigilância sanitária dos EUA [Food and Drug Administration, FDA] de "0 g de gordura trans por porção", o alimento não precisa não conter gorduras trans — deve simplesmente conter menos de 1 g por colher de sopa, ou até 7% de seu peso, ou menos de 0,5 g por porção. Assim, se um saco de biscoitos contém 0,49 g de gordura trans por porção, o fabricante pode alegar no rótulo que ele é "livre de gordura trans".

A melhor maneira de evitar gorduras trans é dispensar os tipos de alimentos que geralmente as contêm, independentemente do que afirme o quadro de informações nutricionais.

Então, para recapitular, você pode ser bastante flexível em relação às fontes de gordura alimentar: laticínios, carnes, ovos, azeites, oleaginosas e peixes são fontes saudáveis. Você não precisa se atormentar com a quantidade de gordura saturada que ingere, mas se esforce para também incluir na sua dieta uma abundância de gorduras insaturadas. Além disso, você deve ingerir o mínimo de gordura trans possível (eu não consumo absolutamente nada).

SEÇÃO III NUTRIÇÃO & DIETA

ÁGUA

Cerca de 65% do corpo humano é constituído de água, e os próprios músculos são 70% água em média.

Só isso já mostra a importância de ficar hidratado para manter níveis ideais de saúde e funcionamento corporal. A capacidade do corpo de digerir, transportar e absorver nutrientes dos alimentos depende da ingestão adequada de líquidos, e manter-se hidratada ajuda a evitar lesões na academia, pois amortece as articulações e outras áreas de tecidos moles.

Como você pode deduzir, quando desidratado, quase todos os processos fisiológicos do seu corpo são afetados negativamente.

O Instituto de Medicina dos EUA informou em 2004 que, para evitar a desidratação, as mulheres devem consumir em torno de 2,7 litros de água por dia, e os homens, em torno de 3,7 litros por dia.

Mas tenha em mente que esses números incluem a água presente nos alimentos, que representa em média cerca de 20% da água consumida pelas pessoas.

Há anos eu bebo de 4 a 8 litros de água por dia, o que é mais do que a recomendação de referência do Instituto de Medicina, mas eu suo bastante quando faço exercícios, e moro na Flórida,* o que significa perda de fluidos ainda maior através da transpiração.

Certifique-se de que a água que você bebe diariamente seja filtrada, e não da torneira. Embora muitos presumam que a água da torneira é limpa e pode ser consumida regularmente, pesquisas mostram que ela está cada vez mais contaminada com todos os tipos de poluentes, inclusive bactérias, produtos farmacêuticos, metais pesados e vários tipos de substâncias químicas venenosas.

Muitas pessoas já estão cientes disso e recorrem à água mineral, mas essa solução não é das melhores. Não só pelo preço alto, mas porque a água mineral engarrafada, segundo também demonstrado por pesquisas, está cheia de produtos químicos. Um estudo examinou 18 marcas diferentes de 13 empresas diferentes, e encontrou mais de *24 mil* produtos químicos presentes, inclusive alguns que interferem no sistema endócrino.

Martin Wagner, cientista do Departamento de Ecotoxicologia Aquática da Universidade de Frankfurt, disse o seguinte a esse respeito:

---

* A Flórida é um dos poucos estados norte-americanos de clima tropical, com tempo quente e úmido na maior parte do ano. (N.T)

A água engarrafada em plástico estava mais contaminada por produtos químicos do que a engarrafada em vidro. Existem muitos compostos na água engarrafada que não deveriam estar lá. Parte deles é resultado de lixiviação das garrafas e tampas de plástico ou contaminação do poço.

É por isso que recomendo investir em um dispositivo eficaz de filtragem de água e por que eu mesmo adoto a água filtrada.

O que pretendemos alcançar com a filtragem de água é baixo nível de sólidos dissolvidos nela, de acordo com a medição de um dispositivo de testagem barato que fornece uma leitura de "partes por milhão". Quanto mais perto de 0, melhor. (A água da torneira geralmente fica com 200 a 700 ppm de sólidos dissolvidos.)

Você pode encontrar um *link* para o dispositivo de testagem que eu uso nas recomendações de cozinha no meu site, assim como para os meus filtros favoritos.

VITAMINAS E MINERAIS

Poucas pessoas estão conscientes do papel fisiológico e da importância das vitaminas e dos minerais.

Embora corram para a loja de suplementos para adquirir as últimas pílulas e pós maximizadores de músculos, com receitas próprias de ingredientes que soam sofisticados, mas são um lixo, poucos investem dinheiro em alimentos saudáveis ou em um multivitamínico.

Bem, o fato é que o corpo precisa de uma grande variedade de vitaminas e minerais — assim como de proteínas, carboidratos, gorduras e água — para realizar os milhões de processos fisiológicos que nos mantêm vivos e saudáveis. Este é um dos fundamentos básicos da saúde e do desempenho ideais. Desprezar o aspecto nutricional da dieta compromete severamente, com o tempo, a saúde geral e a capacidade de desempenho.

Idealmente, obteríamos todos os minerais e vitaminas de que precisamos a partir dos alimentos, mas isso é mais fácil dizer do que fazer. Primeiro, há a questão da qualidade sempre em declínio do solo e dos alimentos (mesmo no mundo dos orgânicos), o que torna mais difícil obter nutrição adequada com a dieta. Depois, há o fato de que manter níveis ideais de ingestão de vitaminas e minerais requer um pouco de diversidade nutricional planejada, o que pode ser feito, mas também pode tomar bastante tempo.

SEÇÃO III NUTRIÇÃO & DIETA

Eu prefiro uma abordagem mais simples. Tenho certeza de que a maioria das minhas calorias provém de alimentos ricos em nutrientes, como os seguintes:

- abacate;
- verduras (acelga, couve, couve-galega, mostarda-castanha e espinafre);
- pimentão;
- couve-de-bruxelas;
- cogumelos;
- batata assada;
- batata-doce;
- frutos carnosos;
- iogurte desnatado;
- ovos;
- sementes (linhaça, abóbora, gergelim e girassol);
- grãos (grão-de-bico, feijão roxo, feijão-branco e feijão-carioca);
- lentilhas e ervilhas;
- amêndoas, castanha de caju e amendoim;
- grãos integrais, como cevada, aveia, quinoa e arroz integral;
- salmão, halibute, bacalhau, vieiras, camarão e atum;
- carne de boi magra, cordeiro e veado; e
- frango e peru.

Eu também complemento com um bom multivitamínico para preencher qualquer furo deixado pela minha dieta e garantir que meu corpo tenha todos os micronutrientes de que necessita.

Ingerir alimentos nutritivos em abundância e complementar com um bom multivitamínico atende a todas as suas necessidades de micronutrientes, mas eu quero separar um minuto para discutir dois minerais em particular que costumam demandar atenção especial na dieta da maioria das pessoas: sódio e potássio.

MALHAR SECAR DEFINIR PARA MULHERES

EQUILIBRANDO OS NÍVEIS DE SÓDIO E POTÁSSIO

O Instituto de Medicina recomenda 1.500 mg de sódio por dia como nível de ingestão adequado para a maioria dos adultos e um limite máximo de 2.300 mg por dia.

A maioria ingere muito mais do que isso, porém. De acordo com o Centro para Controle de Doenças dos EUA (CDC), o americano médio com mais de dois anos consome 3.436 mg de sódio por dia. O consumo crônico de sódio alto não só promove excesso de retenção de líquido (o que faz parecer mais gordo), mas também pode aumentar a pressão arterial e o risco de problemas cardíacos.

Além disso, consumir excesso de sódio é surpreendentemente fácil. Uma colher de chá de sal de cozinha contém a quantidade gritante de *2.300 mg* de sódio. Sim, você leu certo: uma colher de chá de sal de cozinha por dia fornece o limite máximo recomendado de sódio!

Assim, recomendo que você fique de olho na sua ingestão de sódio e a mantenha em torno do nível de ingestão adequado do Instituto de Medicina. Eu faço isso colocando sal em apenas uma refeição por dia (jantar).

Também é necessário garantir que o corpo obtenha potássio suficiente, pois ele ajuda a equilibrar os níveis de fluido nas células (o sódio chupa água para dentro, o potássio a bombeia para fora). De acordo com o Instituto de Medicina, devemos consumir sódio e potássio na proporção de cerca de 1:2, sendo 4.700 mg por dia a quantidade adequada de ingestão de potássio para adultos.

Existem muitas fontes naturais de potássio, como todas as carnes e peixes; vegetais como brócolis, ervilha, tomate, batata-doce e feijão; frutas como banana, damasco seco, abacate e kiwi; laticínios; e oleaginosas. Também é possível comprar comprimidos suplementares de potássio, se necessário.

FIBRAS

Há duas formas de fibras: *solúveis* e *insolúveis*.

As fibras solúveis se dissolvem na água e tendem a desacelerar o movimento dos alimentos pelo sistema digestivo. Pesquisas mostram que as fibras solúveis são metabolizadas por bactérias no cólon e, portanto, têm pouco efeito no peso das fezes. No entanto, elas podem aumentar a produção fecal, estimulando o crescimento de bactérias saudáveis e ácidos graxos, e são uma importante fonte de combustível para o cólon.

SEÇÃO III NUTRIÇÃO & DIETA

Fontes comuns de fibra solúvel são os feijões e as ervilhas; aveia; certas frutas como ameixa, banana e maçã; certos legumes como brócolis, batata-doce e cenoura; e certas oleaginosas, sendo a amêndoa a mais rica em fibras alimentares.

Ao contrário das fibras solúveis, as fibras insolúveis não se dissolvem na água e contribuem para o peso das fezes. Elas batem contra as paredes dos intestinos, causando danos, mas pesquisas mostraram que esse dano e os reparos e a regeneração celular resultantes são processos saudáveis.

Fontes comuns de fibra insolúvel são alimentos integrais como arroz integral, cevada e farelo de trigo; feijões; certos vegetais como ervilhas, vagem e couve-flor; abacate; e a casca de algumas frutas como ameixa, uva, kiwis e tomate.

A importância da ingestão correta de fibras é conhecida há muito tempo. Hipócrates, o antigo médico grego que disse aquela famosa frase "Que o alimento seja o seu remédio e remédios os seus alimentos", recomendava pães integrais para melhorar os movimentos dos intestinos.

Mas comer a quantidade adequada de fibras é muito mais importante do que simplesmente fazer um bom cocô...

A INGESTÃO DE FIBRAS E O CÂNCER

Um estudo realizado por pesquisadores do Instituto de Segurança Social e medicina Preventiva da Suíça descobriu que as fibras dos grãos integrais têm relação com risco menor de câncer de boca e garganta. Os grãos refinados não têm essa relação porque as fibras são removidas durante o processamento.

De acordo com pesquisas conduzidas por cientistas do Imperial College, comer a quantidade adequada de fibras todos os dias também pode reduzir o risco de câncer de mama.

A INGESTÃO DE FIBRAS E OS PROBLEMAS CARDÍACOS

Problemas cardíacos são a principal causa de morte nos Estados Unidos.

Eles são causados pelo acúmulo de colesterol nos vasos sanguíneos que alimentam o coração (artérias), o que os torna rígidos e estreitos. Esse processo é conhecido como *aterosclerose,* e o bloqueio total de uma artéria produz um ataque cardíaco.

MALHAR SECAR DEFINIR PARA MULHERES

Uma análise conjunta realizada por pesquisadores da Universidade de Minnesota investigou os dados de dez estudos para investigar a associação entre ingestão de fibras e problemas cardíacos. Eles descobriram que cada 10 g a mais de ingestão diária de fibras tinham relação com a redução de 14% no risco de todos os problemas do coração e com a diminuição de 27% no risco de morte por doenças cardíacas.

Uma pesquisa realizada por cientistas da Universidade de Harvard corrobora esses resultados. Depois de acompanhar 43.757 homens por seis anos, os pesquisadores descobriram que, à medida que a ingestão de fibra aumentava, o risco de problema cardíaco diminuía.

Outras pesquisas da Universidade de Harvard demonstraram que as fibras solúveis diminuem os níveis totais de colesterol e de LDL (colesterol ruim), o que ajuda a proteger contra problemas cardíacos.

A INGESTÃO DE FIBRAS E A SÍNDROME METABÓLICA

A síndrome metabólica é uma combinação de distúrbios, como pressão arterial elevada, altos níveis de insulina, obesidade (com excesso de peso na área do abdômen), níveis elevados de triglicerídeos (partículas do corpo que transportam gorduras) e níveis baixos de colesterol HDL (o bom). Entre seus muitos perigos óbvios, a síndrome metabólica aumenta consideravelmente o risco de problemas cardíacos e diabetes.

Pesquisas realizadas por cientistas da Universidade Tufts demonstraram que o aumento da ingestão de grãos integrais reduziu o risco de desenvolver a síndrome. Descobriu-se que as fibras e o magnésio dos grãos integrais foram os principais, embora não os únicos, responsáveis por esses benefícios.

A capacidade das fibras de ajudar a preservar a saúde metabólica não é surpreendente, pois estudos mostraram que elas melhoram o controle do açúcar no sangue, reduzem a pressão arterial, diminuem os níveis de colesterol, e podem evitar o ganho de peso e promover a perda de peso.

A INGESTÃO DE FIBRAS E A DIABETES TIPO 2

A diabetes tipo 2 é caracterizada por níveis cronicamente elevados de açúcar no sangue, e é causada pela incapacidade de produzir insulina suficiente para diminuí-los ou pela incapacidade das células de usar a insulina corretamente.

SEÇÃO III NUTRIÇÃO & DIETA

Estudos demonstraram que as fibras reduzem o risco de desenvolver diabetes tipo 2, porque melhoram a capacidade do corpo de usar insulina e regular os níveis de açúcar no sangue.

Por outro lado, já se demonstrou que dietas pobres em fibras e ricas em carboidratos simples aumentam o risco de desenvolver diabetes tipo 2 e problemas cardíacos.

A INGESTÃO DE FIBRAS E A DIVERTICULITE

A diverticulite é uma inflamação intestinal e um dos distúrbios do cólon mais comuns no mundo ocidental. É bastante dolorosa e especialmente prevalente naqueles com mais de 45 anos de idade.

Pesquisadores da Universidade de Harvard realizaram um estudo que acompanhou 43.881 homens, e eles descobriram que comer a quantidade adequada de fibra — fibra insolúvel em particular — tinha relação com a redução de 40% do risco de diverticulite.

QUE QUANTIDADE DE FIBRAS DEVEMOS INGERIR POR DIA?

As evidências são muito claras: se você comer bastante fibra, maiores chances terá de viver uma vida longa e saudável.

Segundo o Instituto de Medicina, crianças e adultos devem consumir 14 g de fibra para cada 1.000 calorias de alimentos consumidos.

Eis alguns meios fáceis de conseguir alcançar as necessidades diárias:

- Coma frutas inteiras em vez de beber sucos.

- Prefira pães, arroz, cereais e massas integrais às formas processadas.

- Coma legumes crus de lanche em vez de batatas fritas, biscoitos ou barras de cereais.

- Inclua legumes na sua dieta (uma maneira saborosa de fazê-lo é preparar pratos internacionais que usam muitos grãos integrais e leguminosas, como comida indiana ou do Oriente Médio).

Se quiser ver a quantidade de fibras de uma ampla variedade de alimentos comuns, a Universidade de Harvard criou um gráfico útil que você pode encontrar aqui [em inglês]: http://bit.ly/hvd-fiber.

SUBTRAINDO AS FIBRAS DO CONSUMO DIÁRIO DE CARBOIDRATOS

É provável que você tenha ouvido falar que as fibras não têm calorias e, portanto, podem ser subtraídas da ingestão diária total de carboidratos para "liberar" espaço para mais carboidratos saborosos.

Infelizmente, não é tão simples assim.

Apenas a fibra *insolúvel* não pode ser processada pelo corpo e passa direto por você. As fibras *solúveis* se transformam em um ácido graxo no intestino e contêm algo entre 2 a 4 calorias por grama (os cientistas ainda não sabem ao certo).

Se quisesse, você poderia fazer as contas de quantos gramas de fibra insolúvel está comendo por dia e subtrair esse número do seu consumo diário de carboidratos, mas, na minha opinião, descobrir que pode comer algumas garfadas a mais por dia não vale o esforço.

Aqui também é um bom lugar para abordar rapidamente o conceito de carboidratos "líquidos" ou "ativos" ou "de impacto", pois esses termos são estratagemas de marketing muito utilizados para convencer os consumidores de que podem comer todos os tipos de alimentos sem somá-los aos seus números.

Por exemplo, uma barra de proteína pode proclamar ter apenas 4 g de "carboidratos líquidos", mas no quadro de informações nutricionais mencionar 25 g de carboidratos e todas as calorias. O que acontece aqui?

Ora, o problema é que não existe uma definição legal para esses termos de marketing, e a FDA não os usa para avaliar nenhuma afirmação. O que a maioria dos fabricantes faz é tomar o número total de carboidratos que um produto contém e subtrair as fibras e os álcoois de açúcar e listar esse número como o líquido, ativo ou de impacto.

Isso é enganoso porque a maioria dos álcoois de açúcar contém calorias (embora menos do que as 4 calorias padrão por grama presentes em outras formas de açúcar), e como você agora sabe, cada grama de fibra solúvel também contém calorias que não podem ser subtraídas.

Você pode comer esses alimentos se quiser, mas conte todos os carboidratos e calorias listados no quadro de informações nutricionais e ignore os chavões do marketing.

SEÇÃO III NUTRIÇÃO & DIETA

A RAIZ DA QUESTÃO

Você pode achar este capítulo um pouco difícil de engolir (sem trocadilhos). Algumas pessoas penam para mudar os próprios hábitos alimentares, mas as vantagens de seguir minhas orientações nutricionais superam muito as desvantagens.

1. Se esta for uma maneira de se alimentar completamente nova para você, eu garanto que você vai se sentir melhor do que vem se sentindo há *muito* tempo. Não terá altos e baixos de energia nem se sentirá letárgica ou com confusão mental por deficiências de micronutrientes ou consumo excessivo de açúcares simples.

2. Os tipos de proteínas, carboidratos e gorduras que consome podem ter impacto sobre a sua aparência. Se você se alimentar mal, acabará inchada e flácida. Se alimentar-se bem, parecerá visivelmente mais magra.

3. Você vai gostar muito mais dos alimentos "ruins" quando comer menos deles. As pizzas ficam muito mais gostosas quando você não come uma há um mês.

4. Por outro lado, quanto mais comer alimentos nutritivos, mais você virá a apreciá-los — eu juro! Mesmo que no início não lhe pareçam muito saborosos, basta ir no fluxo da rotina que logo você desejará ansiosamente os grãos integrais e as frutas em vez de bolos e doces.

RESUMO DO CAPÍTULO
INTRODUÇÃO

- O aspecto nutricional da preparação física é importantíssimo, e trabalha a seu favor ou contra você, multiplicando ou dividindo os resultados do seu treino.

- A nutrição adequada se resume a fornecer ao corpo os nutrientes necessários para manter saúde ótima e recuperar-se dos treinos com eficiência e manipular o consumo de energia para perder, manter ou ganhar peso conforme o desejado.

- Qualquer que seja a fonte alimentar de que provenha, 1 g de proteína contém 4 calorias; 1 g de carboidrato contém 4 calorias também; e 1 g de gordura contém 9 calorias.

- Muitos fatores determinam a quantidade total de energia que o corpo queima por dia, tais como constituição física, massa magra total, temperatura corporal, o efeito térmico dos alimentos (a quantidade de energia que "custa" processar o alimento para uso e armazenamento), estimulantes como cafeína e nível de atividade física.

PROTEÍNAS

- Uma dieta rica em proteína é absolutamente essencial para ganhar músculos e preservá-los quando o objetivo é perder gordura.

- Exercício habitual, e levantamento de peso em particular, aumentam a necessidade do corpo de aminoácidos essenciais, e, portanto, de proteínas.

- As melhores opções de proteína são carnes, laticínios e ovos; em segundo lugar, certas fontes vegetais, como legumes e oleaginosas, e verduras ricas em proteínas, como ervilha, brócolis e espinafre.

- A proteína da carne é particularmente útil para quem pega peso, pois estudos demonstram que comer carnes aumenta os níveis de testosterona e é mais eficiente para ganhar músculos que fontes vegetais.

- Se você é vegetariana, não se desespere, embora seja verdade que você faria melhor se comesse carne: contanto que ingira quantidade suficiente de proteína por dia e se limite a fontes de alta qualidade, você ainda pode se sair bem no programa.

- É difícil chegar a um teto preciso da quantidade de proteína que o corpo pode absorver por refeição. É definitivamente muito mais do que os 20 g a 30 g que algumas pessoas alegam.

- Consumir proteína com mais frequência provavelmente é superior a consumir com menos frequência; cada porção de proteína deve conter pelo menos de 30 g a 40 g de proteína, e pode conter bem mais se for necessário para atingir as metas diárias.

- Pode-se tomar *whey* a qualquer hora, mas ele é especialmente efetivo como uma fonte de proteína pós-treino, pois é digerido rapidamente, o que causa um enorme pico de aminoácidos no sangue (especialmente leucina).

CARBOIDRATOS

- Os carboidratos (em qualquer forma) não são armazenados pelo corpo como gordura com tanta eficiência quanto a gordura.

- Os carboidratos desempenham um papel essencial não apenas no desenvolvimento muscular, mas também no funcionamento geral do corpo.

- Os monossacarídeos costumam ser chamados de carboidratos simples porque têm uma estrutura simples.

SEÇÃO III NUTRIÇÃO & DIETA

- Os oligossacarídeos são moléculas que contêm vários monossacarídeos ligados em estruturas semelhantes a cadeias.

- Os polissacarídeos são longas cadeias de monossacarídeos, normalmente contendo dez ou mais unidades de monossacarídeos.

- Todas as formas de carboidrato que ingerimos ou são metabolizadas em glicose ou não são digeridas, servindo como fibras.

- Encontraram-se relações entre ingestão excessiva e de longo prazo de carboidratos simples (dissacarídeos como sacarose e HFCS) e elevação do risco de problemas cardíacos e diabetes tipo 2.

- Corpos sedentários e com sobrepeso não têm nem de longe a mesma habilidade de lidar com açúcares simples dos magros e fisicamente ativos.

- O corpo de quem se exercita regularmente e não está com excesso de peso consegue lidar com carboidratos simples muito bem.

- Comer muitos alimentos com acréscimo de açúcar pode reduzir a quantidade de micronutrientes que o corpo obtém, e assim causar deficiências.

- O índice glicêmico (IG) é um sistema numérico que classifica a rapidez com que o corpo converte carboidratos em glicose. A classificação de 55 para abaixo no IG é considerada baixa, enquanto a classificação de 56 a 69 é média, e de 70 ou mais é alta.

- Obtenha a maioria dos seus carboidratos diários de alimentos nutritivos e não processados, que, por acaso, têm IG mais baixo, mas não tenha medo de incluir alguns alimentos de IG maior de que goste.

- A insulina ordena ao corpo que pare de queimar as reservas de gordura e, em vez disso, absorva ácidos graxos e glicose do sangue e os transforme em mais gordura corporal... mas não é esse mecanismo fisiológico o que engorda com o passar do tempo — é comer demais.

- Quando a ingestão de proteína é alta e similar tanto entre quem faz dieta com baixo teor de carboidratos quanto entre quem faz dieta com alto teor de carboidratos, não há diferença significativa na perda de peso.

- Quando os níveis de insulina estão elevados, a taxa com que as proteínas musculares são decompostas diminui. Isso, por sua vez, cria um ambiente mais anabólico em que os músculos podem crescer mais rápido.

GORDURA ALIMENTAR

- A gordura alimentar é a fonte de energia mais densa disponível para o corpo, com cada grama de gordura contendo mais do dobro das calorias de 1 g de carboidrato e proteína.

- As gorduras saudáveis, como aquelas presentes na carne, nos laticínios, no azeite de oliva, no abacate e em várias sementes e oleaginosas, ajudam o corpo a absorver os outros nutrientes que recebe, nutrir o sistema nervoso, manter as estruturas celulares, regular os níveis hormonais etc.

- Embora hoje saibamos que a gordura saturada não é o perigo que antes acreditávamos ser, não sabemos bem qual deve ser a ingestão diária ideal. O relatório mais recente (2010) de diretrizes nutricionais publicado pelo Departamento de Agricultura dos Estados Unidos (USDA) mantém a recomendação de 2002 de que obtenhamos menos de 10% de nossas calorias diárias de gorduras saturadas.

- Estudos relacionam a ingestão de gordura trans a uma variedade de problemas de saúde: doenças cardíacas, resistência à insulina, inflamação sistêmica, infertilidade feminina, diabetes e outros.

- A melhor maneira de evitar gorduras trans é dispensar os tipos de alimentos que geralmente as contêm, independentemente do que afirme o quadro de informações nutricionais.

ÁGUA

- Quando desidratado, quase todos os processos fisiológicos do seu corpo são afetados negativamente.

- O Instituto de Medicina dos Estados Unidos informou em 2004 que, para evitar a desidratação, as mulheres devem consumir em torno de 2,7 litros de água por dia, e os homens, em torno de 3,7.

- Certifique-se de que a água que você bebe diariamente seja filtrada, e não da torneira.

VITAMINAS E MINERAIS

- O corpo precisa de uma grande variedade de vitaminas e minerais para realizar os milhões de processos fisiológicos que nos mantêm vivos e bem.

- Idealmente, obteríamos todas as vitaminas e minerais que precisamos a partir dos alimentos, mas isso é mais fácil dizer do que fazer.

- Obtenha a maioria das suas calorias de alimentos ricos em nutrientes.

- O Instituto de Medicina recomenda 1.500 mg de sódio por dia como nível de ingestão adequado para a maioria dos adultos, e um limite máximo de 2.300 mg por dia. Uma colher de chá de sal de cozinha contém a quantidade gritante de 2.300 mg de sódio.

- De acordo com o Instituto de Medicina, devemos consumir sódio e potássio na proporção de cerca de 1:2, sendo 4.700 mg por dia a quantidade adequada de ingestão de potássio para adultos.

SEÇÃO III NUTRIÇÃO & DIETA

FIBRAS

- Os indícios são muito claros: se comer bastante fibra, maiores serão as suas chances de viver uma vida longa e saudável.

- Segundo o Instituto de Medicina, crianças e adultos devem consumir 14 g de fibra para cada 1.000 calorias de alimentos consumidos.

- Apenas a fibra insolúvel não pode ser processada pelo corpo e passa direto por você. As fibras solúveis se transformam em um ácido graxo no intestino e contêm algo entre 2 a 4 calorias por grama.

- Previna-se contra produtos que promovem carboidratos "líquidos" ou "ativos" ou "de impacto" e simplesmente conte todos os carboidratos e calorias listados no quadro de informações nutricionais.

13

Como maximizar os ganhos com a nutrição pré-treino e pós-treino

A maioria dos campeões se fez exercitando-se todos os dias, e não empreendendo esforços extraordinários.

— DAN JOHN

COMO VOCÊ SABE, em geral não importa quando você come. Desde que bata seus números diários, você pode perder gordura e construir músculos com facilidade.

Apesar disso, há duas refeições que de fato importam: refeições pré-treino e pós-treino.

A REFEIÇÃO PRÉ-TREINO

Como a maioria dos aspectos da musculação, o tema da nutrição pré-treino é cheio de contradições.

Será que a nutrição pré-treino é mesmo importante? Você deve comer proteína antes de treinar? Carboidratos? Gorduras? Em caso afirmativo, quais tipos e quantidades de alimentos são melhores? Ou comer antes do treinamento não tem efeito apreciável no desempenho ou nos resultados?

Bem, nós iremos à raiz dessas questões e chegaremos a algumas conclusões definitivas e baseadas na ciência sobre o que é o quê na nutrição pré-treino.

PROTEÍNAS PRÉ-TREINO

Alguns dizem que comer proteína antes de malhar não importa, e em geral citam um ou dois estudos para respaldar a afirmação. Por outro lado, é possível

SEÇÃO III NUTRIÇÃO & DIETA

encontrar evidências científicas de que proteínas pré-treino melhoram *sim* o ganho muscular pós-treino.

Como assim?

Bem, uma grande peça "invisível" desse quebra-cabeça tem a ver com o horário em que os participantes dos estudos haviam ingerido proteína pela última vez antes de fazer as refeições pré-treino.

Veja bem, quando você ingere alimentos, seu corpo leva várias horas para absorver completamente os nutrientes neles contidos. Quanto maior a refeição, mais tempo demora (pesquisas mostram que a absorção pode levar de 2 a 6 horas ou mais).

Isto significa que se você tiver consumido uma quantidade considerável de proteína 1 ou 2 horas antes de malhar, seus níveis de aminoácidos no plasma (sangue) estarão bastante elevados na hora do treino, e as taxas de síntese de proteínas estarão elevadas ao máximo. Nesse caso, é improvável que mais proteínas antes do treino façam muita diferença em termos de ajudá-la a ganhar mais músculos, porque o seu corpo já estará em estado anabólico.

Por outro lado, se tiverem se passado várias horas desde a última vez em que você consumiu proteínas, e especialmente se a quantidade ingerida tiver sido pequena (menos de 20 g), seus níveis de aminoácidos no plasma provavelmente estarão baixos na hora do treino, e as taxas de síntese de proteínas estarão mais baixas do que poderiam estar.

Nesse caso, as pesquisas mostram que a proteína pré-treino provavelmente irá ajudá-la a ganhar mais músculos, porque eleva os níveis plasmáticos de aminoácidos (e, portanto, as taxas de síntese de proteínas) antes do treino.

A maioria malha no início da manhã ou várias horas após o almoço (depois do trabalho ou antes do jantar), e é por isso que eu geralmente recomendo 30 g a 40 g de proteína cerca de 30 minutos antes do treino.

Se, no entanto, você treinar dentro de 1 a 2 horas depois de ter ingerido pelo menos essa quantidade de proteína, poderá pular a proteína pré-treino sem perder nenhum crescimento muscular potencial extra.

Quanto aos melhores tipos de proteína pré-treino, sabemos que quanto mais rápido a proteína é digerida e quanto mais leucina tem, mais ela estimula o ganho muscular no curto prazo. E embora qualquer forma de proteína pré-treino eleve os níveis plasmáticos de aminoácidos, você obterá a elevação mais rápida e maior de uma forma de digestão mais rápida, como *whey*, que também é rico em leucina.

163

CARBOIDRATOS PRÉ-TREINO

Felizmente para nós, a pesquisa sobre a ingestão de carboidratos antes do treino é muito mais direta: ela melhora o desempenho, ponto.

Especificamente, ingerir carboidratos de 15 a 30 minutos antes de malhar fornece aos músculos combustível adicional para os exercícios, mas não estimula crescimento muscular adicional diretamente.

Digo *estimular diretamente* porque embora consumir carboidratos antes do treino não afete as taxas de síntese de proteína, pode ajudar a pegar mais peso e fazer mais repetições nos exercícios, auxiliando assim indiretamente o ganho de mais músculos ao longo do tempo.

Então, se ingerir carboidratos antes do treino é bom, quais tipos são melhores?

Mais uma vez, a pesquisa é bastante direta: carboidratos com baixo índice glicêmico são melhores para exercícios de resistência prolongada (2 horas ou mais), e os de alto índice glicêmico são melhores para treinos mais curtos e mais intensos.

Em termos de *o que* comer, eu não gosto de suplementos de carboidrato pré-treino. Eles não passam de bacias de açúcares simples como dextrose e maltodextrina com excesso de propaganda e de custo. Não compre a conversa fiada do marketing. Não há nada de inerentemente especial nesse tipo de molécula além do fato de que são fáceis de digerir.

Em vez disso, dou preferência a obter os meus carboidratos pré-treino dos alimentos. Minhas fontes favoritas são leite de arroz (fica ótimo com *whey*!) e banana, mas outras opções populares e nutritivas são mingau de aveia instantâneo, tâmara, figo, melão, batata inglesa, arroz branco, passas e batata-doce.

No que se refere a números e horário, recomendo comer de 40 g a 50 g de carboidratos 30 minutos antes de treinar para sentir uma melhoria perceptível no desempenho.

GORDURA ALIMENTAR PRÉ-TREINO

Há quem afirme que ingerindo gordura antes de treinar é possível reduzir a utilização de carboidratos durante os exercícios, e assim melhorar o desempenho. A pesquisa, porém, mostra o contrário.

Um estudo realizado por pesquisadores da Universidade de Ball State demonstrou que o aumento da ingestão de gordura 24 horas antes do exercício (no caso,

SEÇÃO III NUTRIÇÃO & DIETA

ciclismo) reduz o desempenho contrarrelógio em comparação com uma dieta rica em carboidratos.

Um estudo realizado por pesquisadores do Instituto do Esporte da Austrália demonstrou que mesmo quando o corpo se torna "adaptado à gordura" e usa carboidratos mais moderadamente durante os exercícios, o desempenho não melhora.

Pesquisadores da Universidade de Deakin resumiram do seguinte modo a revisão da literatura sobre ingestão de gordura pré-treino que fizeram em 2004:

> Assim, parece que, embora tal estratégia possa ter um efeito pronunciado sobre o metabolismo do exercício (ou seja, reduzida utilização de carboidratos), não há nenhum efeito benéfico sobre o desempenho.

Portanto, sinta-se livre para consumir gordura alimentar antes de malhar, mas não espere que saia daí nada de especial.

Tudo de que você precisa para a nutrição pré-treino é isto: de 30 g a 40 g de proteína (e *whey* é a melhor) e de 40 g a 50 g de carboidratos 30 minutos antes de treinar.

A REFEIÇÃO PÓS-TREINO

A refeição pós-treino faz parte do "cânone da musculação", por assim dizer.

Se puxa ferro há algum tempo, você já ouviu a história: se não comer proteína e/ou carboidratos depois de treinar, você prejudicará o crescimento muscular ou perderá uma oportunidade de acelerá-lo.

Também se diz muito que há uma "janela anabólica" pós-treino na qual se deve comer. Se perder essa janela, segundo se diz, você perderá ou deixará de ter ganhos adicionais.

Bem, a verdade é que, embora esses dogmas sejam exagerados, há alguma verdade neles.

Veja bem, quando malha, você dá início a um processo por meio do qual as proteínas musculares são quebradas (tecnicamente conhecido como *proteólise*). Esse efeito é brando enquanto você treina, mas se acelera rapidamente depois. Se você estiver treinando em jejum, a proteólise será ainda maior, especialmente 3 horas ou mais depois do treinamento.

Ora, a quebra de músculos não é inerentemente ruim, mas quando excede a capacidade do corpo de sintetizar novas proteínas, o resultado é a perda de massa

MALHAR SECAR DEFINIR PARA MULHERES

muscular. Por outro lado, quando o corpo sintetiza mais moléculas de proteína do que perde, o resultado é o crescimento muscular.

Os objetivos da nutrição pós-treino são minimizar a quebra muscular e maximizar a síntese proteica. E como no caso da alimentação pré-treino, esses efeitos são alcançados mediante a ingestão de proteínas e carboidratos depois de treinar.

PROTEÍNAS PÓS-TREINO

Ingerir proteína depois de treinar estimula a síntese de proteínas, o que interrompe a degradação dos músculos e dá início ao crescimento muscular.

Um estudo realizado por pesquisadores da Universidade do Texas deixa clara a importância disso. Eles colocaram os participantes para realizar treinamento pesado de resistência de perna seguido da ingestão lenta (ao longo de várias horas) de um placebo, de uma mistura de aminoácidos essenciais e não essenciais, ou uma mistura apenas de aminoácidos essenciais.

O resultado foi que o grupo que tomou o placebo mostrou equilíbrio negativo de proteínas musculares várias horas após os exercícios físicos (ou seja, eles estavam perdendo músculo), enquanto os grupos que ingeriram as misturas de aminoácidos apresentaram equilíbrio positivo (estavam ganhando músculos).

Também sabemos que proteína pós-treino estimula mais síntese proteica que proteína consumida em repouso. Isso foi demonstrado por um estudo realizado por pesquisadores do Instituto Shriners Burns. Eles aplicaram em seis homens normais e sem treino, por via intravenosa, uma mistura balanceada de aminoácidos tanto em repouso quanto após um treino de perna. A infusão pós-treino resultou em 30% a 100% mais síntese proteica do que a infusão injetada em repouso.

Embora esses benefícios possam parecer menores, eles fazem diferença a longo prazo. Quanto mais tempo o corpo passa produzindo proteínas em vez de quebrá-las, mais músculos você ganha como resultado. Ao longo de meses ou anos, pequenos ganhos de síntese de proteína acumulados todos os dias podem somar vários quilos de massa muscular adicional.

Isso também não é só teoria. Pesquisas clínicas indicam que ingerir proteína dentro de 1 a 2 horas depois de terminar o treino de fato pode aumentar a musculatura global ao longo do tempo.

Por exemplo, em um estudo realizado por pesquisadores do Hospital de Bispebjerg, 13 homens idosos sem treino seguiram um programa de treinamento de resistência por 12 semanas. Um grupo recebeu um suplemento oral de proteína/

SEÇÃO III NUTRIÇÃO & DIETA

carboidrato imediatamente após o treino, enquanto o outro recebeu o mesmo suplemento 2 horas após o exercício.

Resultado: o grupo de ingestão pós-treino desenvolveu mais músculo do que o grupo que ingeriu 2 horas depois.

Também vale a pena revisar um estudo bem desenvolvido e bem executado conduzido por cientistas da Universidade de Victoria. Ele foi conduzido com 23 halterofilistas recreativos que seguiram um intenso programa de levantamento de peso durante 10 semanas e foram divididos em dois grupos:

1. O grupo comeu uma refeição de proteína e carboidratos imediatamente antes e depois de treinar.

2. O grupo comeu as mesmas refeições de manhã e à noite, a pelo menos 5 horas de distância dos exercícios.

Após 10 semanas, os pesquisadores descobriram que o primeiro grupo (consumo pré-treino e pós-treino) desenvolveu significativamente mais massa muscular do que o segundo (consumo de manhã e à noite).

Então... se proteína pós-treino é bom, a pergunta óbvia é que quantidade você deve comer.

Bem, eu mencionei antes um estudo muito citado no que se refere a recomendações de proteína pós-treino que demonstrou que 20 g de proteína pós-treino estimulam a máxima síntese de proteínas musculares em homens jovens. Ou seja, ingerir mais de 20 g de proteína depois de treinar não faz mais nada em termos de estímulo ao desenvolvimento muscular adicional.

Não se pode supor, porém, que este número de 20 g se aplique a todo o mundo, porque o metabolismo de proteínas é afetado por várias coisas:

Sua quantidade de músculos.

Quanto mais músculos você tiver, maior é a quantidade de aminoácidos de que seu corpo precisa para manter sua musculatura, e mais lugares há nele para armazenar excedentes.

Seu grau de atividade.

Quanto mais você se mexe, de mais proteína seu corpo precisa.

Sua idade.

Quanto mais velha você fica, de mais proteína seu corpo precisa para manter os músculos.

Seus hormônios.

Níveis elevados de hormônio de crescimento e de fator de crescimento semelhante à insulina-1 (IGF-1) estimulam a síntese muscular. Se o corpo tiver níveis elevados desses hormônios anabólicos, fará melhor uso de proteínas do que faria se tivesse níveis menores.

Por outro lado, níveis elevados de cortisol reduzem a síntese de proteínas e aceleram o processo por meio do qual o corpo decompõe aminoácidos em glicose (*gliconeogênese*), reduzindo assim a quantidade disponível para criar e reparar tecidos. Algumas pessoas têm níveis cronicamente elevados de cortisol, o que prejudica o metabolismo proteico.

Assim, ainda que 20 g de proteína possa ser uma quantidade suficiente para estimular o máximo desenvolvimento muscular em certos indivíduos sob certas condições, não será suficiente para todos. Algumas pessoas precisarão de mais para atingir o mesmo nível de síntese, e outras poderão se beneficiar de maior quantidade de proteínas (que resultará em mais síntese).

E é por isso que eu recomendo que você ingira o número familiar de 30 g a 40 g de proteína na refeição pós-treino. A proteína que uso, que você pode encontrar no relatório extra, também contém acréscimo de leucina, que, como mostram estudos, aumenta mais a síntese de proteínas musculares do que *whey* somente.

CARBOIDRATOS PÓS-TREINO

O motivo mais comum que se costuma dar para a recomendação de consumir carboidratos após o treinamento é aumentar os níveis de insulina, o que se supõe que estimule o crescimento muscular. Isso não é totalmente exato, porque, como agora você sabe, a insulina não faz com que os músculos cresçam — ela somente tem propriedades anticatabólicas.

O que *é* verdade, no entanto, é que um pico de insulina pós-treino diminui a taxa de quebra de proteína que ocorre depois do exercício. E como o desenvolvimento muscular não é nada mais do que taxas de síntese de proteína excedendo as taxas de degradação de proteína, tudo o que eleva estas e diminui aquelas melhora a "equação" a nosso favor.

SEÇÃO III NUTRIÇÃO & DIETA

Um bom exemplo disso em funcionamento é um estudo realizado por pesquisadores da Universidade MCMASTER que comparou os efeitos das dietas com alto e baixo teor de carboidratos em participantes que praticam exercícios regulares. Sujeitos que seguiram a dieta pobre em carboidratos tiveram aumento nas taxas de degradação de proteínas e redução nas de síntese, o que resultou em menor desenvolvimento muscular global.

Estes benefícios derivados da insulina se estabilizam em torno de 15 a 30 micrômetros por litro, ou cerca de 3 a 4 vezes os níveis normais de insulina em jejum. "Impulsionar" os níveis de insulina para além disso não produz mais efeitos de "poupança de proteína".

E a verdade é que nem é preciso ingerir carboidratos para atingir esse nível: é possível fazê-lo só com proteína. Um estudo mostrou que a resposta da insulina à ingestão de 45 g de *whey* atingiu o pico em cerca de 40 minutos, e esses níveis se sustentaram por cerca de 2 horas.

Se você incluir carboidratos na sua refeição pós-treino, no entanto, os níveis de insulina aumentarão mais rápido e permanecerão mais altos. Um estudo mostrou que a ingestão de uma refeição mista contendo 75 g de carboidratos, 37 g de proteína e 17 g de gordura resultou na elevação dos níveis de insulina por mais de 5 horas. (Na marca de 5 horas, quando os pesquisadores pararam de testar, os níveis ainda eram o dobro dos que ocorrem em jejum.)

Então, dois motivos para incluir carboidratos na refeição pós-treino são: aumentar rapidamente os níveis de insulina e mantê-los elevados por longos períodos. Outra razão se refere ao glicogênio. Se você malha regularmente, manter os músculos com o máximo possível de glicogênio é importante. Ele melhora o desempenho, e pesquisas mostraram que quando os níveis de glicogênio muscular estão baixos, a degradação muscular induzida pelos exercícios é acelerada.

Exercícios anaeróbicos como musculação e treino intervalado de alta intensidade causam reduções acentuadas nas reservas de glicogênio dos músculos, e quando o corpo está nesse estado pós-treino de deficiência de glicogênio, a capacidade dele de usar carboidratos para reabastecer as reservas de glicogênio aumenta muito. Nesse estado, os músculos podem "sobrecompensar" com glicogênio, o que significa que podem armazenar mais do que tinham antes do esgotamento.

Essa "sobrecompensação" provavelmente não afetará sua performance de treino se você não fizer várias rodadas de exercício intenso no mesmo dia. Desde que você ingira quantidade suficiente de carboidratos ao longo do dia, seu corpo acabará preenchendo as reservas de glicogênio de novo.

Dito isso, o que o estado de esgotamento pós-treino faz é criar um bom "bueiro de carboidratos" que você pode usar para desfrutar de um grande número de carboidratos com pouco ou nenhum armazenamento de gordura (pois o corpo não armazena carboidratos como gordura até que as reservas de glicogênio sejam abastecidas).

Em termos da quantidade de carboidratos a comer na refeição pós-treino, uma boa regra geral é cerca de 1 g por quilograma de peso corporal.

E no que se refere a quando comer os carboidratos, a recomendação geral é "imediatamente após o exercício". Pesquisas mostram também que comer cerca de metade da quantidade de 1 g por quilo 2 horas mais tarde pode ajudar a reabastecer as reservas de glicogênio, mas isso é opcional, uma vez que os efeitos não são tão pronunciados quanto os da refeição pós-treino inicial.

Eu recomendo que você inclua esta segunda refeição pós-treino se ela se encaixar nas suas necessidades de planejamento de refeições, mas não inclua se não se encaixar.

E OS TREINOS AERÓBICOS?

Tudo o que acabo de dizer se aplica a exercícios de musculação. No que diz respeito ao aeróbico, é inteligente ingerir um pouco de proteína antes para compensar qualquer perda de músculo em potencial, mas, fora isso, não é preciso fazer nada de especial.

Se você precisa ter bom desempenho (em esportes, por exemplo), então incluir carboidratos na refeição pré-treino também é uma boa ideia.

Proteínas ou carboidratos pós-exercícios só seriam necessários se os exercícios fossem especialmente longos e intensos (mais de 1 hora, com uma boa quantidade de arrancadas).

RESUMO DO CAPÍTULO

- Ingerir proteína antes de treinar, e especialmente uma proteína rica em leucina, que é digerida rapidamente, como *whey*, pode ajudar a desenvolver mais músculos ao longo do tempo. Eu recomendo de 30 g a 40 g de proteína 30 minutos antes do treino.

- Ingerir carboidrato antes de treinar, e sobretudo uma forma digerida rapidamente, melhora o desempenho. Eu recomendo de 40 g a 50 g de carboidrato 30 minutos antes do treino.

- Ingerir gordura alimentar antes de treinar não fornece benefícios.

- Os objetivos da nutrição pós-treino são minimizar a quebra muscular e maximizar a síntese proteica. E como no caso da alimentação pré-treino, esses

SEÇÃO III NUTRIÇÃO & DIETA

efeitos são alcançados mediante a ingestão de proteínas e carboidratos depois de treinar.

- Ingerir proteína depois de treinar, e especialmente uma proteína rica em leucina, que é digerida rapidamente, como *whey*, pode ajudar a desenvolver mais músculos ao longo do tempo. Eu recomendo no mínimo de 30 g a 40 g de proteína na refeição pós-treino.

- Ingerir carboidrato depois de treinar, e sobretudo uma forma digerida rapidamente, faz com que os níveis de insulina aumentem mais rápido e permaneçam altos por mais tempo, o que mantém os níveis de quebra muscular baixos. Eu recomendo 1 g de carboidrato por quilograma de peso corporal na refeição pós-treino, que deve ser feita imediatamente depois dos exercícios.

- Pesquisas mostram também que comer cerca de metade da quantidade de 1 g por quilo 2 horas mais tarde pode ajudar a reabastecer as reservas de glicogênio, mas isso é opcional, uma vez que os efeitos não são tão pronunciados quanto os da refeição pós-treino inicial.

- No que diz respeito ao aeróbico, é inteligente ingerir um pouco de proteína antes para contrabalancear qualquer perda de músculo em potencial. Proteínas ou carboidratos pós-exercícios só seriam necessários se os exercícios fossem especialmente longos e intensos (mais de 1 hora, com uma boa quantidade de arrancadas).

14

Desenvolva o corpo que deseja comendo os alimentos que ama com a "dieta" malhar, secar, definir — para mulheres

Você tem razão de ser cauteloso. Há muita besteira por aí. Desconfie de mim também, porque posso estar errado. Decida por conta própria depois de avaliar todas as evidências e a lógica.

— MARK RIPPETOE

NESTE CAPÍTULO, VAMOS pegar tudo o que você aprendeu sobre nutrição correta e transformar em um plano de dieta simples e fácil de seguir.

Especificamente, vamos aprender a criar três tipos de planos de refeições: um para "definir", um para "crescer" e um para "manter".

Definir quer dizer, em "língua de academia", fornecer ao corpo menos energia do que ele queima diariamente para maximizar a perda de gordura e minimizar a perda de músculos.

Crescer significa alimentar o corpo com ligeiramente mais energia do que ele queima por dia para maximizar o crescimento muscular. Você também ganha gordura corporal enquanto cresce.

Manter refere-se a dar ao corpo a energia que ele queima todos os dias, o que permite ganhos musculares lentos sem ganhar gordura alguma.

A maioria já ouviu dizer que equilíbrio energético tem relação com perda de gordura, mas poucos sabem que também se relaciona com o desenvolvimento muscular.

Por exemplo, você sabia que restringir calorias prejudica a capacidade do corpo de desenvolver músculos, enquanto consumir um ligeiro excedente de calorias a maximiza?

Todos os dias, nossas células musculares passam por um processo natural pelo qual as células degradadas são eliminadas e novas células são criadas para assumir o seu lugar. Sob circunstâncias normais de saúde e alimentação, o tecido muscular é

SEÇÃO III NUTRIÇÃO & DIETA

bastante estável, e o ciclo de degradação e regeneração celular permanece equilibrado. Isto é, a pessoa mediana não perde nem ganha músculos em taxa acelerada; sua massa magra permanece mais ou menos no mesmo nível. (Bem, a menos que treinemos nossos músculos, perdemos lentamente massa magra à medida que envelhecemos, mas você entendeu a ideia.)

Quando nos engajamos em treinamento de resistência, danificamos as células das nossas fibras musculares, e isso sinaliza ao corpo que deve acelerar a taxa normal de síntese de proteína para reparar o grande número de células danificadas.

Quando restringimos calorias, no entanto, os níveis de hormônio anabólico caem, e a capacidade do corpo de sintetizar proteínas se torna deficiente. Isto é, déficit calórico debilita a capacidade do corpo de reparar totalmente o dano causado aos músculos pelo exercício. É por isso que também é mais fácil treinar além da conta quando se está com déficit calórico.

Por esse motivo é que geralmente não é possível desenvolver músculos de forma eficiente enquanto se restringem calorias para a perda de gordura — algo que muitos chamam de "recomposição corporal" e que é propagado como a nova escola de musculação.

As pessoas que vendem a recomposição corporal costumam dizer que crescer e definir são processos que não funcionam ou que ficaram para trás, e que absolutamente todo o mundo pode crescer e secar simultaneamente seguindo algum tipo de dieta ou programa de exercícios mirabolante.

Bem, elas estão mentindo.

Os únicos que podem efetivamente (e naturalmente) ganhar músculos e perder gordura ao mesmo tempo são os novatos que têm uma quantidade razoável de gordura a perder e pessoas que tinham ótima forma e estão voltando a ela (a "memória muscular" permite recuperar rapidamente os músculos que já se teve).

Se o estilo de musculação adotado neste livro for novidade para você e sua primeira prioridade for perder gordura, é provável que você também desenvolva músculos. Haverá um ponto, no entanto, em que isso não será mais possível. Para ganhar músculos, você terá de ingerir pelo menos calorias de manutenção, e se quiser ganhar o mais rápido possível, terá de comer um pouco mais todos os dias.

Se tiver experiência com musculação e já houver ganhado uma quantidade razoável de músculos, no entanto, você não conseguirá construir quantidade relevante de músculos enquanto restringe calorias para perder gordura. Não importa o tipo de dieta ou protocolo de treinamento que você usa. Ponto. Seu objetivo ao definir é *preservar* músculo, não ganhar.

Agora, talvez você questione por que desejaria crescer e ganhar gordura intencionalmente. Talvez você nunca o faça, mas deve saber por que fazê-lo e como funciona.

Quando você aumenta a ingestão de calorias e tira o corpo de um déficit, os níveis de hormônio anabólico aumentam, e a capacidade do corpo de sintetizar proteínas é restaurada para níveis normais.

É por isso que crescer requer ingerir um pouco mais de energia do que está queimando, mas *não* comer tudo sob o sol, a lua e as estrelas, o que leva a armazenamento excessivo de gordura. Isso não apenas deixa a pessoa como uma maçaroca inchada, mas também torna mais fácil engordar e prejudica o desenvolvimento muscular.

Veja bem, à medida que os níveis de gordura corporal aumentam, a sensibilidade à insulina cai, o que significa que as células se tornam menos reativas aos sinais da insulina. À medida que o corpo se torna mais resistente à insulina, a capacidade dele de queimar gordura diminui, e a probabilidade de armazenar carboidratos como gordura aumenta. Além disso, a resistência à insulina suprime a sinalização intracelular responsável pela síntese proteica, o que significa crescimento muscular total menor.

Pesquisas também mostram que, à medida que engordamos, nossos níveis de testosterona livre caem e os níveis de estrogênio sobem. Como a testosterona desempenha um papel vital no processo de desenvolvimento de músculos e altos níveis de estrogênio promovem armazenamento de gordura, as desvantagens dessas consequências são claras.

A realidade é que o ganho excessivo de peso durante dietas para crescer que prescrevem comer quantidades obscenas de alimentos por dia, como aquelas conhecidas como *"dreamers bulk"* ou *"dirty bulk"*, é extraordinariamente contraproducente. Entrava o crescimento muscular e torna mais difíceis os esforços subsequentes para se livrar do excesso de gordura corporal ainda.

É por isso que eu sempre recomendo que mulheres não cresçam se tiverem mais de 20% de gordura corporal e que parem com o crescimento quando atingem 25% e comecem a definir (já que este é o ponto em que os problemas acima começam a aparecer). Então, quando estiverem dentro da faixa de 20% de gordura corporal, podem começar a crescer novamente e colocar mais músculo no corpo.

Se você não souber ao certo como determinar sua percentagem de gordura corporal, a maioria dos especialistas concorda que exames hidrostáticos e raios-X DEXA são os métodos mais precisos para fazê-lo. Entretanto, esses métodos são inconvenientes e caros.

Portanto, recomendo que você compre um bom adipômetro. Quando aprender a se examinar com esse instrumento tão simples, obterá medidas muito precisas. Aquele que recomendo no relatório extra é barato e tem precisão dentro do raio do 1%.

Então, por que você resolveria crescer? Simples: para se concentrar em ganhar músculos o mais rápido possível. Algumas mulheres começam muito magras e

SEÇÃO III NUTRIÇÃO & DIETA

precisam ganhar peso. Outras estão magras e definidas, mas querem dar mais forma a certas áreas do corpo e não temem ganhar um pouco de gordura no caminho. (Depois de saber como é simples perder gordura corporal, você já não tem medo de ganhá-la se tiver uma boa razão para fazê-lo.)

Assim, essa é a teoria de crescer, definir e manter. Abordemos agora os detalhes e os números das dietas de cada um.

No início do livro, você aprendeu a calcular sua TMB e o seu GET, e depois aprendeu algumas diretrizes básicas sobre como você deveria decompor aquelas calorias em metas diárias de consumo de macronutrientes.

Eu também disse que ia simplificar tudo e lhe dar fórmulas fáceis de seguir. Bem, aqui é o ponto em que chegamos a essa simplificação.

Antes de chegar aos números, quero observar que você não deve adicionar ou subtrair valores da sua ingestão total de calorias com base nos exercícios que fizer no programa. As fórmulas que dou abaixo pressupõem que você estará fazendo de 4 a 6 horas de exercício por semana, que é o que o programa exige.

Se for fazer significativamente mais ou menos exercícios do que isso, você pode começar com as fórmulas e ajustá-las para cima ou para baixo com base na resposta do seu corpo (sobre a qual falaremos mais nas seções abaixo).

Assim, vamos analisar separadamente os processos de definir, crescer e manter separadamente.

CURSO BÁSICO DE DEFINIR:
COMO ALIMENTAR-SE PARA A MÁXIMA PERDA DE GORDURA

Definir exige um pouco mais de precisão e conformidade do que crescer e manter, pois se você comer um pouco a mais na dieta para crescer ou para manter, ainda ganhará músculos e peso. Coma a mais numa dieta de definição, porém, e poderá cair num buraco rapidamente.

Sua meta é perder entre 250 g e 500 g por semana ao definir, e se isso soar pouco, lembre-se de que a perda de peso muito rápida é indesejável, pois significa que, além de gordura, você está perdendo uma boa quantidade de músculos.

Se tiver um bocado de gordura a perder, você talvez acabe perdendo acima de 1 kg ou 1,5 kg por semana, e não há problema nisso. À medida que o tempo passa, no entanto, o ritmo deve cair até uma taxa de 250 g e 500 g por semana.

CALCULANDO A DIETA DE DEFINIR

Ao definir, calcula-se primeiro um ponto de partida, com base no qual serão feitos os ajustes necessários. Este é o começo:

- 1,2 g de proteína para cada 500 g de peso corporal por dia;
- 1 g de carboidratos para cada 500 g de peso corporal por dia;
- 0,2 g de gordura saudável para cada 500 g de peso corporal por dia.

Para uma mulher de 65 kg, ficaria mais ou menos assim:

- 170 g de proteína por dia;
- 140 g de carboidrato por dia;
- 30 g de gordura por dia.

Isso seria cerca de 1.510 calorias por dia, o que é um bom ponto de partida para uma mulher de 65 kg cuja meta é perder peso.

Se você é como a maioria das mulheres, provavelmente está questionando como seria possível comer tanta proteína assim por dia e pensar que as calorias parecem baixas demais.

Em relação à ingestão de proteínas, este é definitivamente um ajuste necessário para muitas mulheres, que simplesmente não comiam muito antes de iniciar o programa. Mas você vai se acostumar, e também irá adorar o fato de que se sentirá muito melhor. A maioria das mulheres gosta de colocar proteína em todas as refeições e recorrer a suplementação para fornecer o resto. Eu tento obter cerca de 70% da minha proteína diária de alimentos e o resto de suplementos em pó.

Quanto ao consumo de calorias, é simplesmente uma questão de percepção. Fisiologicamente falando, essa fórmula não é baixa. Não se trata de uma dieta de fome por nenhum critério concebível — ao se exercitar de 4 a 6 horas por semana no programa, a fórmula coloca seu corpo em um déficit calórico de 20% a 25%, que é perfeito para perda de gordura estável e saudável.

Cuidado com os "especialistas" segundo os quais você pode comer 2.000 calorias por dia e perder gordura. A menos que você seja *extremamente* ativa (mais de 10 horas de exercício por semana), isso não funciona. O corpo simplesmente não queima energia suficiente.

SEÇÃO III NUTRIÇÃO & DIETA

Agora, se você está muito acima de peso (cerca de 30% de gordura corporal), a fórmula para você é levemente diferente:

- 0,8 g de proteína para cada 500 g de peso corporal por dia;

- 0,6 g de carboidratos para cada 500 g de peso corporal por dia;

- 0,3 g de gordura saudável cada 500 g de peso corporal por dia.

Para uma mulher de 80 kg, ficaria mais ou menos assim:

- 145 g de proteína por dia;

- 100 g de carboidrato por dia;

- 50 g de gordura por dia.

Isso dá cerca de 1.430 calorias por dia, que é o ponto no qual uma mulher de 80 kg com percentagem de gordura corporal superior a 30% deveria começar. (Lembre-se de que quanto mais gordura corporal você precisa perder, maior é o déficit calórico com o qual você pode ficar sem correr riscos de saúde.)

Se você é extremamente obesa — acima de 45% de gordura corporal —, então eu recomendo que calcule sua TMB do modo discutido antes e faça o seguinte:

1. Multiplique-a por 1,2. Este será seu número de calorias por dia.

2. Obtenha 40% dessas calorias de proteína, 30% de carboidratos e 30% de gordura.

Para descobrir os valores, faça o seguinte:

a. Multiplique sua ingestão diária total de calorias por 0,4 e divida o número resultante por 4. O total é a quantidade de gramas de proteína que você vai comer por dia.

b. Multiplique sua ingestão diária total de calorias por 0,3 e divida o número resultante por 4. O total é a quantidade de gramas de carboidratos que você vai comer por dia.

c. Multiplique sua ingestão diária total de calorias por 0,3, e divida o número resultante por 9. O total é a quantidade de gramas de gordura que você vai comer por dia.

Por exemplo, se a sua ingestão diária total de calorias for 1.600, vai ficar assim:

(1.600 x 0.4) / 4 = 160 g de proteína por dia;
(1.600 x 0.3) / 4 = 120 g de carboidrato por dia;
(1.600 x 0.3) / 9 = 53 g de gordura por dia

RECOMENDAÇÕES GERAIS PARA DEFINIR

Embora comer demais seja o erro mais comum ao definir, algumas pessoas tendem a comer de menos. Se for longe demais, isso pode ser pior do que comer demais, pois pode causar perda significativa de músculos.

Durante as primeiras semanas de dieta de definição, você pode esperar ficar com um pouco de fome de vez em quando e ter fissura por alguns alimentos. Isso não significa que você está perdendo músculos ou que há alguma outra coisa errada. São efeitos naturais, mas passam depois de algumas semanas. Uma dieta de definição correta *não* deve ser um teste exaustivo de força de vontade.

Quando estou definindo, tento permanecer dentro de uma margem de 50 calorias em relação à minha meta diária. Alguns dias passo um pouco, outros fico abaixo, mas não acontece nenhum grande desequilíbrio no meu consumo de calorias.

Atenha-se a fontes magras de proteína e não será problema para você elaborar um plano de refeições que funcione. Se as suas fontes de proteína contiverem gordura demais, será difícil manter as calorias no nível em que precisam estar para que a proporção entre os macronutrientes seja adequada.

Depois de 7 a 10 dias seguindo a dieta de definição, você deve avaliar o progresso. A perda de peso, porém, não é o único critério a considerar para julgar se a dieta está certa ou errada.

Você deve avaliar seu progresso com base nos seguintes critérios:

- seu peso (caiu, subiu ou continuou igual?);

- suas roupas (estão mais largas, mais apertadas ou iguais?);

- o espelho (você parece mais magra, mais gorda ou igual?);

- seus níveis de energia (você se sente energizada, cansada ou no meio do caminho?);

SEÇÃO III NUTRIÇÃO & DIETA

- sua força (está maior, menor ou mais ou menos a mesma?);

- seu sono (você está exausta no fim da noite, tem dificuldade de desacelerar ou nada mudou?).

Vejamos brevemente cada um desses pontos.

SEU PESO

De modo geral, se seu peso está aumentando com uma dieta de definição, você está comendo demais ou se movimentando de menos.

Há uma exceção, entretanto, que é o caso dos novatos no treino de levantamento de pesos, que não apenas desenvolvem músculos enquanto perdem gordura, o que aumenta o peso, mas também sugam, via seus músculos, um bocado de glicogênio e água, o que pode facilmente resultar em alguns quilos no primeiro mês.

Assim, se o levantamento de pesos é novidade para você e você começou definindo, eu recomendo monitorar as medidas da sua cintura junto com o peso nas primeiras 4 a 6 semanas. Se a sua cintura estiver diminuindo, você está perdendo gordura, o que quer que a balança mostre.

Com o tempo, os níveis de água e glicogênio dos seus músculos se estabilizarão. Embora você possa continuar a ganhar músculos enquanto perde gordura, acabará perdendo mais gordura (em quilos) do que ganha de músculos por semana, o que resultará em perda de peso global com o tempo.

Se você já tem experiência com pesos, no entanto, e seu peso permanece o mesmo após várias semanas de definição, provavelmente está comendo demais ou se movimentando de menos.

SUAS ROUPAS

A diminuição das medidas da sua cintura (no umbigo) é um indicador confiável de que você está perdendo gordura, então se as suas calças jeans estiverem mais largas, isto é um indicador confiável de perda de gordura.

SEU ESPELHO

Embora possa ser difícil observar mudanças no nosso corpo quando o vemos todos os dias, você definitivamente perceberá uma diferença visual após algumas semanas de definição. Você deverá estar mais magra e menos inchada.

Se não estiver, é provável que seu peso não tenha mudado ou tenha aumentado, e suas calças jeans não parecerão mais largas. Esse é um sinal claro de que algo não vai bem, e é hora de reavaliar sua ingestão de alimentos ou sua rotina de exercícios.

SEUS NÍVEIS DE ENERGIA

Você jamais deve sentir que está passando fome e de barriga vazia quando estiver definindo. Dependendo de como se alimentava antes de começar a definir, poderá experimentar um pouco de fome nas duas primeiras semanas, mas depois disso deverá se sentir confortável ao longo do dia.

Todos temos os nossos dias de muita e de pouca energia, mas se você estiver sem energia com mais frequência do que antes, é provável que não esteja comendo o suficiente ou que esteja comendo excesso de carboidratos com alto índice glicêmico.

SUA FORÇA

Se levantamento de peso for novidade para você e seu início tiver sido definindo, você deve ganhar força.

Se você já tem experiência no levantamento de peso, porém, é normal fazer algumas repetições a menos em todos os exercícios, mas você não deve levantar menos de 15 kg no agachamento no final da primeira semana. Se sua força diminuir em quantidade considerável, é provável que você esteja comendo menos do que deveria e precise aumentar a ingestão de alimentos.

SEU SONO

Se você está exausta na hora de ir dormir, isso não é necessariamente mau sinal. Sentir-se assim é comum quando as pessoas começam a treinar corretamente.

O que é importante, porém, é que você durma profundamente e por bastante tempo. Se seu coração fica acelerado à noite, e você, ansiosa, virando-se de um lado para o outro na cama e acordando com mais frequência, pode estar comendo menos do que deveria ou treinando além da conta.

SEU CICLO MENSTRUAL

Se a sua menstruação se tornar mais demorada ou imprevisível, pode ser que você esteja comendo menos do que deveria, o que pode afetar os hormônios.

Se, por outro lado, seus ciclos que costumavam ser imprevisíveis se tornarem regulares, isso é provavelmente um bom sinal de que você está se alimentando bem.

SEÇÃO III NUTRIÇÃO & DIETA

O PERIGO DAS CALORIAS OCULTAS

Uma armadilha imensa e fatal para as dietas em que muitos caem é comer muitas "calorias ocultas" ao longo do dia. Depois questionam por que não estão perdendo peso.

As calorias ocultas são aquelas que você não percebe que estão lá e não conta, tais como:

- as duas colheres de sobremesa de azeite de oliva usadas para preparar o jantar (240 calorias);

- as duas colheres de sobremesa de maionese na sua salada de frango caseira (200 calorias);

- os três cubinhos de queijo feta na sua salada (140 calorias);

- as três colheres de sobremesa de chantili no café (80 calorias);

- as duas porções de manteiga na sua torrada (70 calorias).

Esses "pequenos" acréscimos se somam todos os dias, e são de longe a principal razão que faz com que as pessoas não obtenham os resultados esperados de dietas que, de outro modo, seriam adequadas. Simplesmente não há grande margem para erro quando você está tentando manter um déficit moderado de calorias por dia.

Por exemplo, digamos que você deseje manter um déficit de 500 calorias por dia para perder cerca de 500 g de gordura por semana, mas você consome acidentalmente 400 calorias a mais do que deveria ter consumido, ficando, portanto, com um déficit de 100 calorias. Agora vai levar um mês ou mais para perder aqueles 500 g de gordura. É simples assim.

Pode parecer paranoia tomar cuidado com quantas colheres de ketchup você consome por dia, mas se contar suas calorias com esse grau de atenção quando estiver definindo, é *garantido* que você obterá resultados.

O melhor modo de evitar as calorias ocultas é preparar sua comida você mesma, de modo que saberá exatamente o que vai nela. Para a maioria, isso significa apenas preparar algo de almoço para levar ao trabalho, pois geralmente tomam café da manhã e jantam em casa.

RETENÇÃO DE LÍQUIDO E PERDA DE PESO

Você está indo bem na dieta de definição, perdendo peso toda semana e se sentindo ótima, e então, do nada, a balança congela. Apesar de não ter mudado nada na sua dieta nem no seu programa de exercícios, uma, duas ou até três semanas se passam sem que você perca peso nem pareça mais magra.

Como assim?

Platôs de perda desse tipo costumam ser causados por comer demais acidentalmente ou se exercitar menos do que deveria, mas o aumento da retenção de líquido também pode causar uma "misteriosa" estagnação de peso. As mulheres podem sofrer disso devido ao ciclo menstrual.

Quem não sabe bem o que é retenção de líquido e o que fazer a respeito pode ser pego de surpresa, pois cortar calorias e aumentar o aeróbico — as duas atitudes mais simples a tomar para que a balança volte a sair do lugar — pode, na verdade, piorar a situação. Isso talvez leve a uma bela e gordurosa comilança de frustração, o que fará com que você retroaja ainda mais.

Quando entende como o processo funciona e pode prevê-lo e corrigi-lo, no entanto, ele não causa maiores problemas. Então vamos lá.

QUANDO UM PLATÔ DE PERDA DE PESO NÃO É UM PLATÔ DE PERDA DE GORDURA

Em um mundo perfeito, sempre perderíamos peso de maneira organizada e ordenada.

Faríamos nossos exercícios diários, seguiríamos nossos planos de refeições e acordaríamos um pouquinho mais leves e mais magros todas as manhãs. Prosseguiríamos assim até que finalmente, em algum momento, teríamos nosso abdômen de tanquinho. Então, comemoraríamos com a nossa "refeição infiel" favorita e tudo ficaria bem no mundo.

Bem, geralmente não funciona assim.

Acontece que a perda de peso pode ser bastante errática. Você pode estancar no mesmo peso durante várias semanas e depois perder 1 kg ou 2 kg do dia para a noite, e às vezes isso acontece depois de você encher o bucho.

Como isso é possível? Pois desde que você mantenha um déficit calórico diário, seu corpo vai mobilizar os reservatórios de gordura, então por que o peso ficaria o mesmo?

A resposta reside na retenção de líquido. Se você perdeu 500 g de gordura em uma semana, isso pode ser obscurecido — tanto na balança quanto no espelho — por 500 g de líquido a mais que o corpo está retendo.

SEÇÃO III NUTRIÇÃO & DIETA

Embora as flutuações diárias na quantidade de líquido que você bebe e de sódio que você come expliquem a maior parte do líquido que você retém, simplesmente estar em déficit calórico pode causar essa retenção. Uma das principais razões para isso é o fato de aumentar os níveis de cortisol, o que aumenta a retenção de líquidos. Seu ciclo menstrual também pode aumentar *drasticamente* a quantidade de líquido que seu corpo retém, e é por isso que digo às mulheres que ignorem a balança e o espelho na semana anterior e na semana seguinte à menstruação. As coisas não são realmente tão ruins quanto parecem.

Embora o corpo venha com um mecanismo mensal de retenção de líquido embutido que não é possível manipular, vamos analisar mais detidamente o fenômeno e o que podemos fazer a respeito dele.

O QUE UM EXPERIMENTO DA SEGUNDA GUERRA MUNDIAL SOBRE A FOME PODE NOS ENSINAR SOBRE O PESO DOS LÍQUIDOS

O conhecimento científico deste fenômeno remonta a décadas.

Um bom exemplo disso é o "Experimento da Fome de Minnesota", no qual 36 homens se submeteram voluntariamente a uma dieta de quase fome de cerca de 1.500 calorias por dia por 6 meses, realizado pelo dr. Ancel Keys durante a Segunda Guerra Mundial. O propósito do experimento era estudar a fisiologia e a psicologia da fome e elaborar um regime apropriado para ajudar prisioneiros de guerra que haviam passado fome a voltar gradualmente à dieta e ao funcionamento metabólico normais.

Embora haja várias informações interessantes entre as descobertas dele, quero chamar atenção para uma observação em particular.

A perda de peso progrediu de maneira linear no início. Os homens perderam cerca de 1 kg por semana, toda semana. A certa altura, porém, ela se tornou errática. O peso continuaria estagnado por semanas com um aumento drástico da retenção de líquido, e depois ocorreria uma "explosão" na perda de peso à medida que o líquido era rapidamente expelido.

Quero repetir este ponto: o déficit calórico de fato reduziu sistematicamente os níveis de gordura corporal, mas a redução em termos de peso corporal total foi compensada muitas vezes por aumentos na retenção de água. Essa água extra de repente escoava, causando "explosões" aparentes de perda de peso de vários quilos do dia para a noite. Os halterofilistas conhecem muito bem esse fenômeno, que chamam de "efeito esvaziamento".

E o que desencadeava esses esvaziamentos nos prisioneiros?

Algumas vezes eles simplesmente ocorriam aleatoriamente, mas um desencadeador confiável era um aumento drástico de calorias em uma refeição. Por exemplo, uma refeição de 2.300 calorias era servida para celebrar a marca de realização de metade do experimento, e cientistas notavam que muitos dos homens acordavam várias vezes para urinar aquela noite e, de manhã, estavam vários quilos mais leves que no dia anterior.

Se você já fez dieta para ficar supermagra (15% para baixo), provavelmente já experimentou esse efeito "esvaziamento" depois de se encher de carboidratos por um dia. Aliás, é comum que a perda de peso continue por algumas semanas mesmo depois que o percentual de gordura corporal desejado é alcançado e a ingestão de calorias começa a aumentar (isto também foi observado pelos pesquisadores do Experimento de Minnesota).

ORIENTAÇÕES PRÁTICAS PARA PERDER O PESO DO LÍQUIDO

Se você estiver presa no mesmo peso por várias semanas apesar de ter certeza absoluta de que está com déficit calórico (pesando os alimentos que come e mantendo altos níveis de atividade por meio de exercícios), as estratégias abaixo provavelmente vão soltá-la.

REDUZA SEU CONSUMO DE SÓDIO

Aumentar o consumo diário de sódio para além dos seus níveis de ingestão normal aumenta o peso de líquidos. Por outro lado, reduzi-lo para menos que a norma diária reduz o peso de água. Assim, um modo fácil de despertar um "esvaziamento" é reduzir o consumo de sódio.

Quando corto o sódio, diminuo-o para entre 1 g e 1,5 g por dia por alguns dias (o Instituto de Medicina dos EUA recomenda apenas 1,5 g de sódio por dia, a propósito). Isso significa...

- Nada de comida em lata ou pré-pronta (o sal é usado como conservante).

- Nada de embutidos.

- Reduza o uso de sal de cozinha e de temperos. Uma colher de chá de sal de cozinha contém 2.300 mg de sódio. Use um substituto do sal, e o use com parcimônia. Muitos temperos são ricos em sódio, portanto evite-os.

- Fique de olho em molhos em geral, inclusive de salada, pois muitos deles são ricos em sódio.

SEÇÃO III NUTRIÇÃO & DIETA

- Fique de olho nos queijos, que com frequência são muito ricos em sódio.

Embora possa ser irritante contar mais uma coisa na dieta, vale a pena controlar o sódio por alguns dias para fazer a balança se mexer de novo. (Como nota à margem, ainda estou para ver qualquer prova científica válida das alegações a respeito dos "alimentos diuréticos", como aspargo e aipo.)

BEBA MAIS ÁGUA

Beber bastante água ajuda a normalizar a retenção de fluidos. Tente beber 4 litros por dia.

CONTROLE SEUS NÍVEIS DE CORTISOL

Se você está retendo bastante água, pode ser por causa de níveis de cortisol elevados. Para trazê-los de volta ao normal, tente o seguinte:

Diminua os exercícios. Eles elevam os níveis de cortisol, e quando combinados à restrição calórica, isso pode ser uma dupla pancada de cortisol para o corpo. Reduza a frequência e a intensidade do seu treino por uma semana para ajudar a levar os níveis de volta ao normal.

Tenha certeza de não estar com déficit calórico severo demais. Repasse sua dieta e a compare com gasto energético diário usando uma calculadora como a Katch McArdle (e use o multiplicador de "atividade leve" — a não ser que você faça mais de 7 horas de exercícios por semana, multiplicadores maiores farão com que você coma demais). Fique com um déficit de 500 calorias para evitar os problemas de cortisol que vêm com restrições calóricas maiores.

Relaxe. Você pode reduzir os níveis de cortisol simplesmente tirando um tempo, todo dia, para relaxar, ouvir uma música boa, beber um chá e fazer respiração profunda. Tirar um cochilo e fazer uma massagem pode ajudar também.

Durma mais. Não dormir o suficiente pode resultar em elevação dos níveis de cortisol no final do dia. Tente dormir de 7 a 8 horas por dia.

COMA UM MONTE DE COMIDA

Você não me ama por dizer isso?

Eu falei sobre a importância da "realimentação" para quem está de dieta, e os benefícios dela vão além da retenção de fluidos. Como foi visto no Experimento de Minnesota, um salto calórico em uma refeição pode desencadear um "esvaziamento" de líquido.

Portanto, faça uma boa refeição infiel e aproveite. Como bônus, inclua uma boa quantidade de alimentos ricos em carboidratos, pois eles podem reduzir os níveis de cortisol.

AJUSTANDO SEUS NÚMEROS

Se o seu peso continua o mesmo há 7 ou 10 dias, e você não emagreceu nem um pouco e está 100% presa nos mesmos números, você simplesmente precisa se movimentar mais ou diminuir o consumo de calorias.

Minha primeira opção é sempre "se movimentar mais", mas há uma quantidade máxima de exercícios que você pode suportar. Recomendo não fazer mais que 5 sessões de 60 minutos de musculação e 4 sessões de 30 minutos de aeróbico por semana. Isso já é bastante, e ir além estressa demais o corpo quando se está com déficit calórico.

Se você já está fazendo essa quantidade de exercícios e não está emagrecendo, então precisa reduzir seu consumo diário de calorias. Para isso, remova 25 g de carboidratos dos seus números diários (cortando 100 calorias da ingestão diária), e então dê a esse novo esquema de sete a dez dias e reavalie.

Vale a pena notar que não é desejável reduzir a ingestão de calorias a um número menor que a sua TMB, uma vez que isso pode causar excesso de desaceleração metabólica. Caso não se lembre, eis como calcular a TMB:

$$TMB = 370 + (21,6 \times MCM \text{ [massa corporal magra]})$$

Isto responde à pergunta de por quanto tempo você pode definir: até sua ingestão de calorias atingir sua TMB, mas não desça mais do que isso.

Se você está fazendo a quantidade máxima de exercícios recomendada, reduziu gradualmente suas calorias até a sua TMB e seu peso estagnou, mas você quer continuar a perder gordura, primeiro precisará elevar seu metabolismo novamente. Isso se faz aumentando aos poucos a ingestão de alimentos até o seu GET, ponto em que você pode voltar a um déficit normal e continuar a perder gordura.

Isso é conhecido como "dieta reversa" — assunto que desenvolvo mais no meu livro *Beyond Bigger Leaner Stronger*, que foi escrito para halterofilistas mais avançados. A dieta reversa é mais relevante para o halterofilista mais avançado e desenvolvido que quer atingir a faixa de 6% a 8% de gordura corporal ao mesmo tempo que retém força e massa magra do que para o iniciante que deseja desenvolver músculos e chegar à faixa de 10%; mas você deve conhecê-la de qualquer maneira.

SEÇÃO III NUTRIÇÃO & DIETA

Por último, vejamos como alimentar-se nos dias em que você não faz nenhum tipo de exercício. No caso de definir, é simples: mantenha os números. Não é necessário ajustar nem para cima nem para baixo.

CURSO BÁSICO DE CRESCER:
COMO ALIMENTAR-SE PARA O MÁXIMO GANHO DE MASSA MUSCULAR

Como você sabe, se você tem cerca de 20% de gordura corporal e deseja ganhar músculos o mais rápido possível, deve crescer.

Sim, você ganhará um pouco de gordura no caminho, mas, se fizer tudo direito, não será muito, e ela vai ser eliminada facilmente quando você definir.

Com base na minha experiência trabalhando com milhares de pessoas, a mulher mediana em dieta de crescimento correta ganhará músculo e gordura corporal com uma proporção de cerca de 1:1 (1 kg de gordura para cada quilo de músculo).

Em termos de ganho de peso na dieta para crescer, o desejável é que o peso suba a uma taxa de cerca de 100 g a 200 g por semana. Mais do que isso fará com que você ganhe muita gordura.

Se o levantamento de pesos for novidade para você, no entanto, então provavelmente você ganhará cerca de 500 g por semana durante as primeiras semanas, enquanto seus músculos se enchem de água e glicogênio. Isso não significa que você está ganhando muita gordura, e esse número deve se estabelecer na faixa de 250 g dentro das suas primeiras quatro a seis semanas no programa.

Quando a sua dieta de crescimento estiver nos trilhos, você aumentará o número de repetições nos principais exercícios toda semana e o peso na barra a cada três a quatro semanas.

CALCULANDO SUA DIETA PARA CRESCER

Como você sabe, uma dieta para crescer adequada exige que o número diário de calorias ingeridas seja maior do que o de calorias queimadas.

Embora pareça uma ótima ideia agora, não se surpreenda se ficar cansada de comer "essa comida toda" em algum momento ao longo do caminho. Você não vai enfiar goela abaixo milhares de calorias extras por semana como prescrevem alguns programas, mas comer mesmo ligeiramente a mais pode ficar um pouco desconfortável com o tempo.

MALHAR SECAR DEFINIR PARA MULHERES

Também é esperado que você retenha mais líquido do que o normal, uma vez que estará comendo uma quantidade substancial de carboidratos por dia. Isso faz com que você pareça meio "inchada". Novamente, é apenas parte do "preço" que você precisa pagar para otimizar o crescimento muscular.

Então, vamos aos números nutricionais concretos da dieta para crescer. O começo é o seguinte:

- 1 g de proteína para cada 500 g de peso por dia;
- 2 g de carboidratos para cada 500 g de peso por dia;
- 0,4 g de gordura para cada 500 g de peso por dia.

Esse é o seu ponto de partida. Para uma mulher de 50 kg, ficaria mais ou menos assim:

- 110 g de proteína por dia;
- 220 g de carboidratos por dia;
- 45 g de gordura por dia.

Isso seria cerca de 1.725 calorias por dia (lembre-se de que cada grama de proteína e carboidrato contém cerca de 4 calorias, e cada grama de gordura, cerca de 9), que é o ponto de partida certo para uma mulher de 50 kg começar a crescer.

É provável que esses números sejam menores do que os de outras recomendações que você viu na internet. Isso é porque muitos programas de crescimento por aí não passam de exagero. Eles a colocam em um enorme excedente de calorias com a explicação de que é preciso "comer muito para crescer muito".

Bem, embora seja verdade que é preciso comer mais do que o normal para maximizar o desenvolvimento muscular, não é necessário comer nem metade da quantidade que alguns gostariam que você acreditasse.

RECOMENDAÇÕES GERAIS PARA CRESCER

Quando estou fazendo dieta para crescer, tento me manter dentro de 100 calorias da minha meta diária, e erro para mais (melhor estar acima da meta do que abaixo).

SEÇÃO III NUTRIÇÃO & DIETA

Não entenda esse regime como licença para comer tudo o que quiser quando quiser, pois isso levará inevitavelmente a excessos e, portanto, à reserva de gordura, o que desacelerará seus ganhos a longo prazo.

Você pode fazer uma refeição infiel toda semana, mas modere. Lembre-se de que uma refeição desse tipo rica em proteína e carboidrato é preferível a uma rica em gordura.

Recomendo comer bastante carne na dieta para crescer, pois isso é particularmente efetivo para desenvolver músculos. De modo geral, eu como duas porções de carne por dia (no almoço e no jantar) e alterno entre vários tipos, como peru, frango, carne de boi magra e peixe.

AJUSTANDO SEUS NÚMEROS

Os números dados na fórmula que você acabou de ver são *pontos de partida*, e há chances de que você precise comer mais para ganhar força e músculos com eficiência (especialmente se você tiver um corpo ectomórfico, que é naturalmente magro e alongado). Parte do jogo é descobrir os "pontos ideais" do seu corpo para crescer, definir e manter.

Felizmente, é fácil fazê-lo. A maioria encontrará seu ponto ideal dentro da margem de 10% a 15% das metas que calculou originalmente, mas algumas pessoas precisam comer mais para ganhar peso de maneira mais estável (é raro que uma mulher ganhe gordura rápido demais seguindo as recomendações acima e tenha de reduzir a ingestão).

Então, se, após sete a dez dias, seu peso não tiver subido apesar de você dar duro nos treinos, é porque simplesmente não está comendo o suficiente. Aumente seu consumo diário em 100 calorias (adicionando mais carboidratos, de preferência) e reavalie nos próximos sete a dez dias. Se isso não resultar em aumento de peso, aumente novamente e repita o processo até estar ganhando peso a uma taxa de cerca de 100 g a 200 g por semana.

Se você for como a maioria das mulheres, o processo será assim: você vai começar com a fórmula acima e ganhar peso nos dois primeiros meses, e depois vai estagnar. Você então aumentará a ingestão diária de calorias uma ou duas vezes e começará a ganhar peso novamente. Em algum momento, você provavelmente vai estagnar de novo, aumentar de novo, e começar a ganhar outra vez. Depois de um pouco mais de progresso, a sua percentagem de gordura corporal acabará alcançando a faixa de 25%, e você terá mais ou menos um mês para crescer antes de definir para eliminar a gordura e repetir o processo.

Se quiser, você pode reduzir suas calorias para nível de manutenção nos dias de descanso, ou pode continuar com os números do programa para crescer. A pequena redução não fará diferença em termos de armazenamento de gordura global, mas algumas pessoas gostam de dar uma pausa de tanta comilança alguns dias por semana.

CURSO BÁSICO DE MANTER:
COMO SE ALIMENTAR PARA TER "GANHOS MAGROS" LENTOS E REGULARES

Manutenção quer dizer comer mais ou menos a quantidade de energia que você queima numa base diária ou semanal, e é recomendado para quando você deseja manter um certo nível de gordura corporal ao mesmo tempo que faz ganhos lentos na academia.

Muitas mulheres gostam de definir para alcançar a percentagem de gordura corporal ideal e depois passar para a dieta de manutenção, para ficar magra e ganhar definição muscular lentamente ao longo do tempo. Elas não fazem dieta para crescer porque simplesmente não gostam de engordar.

Se esse for o seu caso, não tem o menor problema. Mas não pense que "manter" é "ficar do mesmo jeito". Acho que você deveria sempre ter a meta de ficar pelo menos um pouco mais forte a cada mês, e a maioria das mulheres sempre quer dar um pouco mais de forma e de definição para certas áreas do corpo. Eu, por exemplo, gostaria de um pouco mais de ombros, panturrilha e costas. Sempre estabeleça metas e procure melhorar. Não tente só ficar do mesmo jeito, porque as coisas tendem a ficar ou melhores ou piores.

De modo geral, você deve ver seu peso subir lentamente ao longo de vários meses quando está em uma dieta de manutenção, e a sua percentagem de gordura corporal deve permanecer mais ou menos a mesma.

Assim, na manutenção, o peso não é um indicador imediato de progresso tão relevante quanto nas dietas de definição e crescimento. Sua progressão de força, no entanto, é — você deve ver um aumento regular nas repetições e no peso ao longo do tempo.

Você também deve notar pequenas mudanças positivas no espelho e no caimento das roupas. O que você provavelmente notará é que as blusas ficarão um pouco mais apertadas nos ombros e braços, e as calças jeans ficarão um pouco mais justas nas pernas e no bumbum. Não se preocupe — isso é um bom sinal.

Você ainda pode trapacear uma vez por semana na dieta de manutenção desde que não exagere. Se por acaso extrapolar, recomendo que reduza as calorias para o nível da dieta de definição por alguns dias para perder o pouquinho de gordura que terá ganhado.

SEÇÃO III NUTRIÇÃO & DIETA

CALCULANDO SUA DIETA PARA MANTER

O ponto de partida para a dieta de manutenção é o seguinte:

- 1 g de proteína para cada 500 g de peso corporal por dia;

- 1,6 g de carboidratos para cada 500 g de peso corporal por dia;

- 0,35 g de gordura para cada 500 g de peso corporal por dia.

Para uma mulher de 57 kg, ficaria mais ou menos assim:

- 125 g de proteína por dia;

- 200 g de carboidratos por dia;

- 45 g de gordura por dia.

Isso é cerca de 1.700 calorias por dia, o que deve funcionar para obter ganhos lentos e regulares de músculo e força com pouca ou nenhuma gordura adicional no caminho.

AJUSTANDO SEUS NÚMEROS

As fórmulas nutricionais nunca são de aplicação universal. Para fazer dieta corretamente é preciso descobrir os intervalos numéricos que funcionam melhor para o seu corpo, e isso se aplica tanto à dieta de manutenção quanto às dietas de definição e crescimento.

A boa notícia é que isso é simples. Se o seu peso e sua gordura corporal estiverem aumentando rápido demais, você está comendo mais do que deveria, ou diariamente ou na(s) sua(s) refeição(ões) infiel(éis) semanais, ou então precisa acrescentar exercícios à sua ficha.

Se o problema for comer demais, reduza sua ingestão calórica diária em 100 calorias reduzindo a quantidade de carboidratos em 25 g. Veja como seu corpo responde nos próximos sete a dez dias. Se o seu peso se estabilizar e o seu treinamento ainda estiver bom, fique aí. Se o peso ainda aumentar muito rapidamente, reduza de novo e reavalie. Provavelmente você não precisará fazer isso, mas se precisar, um ou dois ajustes são o máximo que deve ser necessário.

Por outro lado, se seu peso estiver caindo e você estiver emagrecendo, você está com déficit calórico e precisa comer mais para sair dele. Lembre-se de que embora emagrecer seja sempre gratificante, a deficiência de calorias faz com que a capacidade do corpo de desenvolver músculos caia drasticamente, e ficar com déficit tempo demais não é bom para o corpo.

Também devo adverti-la de uma armadilha em que muita gente que está em dieta de manutenção cai: comer muito mais do que o recomendado por dois ou três dias e depois ter de ficar com déficit o resto da semana para desfazer o dano. Isso não é problema para manter certa composição corporal, mas *não* funciona bem se você também quiser progredir na academia. Fazer isso sempre prende você no mesmo lugar.

Se você passar ligeiramente da conta um dia, pode comer ligeiramente menos no dia seguinte e equilibrar as coisas. Mas não seja muito negligente, comendo muito mais num dia e muito menos no dia seguinte. A manutenção é um pouco mais tranquila do que crescer e definir, mas ainda é desejável um consumo calórico relativamente estável e equilibrado para garantir o progresso contínuo no treino.

CURSO BÁSICO DE DIETA FLEXÍVEL:
O PLANEJAMENTO DE REFEIÇÕES SIMPLIFICADO

Você vai adorar esta seção do livro.

É aqui que eu lhe digo que você pode comer mais ou menos o que quiser para alcançar suas metas diárias de macronutrientes.

Como você sabe, recomendo recorrer a alimentos nutritivos, mas, além disso, não há regras além de *bata os seus números todos os dias*. Você gosta de carboidratos ricos em amido? Ótimo, coma-os todo dia. E grãos integrais? Maravilha, eu também. Laticínios? Eles são componente básico da minha dieta. Carne vermelha todo dia? Por que não? Um pouquinho de sobremesa no jantar? Eu *recomendo* isso.

Ora, alguns abusam dessa liberdade alimentar e tentam comer o máximo de porcaria possível desde que fiquem dentro dos números. Embora tecnicamente isso "funcione" para o propósito único de ganhar massa muscular e perder gordura, a inevitável deficiência de micronutrientes atrapalha a performance e, assim, os ganhos de longo prazo (para não falar da saúde).

Só porque é possível comer uma barra de chocolate por dia e perder peso não significa que se deva fazê-lo. Claro, nossos corpos podem usar hambúrgueres do McDonald's para desenvolver músculos (pelo menos em algum grau), e nós podemos usar a alimentação flexível para comê-los todos os dias, mas valem a pena os riscos à saúde relacionados ao consumo regular de carne de baixa qualidade?

SEÇÃO III NUTRIÇÃO & DIETA

Para mim, não. Ficar trincado não importa se seus hormônios estiverem desregulados, seu sistema imunológico, sobrecarregado, e seu corpo, faminto de nutrientes. Assim, aqui estão algumas regras gerais para o planejamento das suas refeições:

Obtenha no mínimo 80% das suas calorias diárias de alimentos saudáveis (densos em micronutrientes) de que você goste.

Um dos maiores problemas que as pessoas têm quando fazem dieta é que chegam a um ponto em que não aguentam mais frango e vegetais cozidos, e provar algo mais saboroso leva a uma grande comilança.

Bem, a melhor forma de evitar isso é simplesmente comer alimentos de que você gosta todo dia.

Por exemplo, se você prefere bife a frango, insira-o no seu cardápio (ajuste para a gordura adicional). Se você prefere massa de trigo integral (baixo IG, ótima fonte de fibra), ajuste suas refeições para o dia para permiti-la. Se iogurte grego de gordura integral cai bem, corte o azeite de oliva ou o queijo da salada do almoço para ajustar.

Não tenha medo de pequenas indulgências.

Desde que a vasta maioria das suas calorias diárias venha de fontes saudáveis cheias de micronutrientes, sinta-se livre para incluir algumas delícias se o desejar.

Por exemplo, se você adora chocolate, coloque alguns nos seus números para o dia. Se você está de olho naquele *gelato* encantador, não tenha medo de abrir espaço para cerca de 100 calorias depois do jantar.

Pessoalmente, eu obtenho cerca de 90% a 95% das minhas calorias diárias de alimentos relativamente não processados e nutritivos, mas não tenho medo de inserir um pouco de açúcar ou uma "porcaria" aqui e ali.

CURSO BÁSICO DE PLANEJAMENTO DE REFEIÇÕES:
COMO PLANEJAR REFEIÇÕES GOSTOSAS E EFICAZES

Agora você sabe como formular suas metas de calorias e macronutrientes baseadas nos seus propósitos, de modo que você pode comer alimentos de que de fato gosta. O último passo é aprender como transformar esses números em um plano de refeições que você pode seguir todo dia.

E graças à quantidade de flexibilidade que você tem tanto nos alimentos que come quanto no momento em que os ingere, é fácil fazer isso. Vamos recapitular rapidamente as coisas a ter em mente:

- Fique entre 50 a 100 calorias do seu número dependendo da dieta que está fazendo (definir ou crescer).

- Obtenha a maioria das suas calorias de alimentos ricos em nutrientes como os listados antes:

  - abacate;
  - verduras (acelgas, couve, couve-galega, mostarda-castanha e espinafre);
  - pimentão;
  - couve-de-bruxelas;
  - cogumelos;
  - batata assada;
  - batata-doce;
  - frutos carnosos;
  - iogurte desnatado;
  - ovos;
  - sementes (linhaça, abóbora, gergelim e girassol);
  - grãos (grão-de-bico, feijão roxo, feijão branco e feijão carioca);
  - lentilhas e ervilhas;
  - amêndoas, castanha de caju e amendoim;
  - grãos integrais, como cevada, aveia, quinoa e arroz integral;
  - salmão, halibute, bacalhau, vieiras, camarão e atum;
  - carne de boi magra, cordeiro e veado;
  - frango e peru.

- Coma alimentos de que gosta.

- Não tenha medo de incluir algumas coisas gostosas todo dia.

- Coma tantas ou tão poucas refeições por dia quanto desejar, embora eu recomende comer a cada três ou quatro horas, uma vez que provavelmente isso será mais prazeroso.

SEÇÃO III NUTRIÇÃO & DIETA

- Comer proteína com mais frequência provavelmente é melhor do que comer com menos frequência, e cada porção de proteína deve conter pelo menos 30 g a 40 g de proteína.

- Coma de 30 g a 40 g de proteínas e de 40 g a 50 g de carboidratos trinta0 minutos antes de treinar.

- Coma de 30 g a 40 g de proteína e 1 g de carboidrato por quilo de peso corporal depois do treino com levantamento de peso.

- Considere comer 0,5 g de carboidrato por quilo de peso corporal duas horas depois de treino com peso.

Essas são as regras. Vamos analisar agora o processo de fazer um plano de refeições.

Primeiro, recomendo fazer uma longa lista de alimentos nutritivos de que você goste e que poderia comer todo dia. Você pode dividi-los em alimentos de café da manhã, lanches (principalmente fontes rápidas e fáceis de proteínas e carboidratos, como iogurte grego, queijo cottage, oleaginosas e assim por diante) e alimentos de almoço e jantar.

Você deve fazer essas listas em uma planilha no seu computador com páginas separadas para cada tipo de refeição, e então colunas para alimento, quantidade, proteína, carboidrato, gordura e calorias, assim:

ALIMENTO	QUANTIDADE	PROTEÍNAS	CARBOIDRATOS	GORDURAS	CALORIAS
Aveia	1/2 xícara	3	14	2	83

Faça essas listas usando www.calorieking.com ou caloriecount.about.com [ambos em inglês] para pesquisar os dados dos vários alimentos de que você gosta.

Quando estiver satisfeita com suas listas, será hora de começar a fazer o verdadeiro plano de refeições. Como você sabe, o objetivo primário é terminar dentro de 50 calorias da sua meta.

Gosto de fazer meus planos de refeições também em planilhas, que formulo da seguinte forma (a tabela é de fato de um plano de refeições meu, fazendo dieta de definir):

REFEIÇÃO	ALIMENTO	PROTEÍNAS	CARBOIDRATOS	GORDURAS	CALORIAS
1	1 xícara de leite de arroz	1	25	2	122
1	1 banana	1	25	0	104
1	1 colher de proteína	24	3	1	117
2	2 colheres de proteína	48	6	2	234
2	1 banana	1	25	0	104
2	2 xícaras de leite de arroz	1	56	2	246
3	4 colheres de sopa de manteiga de amendoim em pó	8	12	2	98
3	Muffin	1	25	1	113
3	Gelatina	0	18	0	72
4	130g de carne	30	0	4	156
4	Legumes	1	10	0	44
4	Tempero	0	0	8	72
5	1 colher de proteína	30	5	0	140
5	130g de carne	30	0	3	147
5	Legumes	1	20	0	84
5	Carboidratos	1	50	0	204
5	Sobremesa	2	40	10	258
6	1 xícara de iogurte grego	23	10	5	177
Suplementos	Óleo de peixe	0	0	8	72
TOTAIS		**203**	**330**	**48**	**2564**

Eu uso fórmulas para calcular as "CALS" e "TOTAIS" automaticamente, de modo que possa facilmente ver como as coisas estão enquanto jogo com os vários alimentos e refeições.

Começo colocando meus números de pré-treino e pós-treino, já que esses são "fixos". Para mim, eles são as refeições 1 e 2 acima (1 é pré-treino, e 2, pós-treino).

Preenchidos esses dois, você tem liberdade para "gastar" seus macronutrientes como bem entender. Se gosta de um café da manhã reforçado, ponha no papel e veja

SEÇÃO III NUTRIÇÃO & DIETA

o que fica para você no resto do dia. Se prefere um café leve e um grande almoço ou jantar, vá em frente e veja como fica.

Como você pode ver no meu exemplo acima, tenho entradas para "carne", "verduras", "carboidratos" e "sobremesa", porque eu os troco todo dia com base no que estou a fim de comer. Um dia minhas verduras podem ser ervilhas, no outro, vagem, no outro, uma mistura de pimentões e cogumelos, e assim por diante. Eu simplesmente tenho opções simples formuladas para a minha distribuição de "carboidratos vegetais".

Você também pode ter notado que eu incluí óleo de peixe no meu plano. Não se esqueça de contar as calorias dos suplementos que toma.

À medida que joga com números e alimentos, você verá rapidamente o que funciona e o que não funciona. Por exemplo, alimentos gordurosíssimos geralmente não funcionam, porque consomem uma quantidade grande demais da porção diária de gordura alimentar de uma vez. A maioria das pessoas achará mais prazeroso comer uma variedade de alimentos com menos gordura ao longo do dia do que uma refeição que consuma quase toda a gordura do dia.

Nas próximas páginas, você encontrará vários exemplos de planos de refeições personalizados que minha equipe criou para os nossos clientes.

DIETA DE CRESCIMENTO – 45 KG

REFEIÇÃO		ALIMENTAÇÃO	CALORIAS	PROTEÍNAS	CARBOIDRATOS	GORDURAS
1	CAFÉ DA MANHÃ	2 claras de ovo	34	7,2	0,4	0,2
		1 ovo inteiro	72	6,3	0,4	5
		¼ de xícara de legumes (pimentão, cebola, cogumelos)	17	0,5	3,8	0
		1 fatia de pão integral	80	4	14	0,1
	TOTAL	REFEIÇÃO 1	203	18	18,6	5,3
		MUSCULAÇÃO				
2	PÓS-TREINO	1 colher de whey protein	100	22	2	0
		1 xícara de leite de amêndoas	30	1	1	2,5
		1 banana média	105	1,3	27	0,4
		100 g de mirtilo	57	0,8	14,5	0,3
	TOTAL	REFEIÇÃO 2	292	25,1	44,5	3,2
3	ALMOÇO	½ porção de refogado de frango de *Dieta de Academia**	100	21	3	1
		1 xícara de arroz integral	200	4	42,7	1,3
	TOTAL	REFEIÇÃO 3	300	25	45,7	2,3
4	LANCHE	110 g de iogurte grego	86	11,5	4,6	2,3
		1 colher de chá de mel	21	0	5,8	0
		1 maçã média	95	0	25,1	0
		2 colheres de sopa de pasta de amendoim	188	8	6,3	16,1
	TOTAL	REFEIÇÃO 4	390	19,5	41,8	18,4
5	JANTAR	100 g de lombo sem gordura	136	22,9	0	3,9
		110 g de batata branca	158	4,2	36	0,2
		1 colher de sopa de manteiga	102	0	0	11,6
		1 xícara de aspargo	27	2,9	5,2	0,2
		½ xícara de sorvete	122	0	31	0
	TOTAL	REFEIÇÃO 5	545	30	72,2	15,9
		TOTAIS	1730	117,6	222,8	45,1
		OBJETIVO	1725	110	220	45

*livro publicado pela Faro.

MANTER - 57 KG

	REFEIÇÃO	ALIMENTAÇÃO	CALORIAS	PROTEÍNAS	CARBOIDRATOS	GORDURAS
1	CAFÉ DA MANHÃ	4 claras de ovo	68	14,4	0,8	0,4
		20 g de queijo feta	53	2,8	0,8	4,3
		40 g de aveia	150	5	27	3
		100 g de morango ou 50 g de mirtilo	29	0,4	7,2	0,2
		Canela, noz-moscada, estévia, extrato de baunilha (se desejar)	10	0	1,3	0
	TOTAL	REFEIÇÃO 1	310	22,6	37,1	7,9
2	ALMOÇO	Quesadillas de frango de *Dieta de Academia*	293	28	31	6
	TOTAL	REFEIÇÃO 2	293	28	31	6
3	LANCHE	1 concha de whey protein	100	22	2	0
		1 xícara de leite de amêndoas não adoçado	30	1	1	2,5
		1 banana média	105	1,2	26,9	0
	TOTAL	REFEIÇÃO 3	235	24,2	29,9	2,5
		MUSCULAÇÃO				
4	JANTAR	Espaguete com queijo de cabra e aspargos de *Dieta de Academia*	389	20	50	13
		30 g de chocolate ao leite	152	2,2	17,3	10,1
	TOTAL	REFEIÇÃO 4	451	22,2	67,3	23,1
5	CEIA	220 g de iogurte grego	173	23	9,3	4,6
		50 g de granola	169	5,7	33,9	2,4
	TOTAL	REFEIÇÃO 5	342	28,7	43,2	7
		TOTAIS	1721	125,7	208,5	46,5
		OBJETIVO	1700	125	200	45

DEFINIR - 64 KG

REFEIÇÃO		ALIMENTAÇÃO	CALORIAS	PROTEÍNAS	CARBOIDRATOS	GORDURAS
1	SHAKE DE CAFÉ DA MANHÃ	1 concha de whey protein	100	22	2	0
		1 xícara de leite de amêndoas	30	1	1	2,5
		1 banana média	105	1,2	27	0
		1/3 xícara de morangos	15	0,3	3,5	0,2
		Canela (se desejar)	4	0	1	0
	TOTAL	REFEIÇÃO 1	254	24,5	34,5	2,7
2	ALMOÇO	150 g de peito de peru	161	34,8	0	2
		Salada (2-3 xícaras de espinafre, ½ cenoura, ½ pepino, ½ tomate médico	62	2,9	11	0,5
		2 colheres de sopa de vinagre balsâmico	20	0	4	0
		¼ abacate	103	1	4,3	9,8
	TOTAL	REFEIÇÃO 2	346	38,7	19,3	12,3
3	LANCHE	110 g de queijo cottage	102	15,5	4,1	2,2
		Pimenta a gosto	0	0	0	0
	TOTAL	REFEIÇÃO 3	102	15,5	4,1	2,2
4	JANTAR	150 g de peito de peru ou 150 g de camarão	161	34,8	0	2
		150 g de batata-doce	136	3	31,1	0,3
		100 g de legumes (brócolis, aspargo, abobrinha, vagem)	34	2,7	6,6	0,3
		1 colher de chá de manteiga	34	0	0	3,9
		Canela para a batata (se desejar)	4	0	1	0
	TOTAL	REFEIÇÃO 4	573	71,5	46,9	10,9
		MUSCULAÇÃO				
5	SHAKE PÓS-TREINO	1 concha de whey protein	100	22	2	0
		1 xícara de leite de amêndoas não adoçado	30	1	1	2,5
		1 banana média	105	1,2	26,9	0
		1/3 xícara de mirtilos	25	0,3	6,3	0,2
	TOTAL	REFEIÇÃO 5	260	24,5	36,2	2,7
		TOTAIS	1535	174,7	141	30,8
		OBJETIVO	1510	170	140	30

SECAR – 82 KG

REFEIÇÃO	ALIMENTAÇÃO	CALORIAS	PROTEÍNAS	CARBOIDRATOS	GORDURAS
1 SUPLEMEN. PRÉ-TREINO	1 concha de pré-treino	5	0	5	0
	10 g de BCAAs	0	0	0	0
TOTAL	**REFEIÇÃO 1**	**5**	**0**	**5**	**0**

MUSCULAÇÃO

REFEIÇÃO	ALIMENTAÇÃO	CALORIAS	PROTEÍNAS	CARBOIDRATOS	GORDURAS
2 SHAKE PÓS-TREINO	1 concha de whey	100	22	2	0
	1 xícara de leite de amêndoas não adoçado	30	1	1	2,5
	1 banana média	105	1,3	27	0,4
	2 colheres de sopa de pasta de amendoim	188	8	6,3	19
TOTAL	**REFEIÇÃO 2**	**423**	**32,3**	**42,6**	**37,6**
3 ALMOÇO	150 g de peito de frango ou 150 g de camarão	161	34,8	0	2
	200 g de legumes (brócolis, aspargo, abobrinha, vagem)	68	5,5	13,2	0,7
	2 colheres de chá de manteiga	68	0	0	7,7
TOTAL	**REFEIÇÃO 3**	**297**	**40,3**	**13,2**	**10,4**
4 JANTAR	150 g de lombo sem gordura	204	34,2	0	5,9
	1 porção de risoto de funghi de *Dieta de Academia*	255	12	49	3
TOTAL	**REFEIÇÃO 4**	**459**	**46,2**	**49**	**8,9**
5 CEIA	220 g de iogurte grego	173	23	9,3	4,6
	Estévia a gosto	0	0	0	0
	12 amêndoas	83	3	3,1	7,2
TOTAL	**REFEIÇÃO 5**	**256**	**26**	**12,4**	**11,8**
	TOTAIS	**1440**	**144,8**	**115,9**	**50,1**
	OBJETIVO	**1430**	**145**	**100**	**50**

Você deve ter notado que as calorias e os macronutrientes são levemente diferentes daqueles das fórmulas já fornecidas, e isto é porque conseguimos trabalhar com a quantidade exata de exercícios que as pessoas fazem por semana e, assim, ajustar seus números de ingestão de calorias para que tenham o máximo de exatidão possível.

Gostaria de obter ajuda com o planejamento das suas refeições? Você pode saber mais sobre meu serviço de planos nutricionais personalizados em www.muscleforlife.com/mp [em inglês].

COMO "SER INFIEL" SEM ESTRAGAR SUA DIETA

Muitos têm dificuldade de entender o que significam os "dias infiéis" no planejamento de dietas. A ideia é que se você for bem durante a semana, pode pirar o cabeção nos finais de semana.

Bem, a não ser que você tenha um metabolismo *muito* rápido, não é assim que funciona. Quem segue um programa estrito de exercícios e dieta pode esperar perder cerca de 450 g de gordura por semana. E se você enlouquecer demais ao ser infiel, pode ganhar tudo isso de volta (e mais!) em um final de semana. Se estiver num programa para crescer, pode ganhar o dobro da quantidade de gordura que ganharia normalmente naquela semana.

Há modos muito mais inteligentes de lidar com a infidelidade.

Primeiro, quero que você pense em *refeições* infiéis, não nos *dias*. Nenhuma dieta sensata deve incluir dias inteiros de excesso de alimentação, mas uma única sessão de sobrealimentação moderada toda semana é aconselhável quando se está fazendo dieta para perder peso.

Por quê?

Bem, há o impulso psicológico, que a mantém feliz e motivada, o que em última análise torna mais fácil a fidelidade à dieta.

Há também um impulso fisiológico, mas não o impulso metabólico que você deve estar imaginando. Sim, estudos sobre excesso de alimentação mostram que fazê-lo pode impulsionar a taxa metabólica em 3% a 10%, mas isso não significa muito quando se considera que seria necessário comer entre algumas centenas a alguns milhares de calorias extras por dia para alcançar esse efeito, negando assim os benefícios metabólicos.

O efeito fisiológico que estamos procurando se relaciona ao hormônio leptina, que regula a fome, a taxa metabólica, o apetite, a motivação, a libido, entre muitas outras funções.

SEÇÃO III NUTRIÇÃO & DIETA

Quando você está com déficit calórico e perde gordura, seus níveis de leptina caem. Isto, por sua vez, faz com que sua taxa metabólica desacelere, seu apetite aumente, sua motivação desapareça e seu humor azede.

Quando você dá a seus níveis de leptina um impulso drástico, porém, isto pode ter efeitos positivos na oxidação da gordura, na atividade da tireoide, no humor, e mesmo nos níveis de testosterona.

Comer carboidratos é o modo mais efetivo de aumentar os níveis de leptina, comer proteína tem efeito moderado, comer gordura tem de pouco a nenhum efeito nos níveis de leptina, e beber álcool os diminui.

Assim, uma boa refeição infiel é aquela que é rica em proteínas e carboidratos, pobre em gordura e sem álcool, além de não fornecer um grande excedente de calorias no dia.

Não tem o menor problema terminar o dia com algumas centenas de calorias acima do seu consumo normal, mas você terá problemas se consumir mais de 1.000 calorias do que queimou no dia, especialmente se grande quantidade delas for proveniente de gordura. Acrescente um pouco de álcool, que não apenas atrapalha a produção de leptina, mas também acelera o armazenamento de gordura alimentar como gordura corporal, e você pode desfazer uma bela porção do seu progresso semanal em uma refeição.

CONSIDERE "REALIMENTAR" EM VEZ DE SER INFIEL

Outra maneira agradável de fazer uma pausa psicológica na dieta e impulsionar os níveis de leptina é o "Dia da Realimentação".

É simples. Funciona assim:

Pegue seu consumo de calorias atual e aumente-o em 30%. Isto fornecerá um excedente suficiente para garantir os benefícios da realimentação sem acrescentar muita gordura corporal.

A seguir, decomponha as calorias no seguinte perfil de macronutrientes:

- 1 g de proteína para cada 500 g de peso corporal;

- O mínimo de gordura possível (a maioria das recomendações exige 20 g ou menos por dia);

- O resto de carboidratos.

Essa é a meta de macronutrientes para o seu Dia da Realimentação. Por exemplo, recentemente eu terminei uma dieta de definição com 85 kg, comendo cerca de 2.200 calorias por dia. Meu Dia de Realimentação ficava mais ou menos assim:

- Meta calórica: 2.900;

- 190 g de proteína;

- De 15 g a 20 g de gordura (que pode estar presente em outros alimentos);

- 500 g de carboidrato.

Caso você esteja questionando como calculei os 500 g de carboidrato, eu simplesmente subtraí as calorias das proteínas e gorduras (760 e 135, respectivamente) de 2.900. O resultado — 2.000 (arredondados) — eu dividi por 4 para converter as calorias em gramas de carboidrato.

E caso você esteja questionando como é possível que eu tenha seguido esses números, saiba que obtive minhas proteínas de frango, suplemento em pó e iogurte grego com 0% de gordura, e meus carboidratos, de frutas, batata, batata-doce, massa de trigo integral e panquecas.

Recomendo planejar seu dia de realimentação para um dia que seja seguido por outro de treino. Muitos o planejam para o dia antes de treinar o(s) grupo(s) muscular(es) em que estão defasados, pois o aumento nos carboidratos resulta em mais energia para malhar.

O efeito global da realimentação é que você se sente melhor tanto física quanto psicologicamente, tem muito menos chances de ceder a tentações e retroceder, e pode até experimentar uma bela aceleração da perda de gordura nos três a cinco dias seguintes.

Apesar disso, há um porém: a realimentação exige autocontrole.

Se você abusar dessas sessões controladas de realimentação, simplesmente ganhará gordura demais para que elas sejam de algum auxílio efetivo para a perda de peso.

Se você preferir não fazer a realimentação, porém, e ficar com uma refeição infiel moderada por semana, não tem o menor problema. Vá ao seu restaurante favorito, coma seu prato rico em carboidratos predileto, peça sobremesa e fique feliz de saber que isso não é obstáculo para que você atinja suas metas.

SEÇÃO III NUTRIÇÃO & DIETA

A RAIZ DA QUESTÃO

Fazer dieta é muito mais fácil e prazeroso do que a maioria das pessoas pensa. Embora comer tudo o que quiser não funcione, com um pouco de criatividade e previdência no planejamento das refeições você poderá fazer uma variedade infinita de cardápios pelos quais ansiará todos os dias.

Você não deve se sentir excessivamente cheia nem faminta, carente ou estressada a respeito do que você deve ou não deve, pode ou não pode comer; e não deve ser necessário nada além de ajustes menores de consumo de calorias e exercícios para que seu corpo continue progredindo em direção a suas metas finais.

RESUMO DO CAPÍTULO

INTRODUÇÃO

- *Definir* quer dizer, em "língua de academia", fornecer ao corpo menos energia do que ele queima diariamente para maximizar a perda de gordura e minimizar a perda de músculos. De modo geral, não é possível ganhar massa muscular nessa fase.

- *Crescer* significa alimentar o corpo com ligeiramente mais energia do que ele queima por dia para maximizar o crescimento muscular. Você também ganha gordura corporal enquanto cresce.

- *Manter* refere-se a dar ao corpo a energia que ele queima todos os dias, o que permite ganhos musculares lentos sem ganhar gordura alguma.

- Restringir calorias prejudica a capacidade do corpo de desenvolver músculos, enquanto consumir um ligeiro excedente de calorias a maximiza.

- Os únicos que podem efetivamente (e de forma natural) ganhar músculos e perder gordura ao mesmo tempo são novatos que têm uma quantidade razoável de gordura a perder e pessoas que tinham ótima forma e estão voltando a ela (a "memória muscular" permite recuperar rapidamente os músculos que já se teve).

DEFINIR

- Sua meta é perder cerca de 250 g por semana ao definir, e se isso soar pouco, lembre-se de que a perda de peso que é muito rápida é indesejável, pois significa que, além de gordura, você está perdendo uma boa quantidade de músculos.

- Se tiver um bocado de gordura a perder, você pode acabar perdendo acima de 1 kg ou 1,5 kg por semana, e não há problema nisso. À medida que o tempo passa, no entanto, o ritmo deve cair para lento até uma taxa de 250 g e 500 g por semana.

- Durante as primeiras semanas de dieta de definição, você pode esperar ficar com um pouco de fome de vez em quando e ter fissura por alguns alimentos. Isso não significa que você está perdendo músculos ou que há alguma outra coisa errada.

- Quando estou definindo, tento permanecer dentro de uma margem de 50 calorias em relação à minha meta diária. Alguns dias passo um pouco, outros fico abaixo, mas não acontece nenhum grande desequilíbrio no meu consumo de calorias.

- De modo geral, se seu peso está aumentando com uma dieta de definição, você está comendo demais ou se movimentando de menos.

- A diminuição das medidas da sua cintura (no umbigo) é um indicador confiável de que você está perdendo gordura; então, se as suas calças jeans estiverem mais largas, é um bom sinal.

- Embora possa ser difícil observar mudanças no nosso corpo quando os vemos todos os dias, você definitivamente perceberá uma diferença visual após algumas semanas de definição. Você deverá estar mais magra e menos inchada.

- Todos temos os nossos dias de muita e de pouca energia, mas se você estiver sem energia com mais frequência do que antes, é provável que não esteja comendo o suficiente ou que esteja comendo excesso de carboidratos com alto índice glicêmico.

- Se sua força diminuir em quantidade considerável, é provável que você esteja comendo menos do que deveria e precise aumentar a ingestão de alimentos.

- Se seu coração fica acelerado à noite, e você, ansiosa, virando-se de um lado para o outro na cama e acordando com mais frequência, pode estar comendo menos do que deveria ou treinando além da conta.

- O melhor modo de evitar as calorias ocultas é preparar sua comida você mesma, de modo que saberá exatamente o que vai nela.

- Se o seu peso continua o mesmo há sete ou dez dias e você não emagreceu nem um pouco e está 100% presa nos mesmos números, você simplesmente precisa se movimentar mais ou diminuir o consumo de calorias.

- Não é desejável reduzir a ingestão de calorias a um número menor que a sua TMB, uma vez que isso pode causar excesso de desaceleração metabólica.

CRESCER

- Com base na minha experiência trabalhando com milhares de pessoas, a mulher mediana em dieta de crescimento correta ganhará músculo e

SEÇÃO III NUTRIÇÃO & DIETA

gordura corporal com uma proporção de cerca de 1:1 (1 kg de gordura para cada quilo de músculo).

- Em termos de ganho de peso na dieta para crescer, o desejável é que o peso suba a uma taxa de cerca de 100 g a 200 g por semana. Mais do que isso fará com que você ganhe muita gordura. Se o levantamento de pesos for novidade para você, no entanto, então provavelmente você ganhará cerca de 500 g por semana durante as primeiras semanas, enquanto seus músculos se enchem de água e glicogênio.

- Quando a sua dieta de crescimento estiver nos trilhos, você aumentará o número de repetições nos principais exercícios toda semana, e o peso na barra a cada três a quatro semanas. Também é esperado que você retenha mais líquido do que o normal, uma vez que estará comendo uma quantidade substancial de carboidratos por dia.

- Quando estou fazendo dieta para crescer, tento me manter dentro de 100 calorias da minha meta diária, e erro para mais (melhor estar acima da meta do que abaixo).

- Não entenda esse regime como licença para comer tudo o que quiser quando quiser, pois isto levará inevitavelmente a excessos e, portanto, a reserva de gordura, o que desacelerará seus ganhos a longo prazo.

- Você pode fazer uma "refeição infiel" toda semana, mas modere. Lembre-se de que uma refeição desse tipo rica em proteína e carboidrato é preferível a uma rica em gordura.

- Recomendo comer bastante carne na dieta para crescer, pois isso é particularmente efetivo para desenvolver músculos. De modo geral, eu como duas porções de carne por dia (no almoço e no jantar) e alterno entre vários tipos, como peru, frango, carne de boi magra e peixe.

- Se quiser, você pode reduzir suas calorias para nível de manutenção nos dias de descanso, ou pode continuar com os números do programa para crescer.

- Se, após sete a dez dias, seu peso não tiver subido apesar de você dar duro nos treinos, é porque simplesmente não está comendo o suficiente. Aumente seu consumo diário em 100 calorias (adicionando mais carboidratos, de preferência) e reavalie nos próximos sete a dez dias. Se isso não resultar em aumento de peso, aumente novamente e repita o processo até estar ganhando peso a uma taxa de cerca de 100 g a 200 g por semana.

MANTER

- Você deve crescer e definir até que esteja feliz com seu tamanho e desenvolvimento geral, e então pode usar a dieta de manutenção para continuar em forma.

- De modo geral, você deve ver seu peso subir lentamente ao longo de vários meses quando está em uma dieta de manutenção, e a sua percentagem de gordura corporal deve permanecer mais ou menos a mesma.

- Você ainda pode ser infiel à dieta uma vez por semana durante a manutenção desde que não passe da conta. Se passar, recomendo que reduza sua ingestão para o nível de definição durante um ou dois dias para perder um pouco da gordura que terá ganho.

PLANEJAMENTO DE REFEIÇÕES

- Recomendo restringir-se a alimentos nutritivos, mas tirando isso não há mais regras além de "alcance seus números todo dia".

- Obtenha pelo menos 80% das suas calorias diárias de alimentos saudáveis (densos em micronutrientes) de que goste.

- Desde que a vasta maioria das suas calorias diárias venha de fontes saudáveis cheias de micronutrientes, sinta-se livre para incluir algumas delícias se o desejar.

- Coma tantas ou tão poucas refeições por dia quanto desejar, embora eu recomende comer a cada três ou quatro horas, uma vez que provavelmente isso será mais prazeroso.

- Comer proteína com mais frequência provavelmente é melhor do que comer com menos frequência, e cada porção de proteína deve conter pelo menos de 30 g a 40 g de proteína.

- Coma de 30 g a 40 g de proteína e cerca de 40 g a 50 g de carboidrato trinta minutos antes do treino.

- Coma de 30 g a 40 g de proteína e 1 g de carboidrato por peso de quilo corporal antes do treino com peso.

- Considere comer 0,5 g de carboidrato por quilo de peso corporal duas horas depois de treino com peso.

- Eu gosto de fazer meus planos de refeições em planilhas, e uso fórmulas para calcular as "Calorias" e "Totais" automaticamente, de modo que eu possa facilmente ver como as coisas estão enquanto jogo com os vários alimentos e refeições.

- Preenchidos os números de pré-treino e pós-treino, você tem liberdade para "gastar" seus macronutrientes como bem entender.

- Não se esqueça de contar as calorias dos suplementos que ingere.

- Se quiser obter ajuda com o planejamento das suas refeições, saiba mais sobre meu serviço de planos nutricionais personalizados em www.muscleforlife.com/mp [em inglês].

SEÇÃO III NUTRIÇÃO & DIETA

INFIDELIDADE

- Quem segue um programa estrito de exercícios e dieta pode esperar perder cerca de 250 g a 500 g de gordura por semana. E se você enlouquecer demais ao ser infiel, pode ganhar tudo isso de volta (e mais!) em um final de semana. Se estiver num programa para crescer, pode ganhar o dobro da quantidade de gordura que ganharia normalmente naquela semana.

- Quero que você pense em refeições infiéis, não em dias. Nenhuma dieta sensata deve incluir dias inteiros de excesso de alimentação, mas uma única sessão de sobrealimentação moderada toda semana é aconselhável quando se está fazendo dieta para perder peso.

- Uma boa refeição infiel é aquela que é rica em proteínas e carboidratos, pobre em gordura e sem álcool, além de não fornecer um grande excedente de calorias no dia.

REALIMENTAÇÃO

- O efeito global da realimentação é que você se sente melhor tanto física quanto psicologicamente, tem muito menos chances de ceder a tentações e retroceder, e pode até experimentar uma bela aceleração da perda de gordura nos três a cinco dias seguintes.

- Recomendo planejar seu dia de realimentação para um dia que seja seguido por outro de treino. Muitas pessoas o planejam para o dia antes de treinar o(s) grupo(s) muscular(es) em que estão defasadas, pois o aumento nos carboidratos resulta em mais energia para malhar.

- A realimentação exige autocontrole. Se você abusar dessas sessões controladas de realimentação, simplesmente ganhará gordura demais para que elas sejam de qualquer auxílio efetivo para a perda de peso.

Como ter alimentação saudável com pouco dinheiro

*Não se avalie pelo que alcançou, mas pelo que deveria
ter alcançado com a habilidade que tem.*

— JOHN WOODEN

AO OBTER A MAIORIA das suas calorias de alimentos nutritivos, você gozará de melhora de energia, sistema imunológico, desempenho cognitivo e de uma sensação geral de bem-estar. E, informalmente falando, as pessoas com os melhores físicos que conheço têm alimentação "saudável", obtendo apenas uma pequena porção de suas calorias diárias de indulgências que "fazem mal".

Mas os benefícios de comer alimentos nutritivos não são novidade para ninguém. Fora a força de vontade, há um grande problema com o qual aqueles que tentam se alimentar de modo saudável têm de lidar: custos.

De acordo com uma pesquisa de cientistas da Universidade de Washington, alimentar-se de modo saudável pode chegar a custar *10 vezes* mais do que viver de "porcarias" baratas altamente processadas.

Claro, há boas razões para comer alimentos orgânicos, mas eles custam um braço. Comer excesso de carnes de baixa qualidade e altamente processadas colocam sérios riscos à saúde, mas encontrar fontes alternativas saudáveis e baratas pode ser bem difícil. Assim, não espanta que muitas pessoas achem que para ter uma alimentação saudável é preciso torrar metade do salário em comida toda semana.

Bem, felizmente, a alimentação saudável não precisa ser tão cara quanto você imagina. Com um pouco de previdência, você pode montar cardápios cheios de alimentos nutritivos sem empobrecer no processo.

SEÇÃO III NUTRIÇÃO & DIETA

FONTES BARATAS DE PROTEÍNAS E GORDURA SAUDÁVEIS

Qualquer que seja seu objetivo com relação ao seu corpo, será necessário comer bastante proteína. E isso pode se acumular rapidamente.

Segue-se a lista dos meus tipos preferidos de proteínas de alta qualidade a um preço acessível:

OVOS

Os ovos são uma das melhores fontes globais de proteína, com cerca de 6 g por ovo, além de serem ótima fonte de gorduras saudáveis.

Os ovos também trazem vários benefícios à saúde, como reduzir os riscos de trombose e aumentar as concentrações sanguíneas de dois poderosos antioxidantes: luteína e zeaxantina.

Ah, e se você temer que o colesterol dos ovos aumente os riscos de problemas cardíacos, saiba que esse mito foi totalmente desbancado por pesquisas tanto clínicas quanto epidemiológicas.

E tudo isso a preços bastante baixos.

PEITO DE FRANGO

Há muitas razões para que aqueles com mentalidade *fitness* comam tanto frango: é barato, rico em proteína e pobre em gordura.

E embora seja verdade que as proporções entre ômega-6 e ômega-3 nele não sejam boas (cerca de 10:1, enquanto a carne de boi é cerca de 2:1), sempre se pode compensar facilmente qualquer desequilíbrio de ácidos graxos com suplementação de óleo de peixe ou óleo de krill, ou comendo peixes gordurosos como salmão, truta, arenque, sardinha e cavala.

O custo do peito de frango é bem baixo, e 500 g têm cerca de 100 g de proteína.

AMÊNDOAS

A amêndoa é, de longe, minha semente oleaginosa favorita. É deliciosa e nutritiva — uma porção (cerca de 15) contém 9 g de gordura saudável, 4 g de proteínas e pouco menos de 4 g de carboidratos. Como os ovos, também está ligada a vários benefícios para a saúde, como redução do risco de diabetes e peso corporal menor.

Além de baratas, elas são ótimas sozinhas, e combinam com cereais frios, como granola e musli, e cereais quentes, como aveia.

Porém, meu modo favorito de comer amêndoas é em forma de manteiga de amêndoas raladas na hora. Fica ótima sozinha, mas brilha quando combinada a frutas como banana ou maçã.

QUEIJO COTTAGE COM BAIXO TEOR DE GORDURA

Uma porção de meia xícara de queijo cottage com baixo teor de gordura custa pouco e fornece 14 g de proteína com apenas 1 g de gordura.

Acho que fica ótimo com nada mais que uma pitada de pimenta e sal, mas também gosto com frutas, como abacaxi e amora.

SUPLEMENTO DE PROTEÍNA EM PÓ

Muitos se espantam ao saber do custo-benefício da proteína em pó. Você compreende isso ao considerar que 250 g de *whey protein* fornecem cerca de 400 g de proteína da mais alta qualidade.

ABACATE

O abacate é uma excelente fonte de gordura alimentar e de gordura monoinsaturada em particular (um abacate contém cerca de 15 g), o que está ligado a níveis de colesterol melhores, redução do risco de doenças cardíacas e melhora do funcionamento cerebral. Ainda por cima, o abacate é cheio de fitoquímicos, que combatem o câncer.

E não é só guacamole que se pode fazer com abacate — a fruta fica ótima com ovos, sopas e molho de salsa.

E, com tudo isso, o abacate é bastante barato.

FONTES BARATAS DE CARBOIDRATOS SAUDÁVEIS

A forma mais popular de carboidrato nos Estados Unidos são porcarias processadas, que, como você sabe, podem trazer sérios riscos à saúde se consumidos com muita frequência por muito tempo. Por outro lado, a ingestão frequente de carboidratos nutritivos foi associada a redução do risco de doenças crônicas.

Estas são as minhas fontes preferidas de carboidratos baratos e saudáveis:

SEÇÃO III NUTRIÇÃO & DIETA

AVEIA

Uma xícara de aveia tem um pouco mais de 50 g de carboidratos, 10 g de proteína e 6 g de gordura.

Aveia custa pouco e é uma excelente fonte de carboidratos de IG médio e de fibras. Pesquisas demonstram, ainda, que a aveia pode reduzir os níveis de colesterol LDL ("ruim").

A "tigela de aveia" é um elemento básico na dieta de muitos halterofilistas, mas você pode usar aveia até mesmo para substituir a farinha para assar ou usá-la como farinha de rosca para empanar frango.

FEIJÃO-PRETO

O feijão-preto é uma ótima fonte de carboidratos, bem como de proteínas, potássio, cálcio, ácido fólico e fibras.

Uma xícara dele contém cerca de 40 g de carboidratos, 15 g de proteína e 1 g de gordura, e cabe em qualquer bolso.

Feijão cozido é um ótimo acompanhamento para qualquer prato de proteína, mas feijão-preto também é perfeito para fazer sopas e molhos.

ARROZ INTEGRAL

Como a aveia, o arroz integral é um pau para toda obra das pessoas com mentalidade *fitness*, e por bons motivos.

Ele é muito barato, e uma xícara fornece cerca de 45 g de carboidratos, 5 g de proteína e 2 g de gordura. O arroz integral tem quase quatro vezes mais fibra que o arroz branco, assim como mais vitaminas, minerais e outros micronutrientes benéficos.

QUINOA

A quinoa é fácil de preparar, saborosíssima, barata e cheia de proteínas e carboidratos saudáveis.

Uma xícara de quinoa em grãos tem 110 g de carboidratos, 24 g de proteína e 10 g de gordura, e pode ser preparada da mesma maneira que o arroz integral.

FRUTAS

Comer fruta não tem como dar errado. Minhas opções preferidas são uvas, maçãs, bananas e laranjas, que são cheias de uma variedade de antioxidantes, vitaminas, minerais e fibras, e custam pouco.

Mas se você teme que a frutose das frutas possa fazer mal à saúde, pode dormir em paz. Seria preciso comer uma quantidade absurda de frutas por dia para vir a ter algum problema.

De acordo com uma meta-análise de estudos clínicos que avaliam a ingestão de frutose, consumir de 25 g a 40 g de frutose por dia não tem impacto negativo na saúde. Isso é de 3 a 6 bananas, de 6 a 10 xícaras de morangos, de 10 a 15 cerejas ou 2 a 3 maçãs por dia. Ou, como diz o velho conselho, algumas porções de frutas por dia.

Problemas com a ingestão de frutose só aparecem em pessoas que ingerem regularmente grandes quantidades de açúcares refinados, como HFCS ou sacarose.

Por exemplo, uma garrafa de refrigerante de 600 ml adoçada com HFCS contém cerca de 35 g de frutose. Um grama de sacarose é mais ou menos metade glicose, metade frutose; então, ao comer uma sobremesa com 50 g de açúcar, você recebe cerca de 25 g de frutose. Mesmo néctar de agave, que é considerado saudável por muitos devido a suas propriedades de baixa glicemia, pode chegar a 90% de frutose. Outras formas menos processadas podem ter apenas 55%.

A conclusão é que você pode evitar todos os problemas de saúde relacionados ao consumo de frutose limitando a ingestão de alimentos com acréscimo de açúcares, como agave, sacarose, mel, xarope de bordo, açúcar mascavo, melaço, açúcar demerara, HFCS, e assim por diante.

BATATA-DOCE

A batata-doce é a opção certa quando você quer algo doce e nutritivo. É saborosíssima quando bem preparada (eu costumo usar sal, canela, *pumpkin spice** e um pouco de manteiga), está no meio do índice glicêmico e é cheia de vitamina A e outros micronutrientes.

Uma xícara de purê de batata-doce fornece cerca de 60 g de carboidratos, 4 g de proteína e menos de 1 g de gordura. E o custo é tão insignificante que você não pode se dar ao luxo de *não* incluir batata-doce no seu cardápio.

---

* *Pumpkin spice* é uma mistura de condimentos que contém canela, gengibre, cravo, pimenta-da-jamaica e noz-moscada, todos em pó.

SEÇÃO III NUTRIÇÃO & DIETA

A RAIZ DA QUESTÃO

Então, aí está: sim, *é* possível ter alimentação saudável sem estourar o cartão de crédito.

Na verdade, você pode até *economizar* dinheiro se usar alguns outros truques, como comprar legumes congelados, comprar a granel, prestar atenção a promoções e no que está dentro e fora da temporada, e preparar os alimentos em porções para que possa usar tudo o que comprar.

E não esqueçamos que o valor final de comer bem — longevidade, vitalidade e vida sem doenças — não tem preço.

Bem, eu sei que esta seção do livro forneceu *muita* informação para processar, mas tenho boas notícias: você aprendeu mais ou menos tudo o que precisa saber sobre fazer dieta. Você nunca terá problemas para ganhar músculos e perder gordura novamente se seguir os princípios e as orientações que forneci. Sinta-se à vontade para reler esta seção do livro para absorver tudo.

Vamos agora passar para a questão do treinamento e aprender a tirar o máximo proveito do tempo diário que passamos na academia.

SEÇÃO IV
TREINO

16

A filosofia de treino de *malhar, secar, definir — para mulheres*

Muitos fisiculturistas passam tempo demais exercitando grupos musculares menores, como o bíceps, à custa de grupos musculares maiores, como as coxas, e depois não sabem por que nunca fazem progresso em tamanho e força total.

— RORY "REG" PARK

GRANDE NÚMERO DOS programas de treinamento promovidos em revistas e propagandas são essencialmente iguais: muitas máquinas, muitos exercícios isolados, muitas repetições com pouco peso e muito tempo na academia.

Esses programas são melhores do que nada, suponho, mas isso é o máximo que posso dizer de bom sobre deles. Existem maneiras *muito* superiores de gastar seu tempo e sua energia se o seu objetivo for desenvolver um físico ótimo, e não simplesmente mexer o corpo.

Ironicamente, os aparelhos se tornaram elementos básicos das academias não porque sejam particularmente eficientes ou mesmo seguros, mas porque são convidativos. Não intimidam tanto quanto halteres, barras e anilhas.

Bem, embora valha a pena usar um pequeno número de máquinas, como o *leg press* ou o cabo e polia, a vasta maioria é inferior a exercícios com halteres e barras em termos de produzir músculos maiores e mais fortes. Isso inclui a máquina Smith, que já se provou ser menos efetiva para agachamento e supino do que o peso livre.

Assim, o programa de *Malhar, Secar, Definir — Para Mulheres* se concentrará em pesos livres, e não em aparelhos.

Já tratamos da inferioridade dos exercícios de isolamento, mas talvez você questione por que eles são tão populares entre halterofilistas, cujas vidas giram em torno de esculpir cada fibra muscular do corpo para participar de competições. Muitos desses caras são impressionantes de enormes, o que deve significar algo, não?

Bem, o buraco é mais embaixo.

Em resumo, é o seguinte: todo fisiculturista profissional que chega a algum lugar usa drogas. Muitas drogas. Tipo 50 mil a 100 mil dólares de drogas por ano. Sim, todos eles, a despeito do que digam.

E embora existam diferentes escolas de pensamento quanto ao estilo de treinamento ideal para quem está tomando drogas, muitos levantadores gigantes quimicamente têm sucesso apenas sentando na academia por horas todos os dias fazendo séries e mais séries com pesos relativamente leves.

Veja bem, graças às drogas que estão tomando, os corpos deles são capazes de sintetizar proteínas musculares a taxas alarmantes, e é só isso que lhes permite fazer muitas coisas com relação a treino e dieta que não funcionariam de jeito nenhum se estivessem limpos.

O grande problema de focar em exercícios isolados é que a pessoa mediana precisa construir uma boa base geral de músculos e força, não ganhar mais 1 cm na faixa posterior do deltoide ou alongar o grande dorsal mais 2,5 cm até a base das costas.

Há apenas um modo de construir essa base naturalmente: você tem que fazer muita musculação com exercícios multiarticulares e pesados. E mesmo assim, leva um ou dois anos para ganhar os 4 kg a 6 kg de músculo que transformam uma mulher "normal" em "modelo *fitness*".

É por isso que o programa de Malhar, Secar, Definir — Para Mulheres é construído com base em exercícios pesados e multiarticulares, como agachamento, levantamento terra, desenvolvimento com barra, supino reto e muitos outros.

Enfatizar a musculação pesada é o único modo de continuar a sobrecarregar progressivamente os músculos, e exercícios multiarticulares como os listados acima são os que fornecem o melhor retorno do investimento: o maior fortalecimento e condicionamento físico total pelo menor gasto de tempo.

O programa de treinamento de *Malhar, Secar, Definir — Para Mulheres* segue uma fórmula mais ou menos assim:

1-2 | 8-10 | 12 | 2-4 | 60-65 | 5-7 | 8-10

Não, não se trata de nenhum código secreto que você tem de decifrar. Vamos examinar essa fórmula, uma peça por vez.

SEÇÃO IV TREINO

1-2

TREINE DE 1 A 2 GRUPOS MUSCULARES POR DIA

Para alcançar a máxima sobrecarga e estimulação muscular, você treinará um ou dois grupos musculares por treino (por dia).

Embora as divisões entre membros inferiores/superiores e corpo inteiro possam funcionar se programadas corretamente, elas vêm com várias desvantagens.

A primeira é o fato de que o treino de múltiplos grupos musculares grandes em um treino é *muito difícil* para quem está se concentrando em exercícios multiarticulares pesados. Quando faz seis séries pesadas para peitoral e em seguida tenta fazer exercícios pesados para o ombro, você simplesmente não consegue levantar o mesmo que conseguiria se deixasse o treino de ombros para outro dia.

Ao treinar apenas um ou dois grupos musculares por dia, você poderá dar aos seus treinos 100% de foco e intensidade, e treinar pesado sem penar com a fadiga sistêmica e muscular que aparece quando se tenta fazer coisas demais no mesmo treino.

Treinar vários grupos musculares grandes no mesmo dia também leva muito tempo. Eu fazia treinos demorados, de uma hora e meia a duas horas, e, muito francamente, não ficava doido para fazê-los. Agora entro e saio da academia em menos de uma hora, e acho isso muito mais agradável, o que me ajuda a continuar com o programa a longo prazo.

8-10

FAÇA SÉRIES DE 8 A 10 REPETIÇÕES DE PRATICAMENTE TODOS OS EXERCÍCIOS

Eis o que quero dizer com "musculação pesada": Você vai começar o programa trabalhando na faixa de 8 a 10 repetições em praticamente todos os exercícios, e à medida que avançar no programa, vai acrescentar alguns exercícios mais pesados, de 4 a 6 repetições.

Isso significa que você estará usando pesos que permitem pelo menos 8 repetições, mas não mais de 10 (se você não conseguir 8 repetições, está muito pesado; se conseguir 10 ou mais, está muito leve). De modo geral, isso é cerca de 70% da sua 1RM para cada exercício.

E quando começar a fazer exercícios de 4 a 6 repetições, usará pesos que permitem pelo menos 4 repetições, mas não mais do que 6. Isso será de 80% a 85% da sua 1RM.

Você não fará séries de exaustão, superséries, nem nada disso, mas séries intensas e controladas. Deixe para as amadoras os treinos com pesos leves e as fichas de confusão muscular, e será só uma questão de tempo até que se aproximem de você perguntando como pode estar ganhando tanto fazendo tão "pouco".

A ênfase no levantamento de peso multiarticular pesado é um aspecto importantíssimo do programa e é o "coração" da abordagem de treinamento conjunto. É também uma das recomendações mais "controversas" do livro, assim como o número "ideal" de repetições para o crescimento muscular ainda é um assunto de intenso debate, em vez de certeza científica.

Devo dizer que não escolhi essa faixa de repetições aleatoriamente — ela é baseada em uma quantidade considerável de evidências clínicas e experiência prática. E, antes de prosseguir, eu gostaria de mencionar algumas delas aqui, para que você compreenda melhor por que eu não recomendo concentrar-se na faixa de "hipertrofia" mais tradicional de 10 a 12 repetições.

Em 2007, foi publicada pela Universidade de Gotemburgo uma volumosa revisão de artigos sobre musculação que trazia duas descobertas cruciais para os nossos propósitos:

1. Treinar com pesos no intervalo de 70% a 85% da 1RM produz hipertrofia máxima, embora cargas menores ou maiores também produzam resultados proeminentes.

2. Um volume moderado de treinamento, de 30 a 60 repetições por sessão, produz hipertrofia máxima. À medida que a carga diminuía, o número ideal de repetições aumentava (isto é, quanto menores os pesos usados, mais repetições são necessárias para estimular o crescimento muscular máximo).

A Faculdade Americana de Medicina Esportiva publicou um artigo em 2002 que, com base no estudo de centenas de sujeitos, concluiu que o treino com pesos que permitam não mais que 5 a 6 repetições é o mais eficiente para aumentar a força, e que descansar até três minutos entre as séries é o ideal quando se treina desse modo.

Pesquisadores da Universidade Estadual do Arizona revisaram outros 140 estudos sobre musculação e concluíram que o treinamento com pesos que são 80% da sua 1RM produz ganho de força máximo.

Mais um sinal da eficácia de pegar pesos pesados se encontra em um estudo publicado por cientistas da Universidade de Ohio, que fizeram com que 32 homens não treinados praticassem musculação por oito semanas. Eles foram divididos em três grupos: um trabalhou na faixa de 3 a 5 repetições, outro na faixa de 9 a 11 repetições, e o último, na faixa de 20 a 28 repetições. No final do período de oito semanas, o grupo que trabalhou na faixa de 3 a 5 repetições ganhou significativamente mais força e músculos do que os outros dois grupos.

Pois bem, se lê muita coisa sobre musculação, você sem dúvida já deparou com estudos com descobertas contrárias às anteriores. Por exemplo, conheço pelo menos dois estudos muito usados para vender às pessoas a crença de que pegar pesos leves é tão eficaz no desenvolvimento de músculos quanto levantar pesos pesados, desde que se treine até a falha.

Há problemas importantes com essas conclusões, no entanto, porque elas não estão de acordo com observações do mundo real.

A saber, aqueles que desenvolveram corpos notáveis usando treinamento de "exaustão" quase *sempre* passaram por aprimoramento químico em algum ponto ao longo do caminho. E, por outro lado, quase todas as pessoas que você conhece que construíram corpos fortes e musculosos naturalmente o fizeram concentrando-se no levantamento de pesos pesados. Pode ser que mantenham a forma agora com treinamento de mais repetições, mas não *chegaram a ela* com ele.

Eu passei por isso com meu próprio corpo. Quase oito anos de treino exaustivo com muitas repetições não me deram mais do que 11 kg a 14 kg de massa magra, com pelo menos metade disso vindo nos primeiros três anos. A partir de certo momento, estagnei e não fiz verdadeiros ganhos dignos de nome por vários anos.

Eu consegui progredir de novo aplicando o que estou lhe ensinando neste livro: levantando pesos pesados e regulando e equilibrando a ingestão de alimentos. Depois de fazer essas mudanças, minha força explodiu, e meu físico mudou drasticamente — aumentei meus pesos em todos os exercícios em 50% a 100% e fui de cerca de 90 kg com 16% de gordura corporal para os meus 85 kg com 7%, que mantenho com tranquilidade.

Também tive a oportunidade de trabalhar diretamente com milhares de indivíduos, e os resultados são os mesmos de pessoa para pessoa, independentemente da idade, da genética ou do histórico de treinamento. Todos os dias troco e-mails com gente que estava presa no mesmo buraco que eu e que agora progride novamente concentrando-se na musculação pesada e na dieta adequada.

Portanto, não se preocupe se questionarem sua abordagem e lhe disserem para aliviar a carga e aumentar as repetições. Ainda não existe uma resposta universalmente aceita quanto à maneira absolutamente mais efetiva de treinar, tanto para a força quanto para a hipertrofia, e talvez nunca haja. O tema é incrivelmente complicado, com um número aterrador de variáveis a serem consideradas e controladas.

Mas uma coisa é certa: todo estudo bem planejado e bem executado que eu já vi concorda que o treinamento com 70% a 85% da 1RM *funciona*. Neste ponto, posso dizer com certeza absoluta que simplesmente há algo "especial" em enfatizar a musculação pesada e com exercícios multiarticulares no treinamento.

Além disso, estou em boa companhia aqui. Muitas das pessoas mais respeitadas nesta área, como Brad Schoenfeld, Mark Rippetoe, Layne Norton, Alan Aragon, Lyle McDonald e Pavel Tsatsouline também defendem o mesmo estilo de treinamento para resultados máximos na academia.

E a melhor parte é que você não precisa confiar na minha palavra com relação a isso. Se simplesmente seguir a ficha de exercícios delineada neste livro e no relatório extra, você *fará* progressos impressionantes em termos de força e de tamanho.

9-12
FAÇA DE 9 A 12 SÉRIES PESADAS POR TREINO

Sejam quais forem os exercícios que você venha a fazer, os treinos neste programa exigirão de 9 a 12 séries pesadas (ou *de trabalho*) por treino, que são as séries para desenvolver músculos feitas depois de aquecer.

Como você verá, os exercícios nos planos de 5 e 4 dias sempre contêm 9 séries de trabalho para o principal grupo muscular sendo treinado, mas também fornece 3 séries opcionais adicionais que você pode fazer se estiver a fim. Se estiver começando na musculação e sentir-se esgotada depois de 9 séries, não ache que *tem* de fazer as 3 finais. Se for mais experiente ou simplesmente tiver energia no final das 9 séries, sinta-se livre para fazer as 3 extras.

No entanto, não se exceda fazendo mais do que isso por treino, mesmo se sentir que pode continuar depois de 12 séries de trabalho. Fazer mais não vai ajudá-la a ganhar mais músculos e pode acabar levando ao sobretreino.

Se você estiver acostumada a passar horas por dia na academia, fazendo uma série atrás da outra, esse estilo de treino parecerá estranho para você. Na verdade, no começo é provável que você sinta que está sendo preguiçosa ou que mal está malhando (eu pelo menos sentia isso). Você poderá até duvidar de que é possível ser maior e mais forte do que nunca malhando menos do que todo o mundo. Mas não se preocupe — não será necessário dar um salto no escuro. Confie no programa que ele *funcionará*. Suspenda a descrença só por algumas semanas, e os resultados falarão por si mesmos.

Pesquisas e evidências práticas me mostraram que fazer de 50 a 70 repetições pesadas com cada grande grupo muscular a cada cinco a sete dias é o "ponto ideal" para tirar o máximo proveito da musculação sem esteroides.

SEÇÃO IV TREINO

2-4

DESCANSE DE 2 A 4 MINUTOS ENTRE AS SÉRIES

Quando você levanta peso, acontece um número aterrador de atividades fisiológicas para que você consiga realizar o exercício. Para o músculo se contrair, é preciso haver energia nas células, oxigênio, algumas reações químicas e muitos outros processos moleculares, e ao executar cada repetição, você esgota a capacidade dos músculos de se contrair com vigor.

Quando pega pesos pesados, você força os músculos ao máximo da capacidade de contração deles. O tempo de recuperação suficiente entre as séries é o que lhe permite repetir o processo o número necessário de vezes para alcançar a quantidade ótima de sobrecarga muscular que estimula e força novos crescimentos da musculatura.

Basicamente, o objetivo do descanso entre as séries é preparar os músculos para levantarem o máximo de peso possível na série seguinte. E isso não é mera teoria — pesquisas clínicas correlacionam o período de descanso entre as séries a ganhos tanto de força quanto de tamanho muscular.

Por exemplo, um estudo conduzido por pesquisadores da Universidade Federal do Paraná descobriu que, quando os sujeitos realizaram supino e agachamento com intervalos de dois minutos de descanso, eles foram capazes de realizar quantidade significativamente maior de repetições por treino do que quando os intervalos de descanso foram encurtados progressivamente de 15 em 15 segundos (1:45, 1:30, 1:15, e assim por diante).

Isso é importante porque, como você sabe, o volume total de exercícios é um fator essencial na obtenção de sobrecarga e na estimulação do crescimento muscular. Assim, não é de espantar que um estudo realizado por pesquisadores da Universidade Estadual de Kennesaw tenha verificado que os sujeitos adquiriram mais músculos quando treinavam até a falha com períodos de descanso de 2,5 minutos do que com descanso de 1 minuto.

Devido à quantidade de peso que você vai usar nos exercícios de *Malhar, Secar, Definir — Para Mulheres*, você deve descansar por 2 minutos entre as séries de 8 a 10 repetições e por 3 a 4 minutos entre as séries de 4 a 6 repetições. Ainda que pareça excessivo, esses valores não foram escolhidos aleatoriamente — eles se baseiam em dados clínicos.

Por exemplo, uma ampla revisão da literatura de halterofilismo realizada por pesquisadores da Universidade Estadual do Rio de Janeiro concluiu o seguinte:

> Em termos de reações agudas, uma descoberta crucial foi que no treino com cargas entre 50% e 90% de uma repetição máxima, o intervalo de 3 a 5 minutos entre as séries possibilitou um número maior de repetições em múltiplas séries.

Além disso, em termos de adaptações crônicas, descansar de 3 a 5 minutos entre as séries produziu maiores aumentos na força absoluta, devido à intensidade e ao volume de treinamento maiores. Da mesma forma, foram exibidos níveis mais altos de potência muscular em múltiplas séries no treino com intervalo de 3 ou 5 minutos do que no treino com intervalo de 1 minuto.

Essas conclusões foram corroboradas por outro estudo conduzido por cientistas da Universidade de Eastern Illinois com homens acostumados a treinos de força:

As conclusões do presente estudo indicam que grandes ganhos de força de agachamento podem ser alcançados com um mínimo de 2 minutos de descanso entre as séries, e pequenos ganhos adicionais são obtidos com o descanso de 4 minutos entre as séries.

Em outro artigo, a mesma equipe de pesquisa analisou o desempenho dos mesmos participantes no supino e concluiu o seguinte:

Quando o objetivo do treinamento é o máximo desenvolvimento de força, devem ser feitos 3 minutos de pausa entre as séries para evitar declínios significativos de repetições. A capacidade de manter as repetições ao mesmo tempo que se mantém a intensidade constante pode resultar em volume de treino maior e, consequentemente, em maiores ganhos de força muscular.

Assim como os treinos mais curtos parecerão estranhos no início, as pausas mais longas parecerão *muito* esquisitas. Você vai sentir que passa mais tempo sentada de bobeira do que malhando.

Mas, de novo, deixe os resultados falarem por si. Você notará que mantém a força *muito* melhor série por série quando faz os períodos de descanso adequados, o que é crucial para continuar a recrutar o máximo de fibras musculares a cada série.

Alguns dias, você se sentirá energizada e pronta para malhar de novo em 2 minutos, mas outros dias se sentirá um pouco mais lenta e precisará dos 3 minutos completos. O teste, aliás, não é se você *quer* fazer a série seguinte, mas se a sua pressão arterial diminuiu desde a última série e você sente que tem energia para fazer outra.

SEÇÃO IV TREINO

60-65
TREINE DE 60 A 65 MINUTOS

Se seus treinos passam muito de uma hora, tem alguma coisa errada. Você deve conseguir terminar os treinos de *Malhar, Secar, Definir — Para Mulheres* em 60 a 65 minutos.

Treinos longos são não apenas desnecessários como costumam ser também contraproducentes. Como você sabe, apesar de serem extenuantes, exercícios de grande volume não passam de receita para a estagnação.

Quando a intensidade do treino é alta, como é neste programa, o volume de treino precisa ser moderado, ou você acabará treinando em excesso. Isso significa treinos mais curtos.

Marque o tempo das suas pausas e converse o mínimo possível; desse modo você fará os exercícios com eficiência, o que a ajudará a manter a concentração nos treinos e lhes dar 100% de você.

5-7
TREINE CADA GRUPO MUSCULAR UMA A DUAS VEZES A CADA 5 A 7 DIAS

A quantidade de tempo que você dedica ao descanso de um grupo muscular antes de voltar a treiná-lo de novo tem papel vital no processo de desenvolvimento muscular.

Alguns programas de treinamento prescrevem realizar de 2 a 3 treinos completos para cada grande grupo muscular todas as semanas, muitos deles alternando entre pesos muito pesados e pesos mais leves.

Alguns desses programas são baseados em boas pesquisas científicas, mas há uma área em que falham: a *recuperação.*

A recuperação, tanto dos músculos quanto do sistema nervoso, é o que consolida ou destrói todo o esforço que você empenhou para conquistar o corpo que deseja. Se você não permitir que seu corpo se recupere por completo de um treino antes de submeter os mesmos músculos a uma sobrecarga novamente, acabará tendo dificuldade de fazer progresso e se sentirá cada vez pior, por mais estritamente que obedeça à sua dieta e a este protocolo de treinamento.

Se continuar treinando sem recuperação suficiente durante muito tempo, você poderá *perder* força e músculos, assim como toda a motivação para malhar. Também pode acabar com sintomas de fadiga crônica e depressão, perder o apetite e o desejo sexual, dormir mal e experimentar outros efeitos negativos.

Dentre os vários halterofilistas naturais que experimentaram vários programas de duas ou três semanas com quem conversei, todos depararam com esse tipo de problema de recuperação, *especialmente* ao fazer dieta para perda de peso, uma vez que o déficit calórico torna ainda mais fácil treinar em excesso.

Bem, se seguir o cronograma de treinamento de *Malhar, Secar, Definir — Para Mulheres*, que equilibra cuidadosamente frequência, volume e intensidade de treino com recuperação, você não vai deparar com nenhum desses problemas.

Como você verá, toda semana o programa exercita todos os grandes grupos musculares com um treino primário pesado e intenso e um treino adicional mais leve (mas não muito) do tronco para garantir que ele não fique para trás. Há também a opção de treinar mais um pouco os membros inferiores se necessário.

8-10
DESACELERE DEPOIS DE UM PERÍODO DE 8 A 10 SEMANAS

A musculação pesada pode parecer brutal no começo. É necessário empenhar um bocado de esforço físico e concentração mental. Os músculos ficam doloridos. As articulações e os tendões terão de se adaptar.

Como se tudo isso não bastasse, malhar pesado também coloca o sistema nervoso central sob enorme estresse, o que se manifesta de maneiras sutis. Embora as teorias quanto ao que está de fato acontecendo aqui em termos fisiológicos sejam contraditórias, o que sabemos com certeza é que sessões repetidas de musculação fazem com que se desenvolva no corpo uma fadiga não muscular, o que leva a reduções na velocidade, potência e capacidade de realizar movimentos técnicos ou exercícios.

Algumas pesquisas indicam que pode se tratar mais de sensações e emoções do que de questões verdadeiramente físicas, mas a conclusão é que o problema *vai* afetá-la; então, você precisa saber como lidar com ele. E o meio mais fácil de "revigorar" o corpo inteiro é reduzir periodicamente a intensidade do treinamento ou ficar uma semana totalmente longe dos pesos.

Assim, entre cada uma das suas fases de oito semanas, o programa de *Malhar, Secar, Definir — Para Mulheres* inclui escolher entre o que se conhece como *semana de descarga* e vários dias, ou mesmo uma semana inteira, longe dos pesos. Vamos falar em breve sobre como exatamente a semana de descarga funciona, mas em resumo consiste num treinamento de intensidade menor.

SEÇÃO IV TREINO

Escolher entre uma semana de descarga e uma pequena pausa na musculação depende de você. Eu recomendo que comece com semanas de descarga, mas se ao final delas você não se sentir revigorada e pronta tanto física quanto mentalmente para pegar pesos pesados novamente, então eu recomendo que você tente ficar completamente sem treinar por pelo menos quatro a cinco dias.

Muitos temem perder massa ou ficar mais fracos se tirarem uma semana ou mesmo alguns dias de folga da musculação, mas simplesmente não é o caso. Pesquisas mostram que mesmo em idosos não se vê perda significativa de força antes de cinco semanas sem exercícios.

Em termos de como se alimentar na sua semana de descarga ou de folga dos pesos, se estiver fazendo dieta para crescer, você pode reduzir as calorias para o nível de manutenção, e se estiver definindo, não precisa mudar nada.

COMO PROGREDIR NO PROGRAMA

Como você sabe, o aspecto mais importante da musculação é chegar a uma sobrecarga progressiva, continuando a aumentar o peso dos exercícios ao longo do tempo.

Se fizer o resto certo — alimentar-se corretamente, concentrar-se em exercícios pesados e treinar na frequência adequada —, mas simplesmente não colocar mais peso na barra à medida que avança, você chegará rapidamente a um platô. A sobrecarga é crucial.

E é por isso que o programa *Malhar, Secar, Definir — Para Mulheres* tem um método simples de progressão: quando atingir o máximo da faixa de repetições em que está treinando em *uma série* (10 ou 6), você aumenta o peso para a próxima. O aumento padrão é um total de 5 kg: 2,5 kg de cada lado da barra ou em cada halter.

Por exemplo, se chegar a 10 repetições com 25 kg no supino inclinado, coloque mais 5 kg (2,5 kg de cada lado da barra), descanse e, a partir daí, faça o exercício com 30 kg.

Se depois de fazer isso você só conseguir chegar a 5 ou 6 repetições, pode diminuir 2,5 kg da carga (deixando-a 2,5 kg mais pesada do que aquela com a qual você chegou a 10 repetições) ou, se não der para fazer isso com as anilhas da sua academia, simplesmente volte ao peso com o qual chegou a 10 repetições e termine as séries restantes com ele. Depois, na semana seguinte, tente dar o salto novamente começando com o novo peso, e você deve chegar a 8 ou até 9 repetições. Na maioria dos casos, no entanto, você simplesmente chegará a 10 repetições, acrescentará 5 kg, descansará, e depois conseguirá fazer 8 repetições nas séries subsequentes.

O principal objetivo de cada um dos seus treinos deve ser superar os números da semana anterior, mesmo que seja por 1 repetição. Se fizer isso de novo na semana seguinte, você já poderá aumentar o peso.

Mas é bom você saber que algumas semanas simplesmente não são assim. Certas ocasiões você só conseguirá pegar exatamente o mesmo que na semana anterior. E outras vezes você até fará uma repetição a menos.

Essas coisas acontecem, e não significam necessariamente que algo esteja errado. Basta continuar se esforçando que você verá, com o tempo, um aumento lento e constante dos pesos que pega.

O RITMO ADEQUADO PARA GANHOS MÁXIMOS

"Ritmo das repetições" refere-se à velocidade com que você levanta e desce os pesos, e há por aí opiniões variadas sobre o que é melhor.

Uma das escolas de pensamento mais populares prescreve repetições muito lentas para maximizar o "tempo sob tensão" e, portanto, o crescimento muscular. "Os músculos não conhecem peso", filosofam muitos fisiculturistas, "só conhecem tensão, que é o que estimula o crescimento".

Bem, como muitos dos "macetes" de academia — você sabe do que estou falando, aqueles que supostamente aumentam seu peso no supino ou derretem gordura abdominal na hora —, o tempo sob tensão não tem importância suficiente para justificar atenção especial, e é simplesmente um subproduto do treinamento adequado que pode ser mais ou menos ignorado.

Veja bem, quanto maior a lentidão com que você realiza repetições com um determinado peso, menor é o número de repetições que você consegue executar com ele. Dependendo do nível de lentidão, você pode acabar fazendo metade do número de repetições, ou até menos do que faria no ritmo normal.

Quando reduz o número de repetições que faz, você também reduz o trabalho total realizado pelo músculo, e ao reduzir a quantidade de trabalho realizado, você reduz o potencial do exercício de desenvolver força e músculos.

A questão, então, é se a "troca" de esforço total por tempo sob tensão vale a pena. O aumento do tempo sob tensão "compensa" a redução do esforço realizado e resulta em evolução maior da força e do crescimento muscular?

A pesquisa diz que não. Por exemplo...

SEÇÃO IV TREINO

- Um estudo realizado por cientistas da Universidade de Sydney verificou que os sujeitos ganharam mais força no supino quando seguiram um treinamento tradicional "rápido" do que o treinamento lento.

- Um estudo realizado por pesquisadores da Universidade de Connecticut constatou que treinar muito lentamente resulta em níveis menores de força e potência máximos quando comparado ao ritmo autorregulado normal.

- Um estudo realizado por cientistas da Universidade de Wisconsin concluiu que mesmo em indivíduos sem treinamento, o ritmo de treino tradicional resulta em maior força no agachamento e maior potência de pico no salto vertical com contramovimento.

- Um estudo realizado por pesquisadores da Universidade de Oklahoma concluiu que realizar quatro semanas de treinamento de resistência tradicional é mais eficaz para aumentar a força do que realizar o treinamento superlento.

Essas descobertas não são exatamente surpreendentes, dada a mecânica subjacente ao crescimento muscular e o quanto ela se baseia no desenvolvimento de força (se quiser crescer, você terá de ficar mais forte).

Para citar pesquisadores do Ithaca College, que compararam o supino de ritmo rápido e o de ritmo lento:

> A análise da variação de medidas unilaterais repetidas mostraram que ritmos com rápida fase excêntrica (1 segundo) e sem descanso na parte concêntrica produzem potência e repetições significativamente maiores ($p \leq 0.05$) do que ritmos que consistem em velocidade excêntrica mais lenta (4 segundos) ou maior descanso na parte concêntrica (4 segundos).
>
> Esta combinação de mais repetições e potência resulta em volume maior de trabalho. A variação do descanso entre repetições (1 ou 4 segundos) não afetou significativamente nem as repetições nem a potência. Os resultados deste estudo corroboram o uso de velocidade excêntrica rápida sem descanso na parte concêntrica durante o teste de desempenho agudo para maximizar a potência e o número de repetições durante uma série de supino.

Também vale a pena notar que no tempo em que eu não sabia o que estava fazendo, costumava fazer muitas séries lentas para maximizar o tempo sob tensão, e os resultados que obtive estavam de acordo com as pesquisas. As séries lentas não foram nem um pouco mais eficazes do que as minhas fichas habituais de treinamento, que já eram bastante precárias.

Assim, o ritmo de repetições que eu recomendo é ou "2-1-2" ou "2-1-1". Isso significa que a primeira parte da repetição deve levar cerca de 2 segundos, que é seguida de uma pausa de 1 segundo (ou mais curta), que é seguida pela parte final da repetição, cuja execução deve levar entre 1 e 2 segundos.

Por exemplo, se aplicarmos isso ao supino, significa que devemos baixar a barra no peito em 2 segundos, pausar por 1 segundo ou menos e levantá-la em 1 ou 2 segundos.

INTENSIDADE E FOCO:
SUAS DUAS ARMAS SECRETAS

Se já tiver treinado antes, você sabe como é um treino ótimo: você está cheia de energia, os pesos parecem leves, você está completamente focada nos exercícios e consegue se esforçar mais do que esperava.

Um dos elementos necessários para que o treino seja assim sempre que possível é se exercitar conscientemente com *intensidade* e *foco*. E isso não significa grunhir ouvindo *death metal* em volume máximo. Embora algumas pessoas que fazem isso de fato treinem com intensidade, o exibicionismo é desnecessário.

Em vez disso, recomendo que tiremos uma lição dos famosos livros dos levantadores de peso básico búlgaros e imitemos o treinamento contraintuitivo que fazem para chegar a levantamentos de uma repetição. Eles não andavam aos pisões como malucos nem passavam quinze minutos frenéticos ao som de guitarra e vocais. Em vez disso, eles simplesmente caminhavam até a barra e faziam o levantamento com o máximo de calma e firmeza que conseguiam. Se não pudessem fazer isso sem sobre-estimular o sistema nervoso, consideravam o peso excessivo.

Veja bem, intensidade é simplesmente o nível de esforço físico e mental que você dedica ao treino. É a força da sua intenção de ultrapassar os próprios limites, sair da sua zona de conforto e avançar. É o seu desejo de não apenas fazer a série, mas conquistar algo com ela.

O treino de alta intensidade é aquele que faz com que você sinta que esgotou as reservas. Você não se conformou com um peso mais leve quando sentiu que poderia aumentar. Sua mente não ficou vagando enquanto você se exercitava. Você não estava

SEÇÃO IV TREINO

simplesmente realizando os movimentos roboticamente. Com consciência, mas também com calma, você deu o sangue em cada série e cada repetição com determinação.

Com *foco*, quero dizer concentração mental: estar com a mente nos exercícios, e não no programa de TV a que você assistiu ontem à noite, na festa de mais tarde, na discussão com o namorado ou em qualquer outra coisa.

Embora não haja nada de errado em falar enquanto descansa, não se deixe levar pela conversa, porque a distração será inevitável. Suas pausas se arrastarão por muito tempo. Sua mente estará em outras coisas quando você se sentar para fazer sua série. É simplesmente contraproducente. Deixe a confraternização para depois da academia.

Não quero abusar da conversa fiada e dizer que você precisa visualizar cada exercício hipnoticamente antes de executá-lo, mas é algo definitivamente importante que 100% de sua atenção esteja no ato de mover o peso à sua frente. É "mente sobre a matéria", como se diz.

As fichas de treino de *Malhar, Secar, Definir — Para Mulheres* são feitas para ajudá-la a manter alto nível de intensidade e foco. É muito mais fácil fazer de 8 a 10 repetições com intensidade e foco máximo que de 18 a 20. É muito mais fácil permanecer ligado e determinado por 45 minutos do que por 90.

Mas as fichas em si não fornecem a intensidade e o foco. Isso é tarefa sua.

MUDA ALGO NA DIETA DE DEFINIÇÃO?

Uma das muitas orientações terríveis de treinamento que já ouvi dos "manos" é treinar com pesos leves e muitas repetições durante a dieta de definir para "gerar as definições".

Essa é uma ideia 100% errada.

Concentrar-se exclusivamente no treinamento com muitas repetições não ajuda a queimar mais gordura do que concentrar-se no treino com pesos pesados. Não "faz você ficar definida" nem vascularizada.

Por ironia, o treinamento pesado é *especialmente* importante na dieta de definição, porque o xis da questão é preservação muscular, e você precisa continuar a sobrecarregar os músculos para alcançá-la.

Então, treine pesado quando estiver definindo e continue tentando aumentar a força. A maioria das pessoas experimenta uma queda inicial de força quando passa da dieta de crescimento para a dieta de definição, mas eu sempre consegui aumentar minha força de novo e terminar mais ou menos onde tinha começado, com pouca ou nenhuma perda muscular (se chego a perder músculos quando defino, não dá para ver no espelho).

COMO USAR AERÓBICO PARA GANHAR MÚSCULOS

Muitos temem o aeróbico como se cada minuto gasto nela significasse perda de músculos e força. Certos halterofilistas o criticam simplesmente porque não gostam de fazê-lo.

Embora seja evidente que excesso de aeróbico causa perda de massa muscular (basta olhar para qualquer maratonista), quantidades moderadas de aeróbico regular podem *ajudar* a desenvolver mais músculos ao longo do tempo.

Vejamos como isso funciona.

AERÓBICO E RECUPERAÇÃO MUSCULAR

Como você sabe, o exercício intenso causa danos às fibras musculares, que devem então ser reparadas. Provavelmente, esse dano é a causa principal da dor muscular de início tardio ou Dmit, que você sente um ou dois dias depois de treinar.

Reparar o dano é um processo complexo que é parcialmente regulado por dois fatores simples: a quantidade de "matérias-primas" necessárias para o reparo que são trazidas ao músculo danificado ao longo do tempo e a velocidade em que os resíduos são removidos.

Bem, o aeróbico pode ajudar o corpo a reparar o dano muscular mais rapidamente porque aumenta o fluxo de sangue para várias áreas do corpo. Essa "recuperação ativa" oferece mais "matérias-primas" para uso dos músculos e remove resíduos produzidos, o que resulta em um período de recuperação mais rápido.

Vale ressaltar, no entanto, que esses benefícios são vistos principalmente nas pernas, porque a maioria das formas de aeróbico não envolvem a parte superior do corpo. Se quisesse aumentar a recuperação sistêmica, então você precisaria fazer algo que colocasse a parte superior do corpo para se movimentar, como usar os braços na máquina de remo ou no elíptico.

AERÓBICO E METABOLISMO

Na nossa fantasia nutricional coletiva, todos os nutrientes consumidos seriam aspirados para dentro dos músculos e absorvidos ou queimados sem resultar em armazenamento de gordura, e quando restringíssemos nossas calorias para a perda de gordura, todas as nossas necessidades energéticas seriam atendidas apenas pela queima de gordura, não de músculos.

A realidade, no entanto, é que nossos corpos fazem essas coisas em graus variados. Os corpos de algumas pessoas armazenam menos gordura quando elas comem

SEÇÃO IV TREINO

demais que os de outras, e alguns podem ficar com maiores déficits de calorias sem perder músculos.

Genética e níveis de hormônio anabólico são os principais fatores aqui, o que significa que não há muito que podemos fazer a respeito da resposta inata do corpo aos excedentes ou déficits calóricos.

Mas nem tudo está perdido se você não faz parte da elite genética, porque um fator importante na ação do seu corpo sobre o alimento que você ingere é a sensibilidade à insulina, e isso é algo que podemos influenciar positivamente.

Conforme discutido antes, manter a sensibilidade à insulina é altamente benéfico quando você está ingerindo excesso de calorias para desenvolver músculos, ao passo que a resistência à insulina inibe o crescimento muscular e promove o armazenamento de gordura.

É aí que o aeróbico entra, porque melhora a sensibilidade à insulina e faz isso de forma dependente da dose (o que significa que quanto mais aeróbico faz, mais benefícios você obtém).

Desta forma, fazer aeróbico pode ajudar os músculos a absorver melhor os nutrientes que você consome, o que pode significar, ao longo do tempo, mais crescimento muscular e menos armazenamento de gordura.

AERÓBICO E CONDICIONAMENTO

Uma questão comum no mundo da musculação é a redução drástica do condicionamento cardiovascular de quem se concentra apenas no aumento de peso e na musculação durante meses a fio.

Recuperar o condicionamento cardiovascular não apenas é desconfortável e causa déficit calórico, mas também coloca bastante estresse sobre o corpo, que vai de não fazer absolutamente nada de aeróbico para fazer várias sessões por semana. Este aumento de estresse torna a perda de peso física e psicologicamente mais difícil, e pode até acelerar a perda de músculo.

Ao continuar fazendo aeróbico durante todo o ano, no entanto, você pode manter o condicionamento metabólico e evitar o "trauma" sistêmico que muitos experimentam no início de um programa para definir.

Também é comum que aqueles que ficam meses sem aeróbico experimentem um atraso inicial na perda de peso. Ainda não encontrei nenhuma explicação satisfatória para o porquê disso, mas pode estar relacionado ao fato de que o exercício melhora a capacidade do organismo de metabolizar gordura e, portanto, o aeróbico regular pode otimizar e preservar esse mecanismo.

A RAIZ DA QUESTÃO

A raiz da questão é que quantidades moderadas de aeróbico com certeza não prejudicam o crescimento muscular e podem até acelerá-lo, além de conferir outros benefícios para a saúde. Eu recomendo que faça do aeróbico uma parte regular da sua ficha, esteja você num programa de definir, crescer ou manter.

Os benefícios musculares do exercício aeróbico são reais especialmente quando ele imita de perto os movimentos usados em exercícios realizados para desenvolver músculos, como ciclismo ou remo.

Esses benefícios foram demonstrados em um estudo particularmente interessante realizado por pesquisadores da Universidade Estadual Stephen F. Austin. O que eles descobriram foi que o tipo de aeróbico realizado teve efeito profundo sobre a capacidade dos indivíduos de ganhar força e tamanho nos exercícios de musculação. Os sujeitos cujos exercícios aeróbicos eram correr e caminhar ganharam significativamente menos força e tamanho do que aqueles que praticaram ciclismo.

Efeito semelhante também foi observado em um estudo realizado por pesquisadores da Universidade de Wisconsin. Eles separaram trinta homens não treinados em dois grupos, dos quais um fez um programa de musculação três dias por semana, e outro fez o mesmo programa mais cinquenta minutos de ciclismo. Após dez semanas, foi verificado que os homens que além de treinar com pesos pedalavam ganharam mais músculos na coxa do que o grupo que somente treinou com pesos.

Eu faço bicicleta reclinada de duas a quatro vezes por semana há mais de um ano, e obtive melhorias fantásticas de resistência e frequência cardíaca em repouso. Embora eu não possa dizer de maneira conclusiva que desenvolvi mais os músculos da perna por causa do aeróbico, posso afirmar que percebi um aumento inicial de força das pernas, pois elas tiveram de se adaptar ao novo estímulo.

O MELHOR TIPO DE AERÓBICO PARA PERDER GORDURA, NÃO MÚSCULOS

Muitos aparelhos de aeróbico mostram belos gráficos indicando onde a frequência cardíaca deve estar para "queima de gordura" *versus* "treinamento cardiovascular".

Você calcula essa frequência cardíaca mágica subtraindo sua idade de 200 e multiplicando esse número por 0,6. Se mantiver sua frequência cardíaca nesse número, muitos dizem, você estará na "zona de queima de gordura"

Bem, há apenas uma pequena essência da verdade aqui.

SEÇÃO IV TREINO

Você queima gordura e carboidratos quando se exercita, numa proporção que varia de acordo com a intensidade do exercício. Uma atividade de intensidade muito baixa, como caminhada, faz uso principalmente dos reservatórios de gordura, ao passo que corridas de alta intensidade retiram muito mais fortemente dos reservatórios de carboidratos. Em cerca de 60% do esforço máximo, o corpo obtém algo em torno de metade de sua energia das reservas de carboidratos e metade das reservas de gordura (e é por isso que muitos "especialistas" afirmam que você deve trabalhar na faixa de 60% a 70% do esforço máximo).

Com base nisso, você pode pensar que estou argumentando a favor da aeróbico de estado estacionário (aeróbico*f* que envolve manter o esforço e os batimentos cardíacos continuamente em certa faixa), mas há mais a considerar.

A primeira questão são as calorias totais queimadas durante o exercício. Se você ficar com 100 calorias a menos, 85 das quais provenientes de reservas de gordura, será mais eficaz gastar esse tempo em uma corrida moderada, que queima 200 calorias com 100 provenientes de gordura. E isso, por sua vez, não é tão eficaz quanto gastar esse tempo fazendo intervalos de corrida de alta intensidade, que queimam 500 calorias com 150 provenientes de gordura.

Mas os benefícios da corrida vão além das calorias queimadas durante o exercício. Um estudo conduzido por pesquisadores da Universidade de Western Ontário deixa claro como o aeróbico de alta intensidade é simplesmente muito mais efetiva. Os pesquisadores dividiram dez homens e dez mulheres em dois grupos que treinaram três vezes por semana. Um grupo fez entre 4 e 6 sessões de 30 segundos de corrida de velocista na esteira (com quatro minutos de descanso entre elas), e o outro fez de 30 a 60 minutos de aeróbico de estado estacionário (correndo na esteira na "zona mágica" de perda de gordura de 65% VO_2 máx).*

Os resultados: depois de seis semanas de treino, os sujeitos do primeiro grupo haviam perdido significativamente mais gordura corporal. Sim, de quatro a seis arrancadas de 30 segundos queimam mais gordura do que 60 minutos de caminhada na esteira inclinada.

Esses resultados são corroborados por vários outros estudos, como aqueles conduzidos por pesquisadores da Universidade Laval, da Universidade Estadual do Leste do Tennessee, da Faculdade de Medicina de Baylor e da Universidade de Nova Gales do Sul, que mostraram que sessões de aeróbicos mais curtas e de alta intensidade

---

* VO_2 max é a capacidade do corpo de um indivíduo para transportar e metabolizar oxigênio durante um exercício físico incremental; é a variável fisiológica que mais reflete a capacidade aeróbica de um indivíduo.

resultam em maior perda de gordura ao longo do tempo do que sessões mais longas de baixa intensidade.

Embora os mecanismos exatos de como o aeróbico de alta intensidade supera o aeróbico de estado estacionário para fins de perda de gordura ainda não tenham sido totalmente compreendidos, os cientistas isolaram alguns dos fatores, como os seguintes:

- aumento da taxa metabólica em repouso por mais de 24 horas após o exercício;

- melhora da sensibilidade à insulina nos músculos;

- níveis mais elevados de oxidação de gordura nos músculos;

- saltos significativos nos níveis de hormônio de crescimento (que ajuda na perda de gordura) e nos níveis de catecolaminas (substâncias químicas que o corpo produz para induzir diretamente a metabolização de gordura);

- supressão de apetite pós-exercício.

O treino intervalado de alta intensidade não só queima mais gordura em menos tempo do que o aeróbico estacionário como também preserva o tamanho muscular e melhora o desempenho.

A literatura mostra que quanto maiores as sessões de aeróbico, mais elas prejudicam a força e a hipertrofia. Assim, manter suas sessões de aeróbico *breves* é importante quando estamos falando de maximizar os ganhos musculares e preservar a massa magra. Somente treino intervalado de alta intensidade permite que você faça isso *e* queime gordura suficiente para que valha a pena.

Eu gosto de fazer aeróbico com a bicicleta reclinada, e faço assim:

1. Começo o treino com 2 a 3 minutos de aquecimento de baixa intensidade na menor resistência.

2. Depois aumento a resistência vários pontos para ter que fazer força para pedalar, mas não tanto que meus quadríceps fiquem fritos em apenas uma sessão, e pedalo o mais rápido possível por 60 segundos. Se você nunca tiver feito HIIT antes, talvez seja necessário começar com arrancadas de 30 a 45 segundos.

3. A seguir, reduzo a resistência à sua configuração mais lenta e pedalo em ritmo moderado pela mesma quantidade de tempo que no intervalo de alta

SEÇÃO IV TREINO

intensidade (60 segundos). Se você nunca tiver feito HIIT antes, talvez seja necessário prolongar este período de repouso para 1,5 a 2 vezes os intervalos de alta intensidade (se você correr durante 30 segundos, talvez sejam necessários de 45 a 60 segundos de recuperação).

4. Repito então este ciclo de força total e intervalos de recuperação por 25 a 30 minutos.

5. Termino com uma desaceleração de 2 a 3 minutos com baixa intensidade.

É isso. Levo o meu iPad para ler ou assistir a algo, e o tempo voa.

Se você quiser fazer alguma forma diferente de aeróbico HIIT, como remar, correr, nadar, pular corda ou qualquer outra coisa que seja possível, vá fundo. Você pode aplicar os mesmos princípios simples: explosões relativamente breves de esforço máximo que aumentam a frequência cardíaca seguidas de períodos de recuperação de baixa intensidade que a reduzem aos níveis normais.

Se você quiser incluir aeróbico estacionária na sua ficha, também não tem problema. Basta saber que não é tão eficaz para fins de perda de gordura e que, em excesso, pode prejudicar o crescimento muscular. Eu não faria mais de 45 a 60 minutos de aeróbico estacionário em uma sessão. Em termos de frequência semanal, falaremos já sobre isso.

O MELHOR MOMENTO PARA FAZER AERÓBICO

O momento em que você faz o aeróbico em relação à musculação é relevante.

Em 2009, pesquisadores da Universidade RMIT trabalharam com atletas bem treinados e constataram que "a combinação de exercícios de resistência e aeróbico na mesma sessão pode interferir nos genes de anabolismo". Em termos leigos, eles descobriram que combinar treinamento de força e treinamento de resistência envia "sinais mistos" para os músculos. Ter feito aeróbico antes do treinamento de força suprimiu hormônios anabólicos, como IGF-1 e MGF, e ter feito aeróbico após o treinamento de força aumentou a quebra de tecido muscular.

Vários outros estudos, como os conduzidos por pesquisadores do Centro Médico Nacional da Criança, do Instituto de Tecnologia de Waikato e da Universidade de Jyvaskyla, na Finlândia, chegaram às mesmas conclusões: treinar resistência e força simultaneamente prejudica os ganhos em ambas as frentes. Treinar apenas força ou apenas resistência é muito superior.

Além disso, fazer aeróbico antes de musculação esgota a energia e torna muito mais difícil treinar pesado, o que, por sua vez, inibe o crescimento muscular.

Portanto, eu recomendo que você separe suas sessões de levantamento de peso e aeróbico em pelo menos algumas horas, se possível. Eu pego peso no início da manhã e faço aeróbico após o trabalho, antes do jantar.

Se não houver nenhum modo de fazer essa divisão, faça primeiro o treinamento com pesos, já que o aeróbico primeiro drenará a energia necessária para a musculação. Embora este arranjo não seja *ideal*, não é um grande problema. Você ainda pode se sair bem no programa.

Se puder, recomendo tomar um *shake* de proteína após o levantamento de peso e antes do aeróbico, pois isso ajudará a mitigar a quebra muscular.

A FREQUÊNCIA COM QUE VOCÊ DEVE FAZER AERÓBICO

Em termos de frequência, eu faço assim:

- Quando estou crescendo, faço duas sessões de 25 minutos de HIIT por semana.

- Quando estou definindo, faço de três a cinco sessões de 25 minutos de HIIT por semana.

- Quando mantenho, faço de duas a três sessões de 25 minutos de HIIT por semana.

- Eu nunca faço mais de cinco sessões de aeróbico por semana. Do contrário, minha força na academia começa a cair, conforme descobri.

Muitos ficam chocados ao saber que eu não faço mais de uma hora e meia a duas horas de aeróbico por semana enquanto defino, mas sou capaz de chegar à faixa de gordura corporal de 6% a 7% com facilidade. Bem, a ideia de que você tem de fazer uma tonelada de aeróbico para ficar trincado é um completo mito. Não apenas é desnecessário, mas também prejudicial à saúde.

Você não precisa fazer aeróbico para perder gordura, mas se quiser chegar ao intervalo de 20% ou abaixo, posso garantir que terá de fazer pelo menos duas a três sessões por semana.

SEÇÃO IV TREINO

Se quiser ficar com o aeróbico estacionário ou incluí-lo na sua rotina, adote as recomendações de frequência já indicadas. Você pode misturar e combinar modalidades (HIIT *versus* estado estacionário de baixa intensidade — LISS, na sigla em inglês), mas mesmo assim eu não faria mais de cinco sessões por semana.

A RAIZ DA QUESTÃO

Parabéns! Você acabou de aprender os princípios fundamentais do programa de treinamento de *Malhar, Secar, Definir — Para Mulheres*. É possível que esta abordagem de treinamento seja nova para você, e, nesse caso, você deve estar entusiasmada.

Em breve, você estará desfrutando de um crescimento muscular notável e de uma rápida perda de gordura ao praticar exercícios de treinamento relativamente curtos e estimulantes pelos quais anseia todos os dias e obtendo resultados com os quais outras mulheres só podem sonhar.

Você jamais vai fritar com horas e horas de aeróbico exaustivo. Na verdade, se for como eu, você vai gostar das suas sessões de aeróbico, porque elas melhorarão significativamente o seu desempenho e a sua saúde geral sem tomar grandes porções do seu tempo livre.

Nosso próximo item é a discussão dos exercícios de levantamento de peso que você realizará no programa. Continue para descobrir!

RESUMO DO CAPÍTULO

MUSCULAÇÃO

- Embora valha a pena usar um pequeno número de máquinas, como o *leg press* ou cabos e polias, a vasta maioria é inferior a exercícios com halteres e barras em termos de produzir músculos maiores e mais fortes.

- A pessoa mediana precisa construir uma boa base geral de músculos e força, e há apenas um modo de construir essa base naturalmente: você tem que fazer muita musculação com exercícios compostos e pesados.

- Para alcançar a máxima sobrecarga e estimulação muscular, você treinará 1 ou 2 grupos musculares por treino (por dia).

MALHAR SECAR DEFINIR PARA MULHERES

- Você vai trabalhar na faixa de 8 a 10 e de 4 a 6 repetições em praticamente todos os exercícios.

- Os treinos neste programa exigirão de 9 a 12 séries pesadas (ou de trabalho) por treino.

- Devido à quantidade de peso que você vai usar nos exercícios de *Malhar, Secar, Definir — Para Mulheres*, você deve descansar por dois minutos entre as séries de 8 a 10 repetições e por três a quatro minutos entre as séries de 4 a 6 repetições.

- Você deve conseguir terminar os treinos de *Malhar, Secar, Definir — Para Mulheres* em 60 a 65 minutos.

- Entre cada uma das suas fases de oito semanas, o programa de *Malhar, Secar, Definir — Para Mulheres* inclui a opção entre o que se conhece como semana de descarga e vários dias, ou mesmo uma semana inteira, longe dos pesos.

- Eu recomendo que você comece com semanas de descarga, mas se ao final delas você não se sentir revigorada e pronta tanto física quanto mentalmente para pegar pesos pesados de novo, então a recomendação é de que você tente ficar completamente sem treinar por pelo menos quatro a cinco dias.

- O programa *Malhar, Secar, Definir — Para Mulheres* tem um método simples de progressão: quando atingir o máximo da faixa de repetições em que está treinando em *uma* série, aumente o peso para a próxima. O aumento padrão é um total de 5 kg: 2,5 kg de cada lado da barra ou em cada halter.

- O ritmo de repetições que eu recomendo é ou "2-1-2" ou "2-1-1". Isso significa que a primeira parte da repetição deve levar cerca de 2 segundos, que é seguida de uma pausa de 1 segundo (ou mais curta), que é seguida pela parte final da repetição, cuja execução deve levar entre 1 e 2 segundos.

- O treinamento pesado é especialmente importante na dieta de definir, porque o xis da questão é preservação muscular, e você precisa continuar a sobrecarregar os músculos para alcançá-la.

- O treino de alta intensidade é aquele que faz com que você sinta que esgotou as reservas. Você não se conformou com um peso mais leve quando sentiu que poderia aumentar. Sua mente não ficou vagando enquanto você se exercitava. Você não estava simplesmente realizando os movimentos roboticamente. Com consciência, mas também com calma, você deu o sangue em cada série e cada repetição com determinação.

- Com *foco*, quero dizer concentração mental: estar com a mente nos exercícios, e não no programa de TV a que você assistiu ontem à noite, na festa de mais tarde, na discussão com o namorado ou em qualquer outra coisa.

242

AERÓBICO

- O aeróbico pode ajudar o corpo a reparar o dano muscular mais rapidamente porque aumenta o fluxo de sangue para várias áreas do corpo.

- O aeróbico melhora a sensibilidade à insulina, e desta forma pode ajudar os músculos a absorver melhor os nutrientes que você consome, o que pode significar, ao longo do tempo, mais crescimento muscular e menos armazenamento de gordura.

- Ao continuar fazendo aeróbico durante todo o ano, no entanto, você pode manter o condicionamento metabólico e evitar o "trauma" sistêmico que muitas pessoas experimentam no início de um programa para definir.

- Os benefícios musculares do exercício aeróbico são reais especialmente quando ele imita de perto os movimentos usados em exercícios realizados para desenvolver músculos, como ciclismo ou remo.

- O treino intervalado de alta intensidade não só queima mais gordura em menos tempo do que o aeróbico estacionário como também preserva o tamanho muscular e melhora o desempenho.

- Se você quiser fazer alguma forma diferente do aeróbico HIIT, como remar, correr, nadar, pular corda ou qualquer outra coisa que seja possível, vá fundo.

- Se você quiser incluir aeróbico estacionário na sua ficha, também não tem problema. Basta saber que não é tão eficaz para fins de perda de gordura e que, em excesso, pode prejudicar o crescimento muscular.

- Recomendo que você separe suas sessões de levantamento de peso e aeróbico em pelo menos algumas horas, se possível. Se não houver nenhum modo de fazer essa divisão, faça primeiro o treinamento com pesos, visto que o aeróbico primeiro drenará a energia necessária para a musculação.

- Quando estou crescendo, faço duas sessões de 25 minutos de HIIT por semana. Quando estou definindo, faço de três a cinco sessões de 25 minutos de HIIT por semana. Quando mantenho, faço de duas a três sessões de 25 minutos de HIIT por semana.

- Eu nunca faço mais de cinco sessões de aeróbico por semana, pois descobri que minha força na academia começa a cair se eu fizer.

- Você não precisa fazer aeróbico para perder gordura, mas se quiser chegar ao intervalo de 20% ou abaixo, posso garantir que terá de fazer pelo menos duas ou três sessões por semana.

17

O programa de treino de *malhar, secar, definir* — *para mulheres*

Não há razão para viver se você não pode fazer levantamento terra!

— JON PALL SIGMARSSON

AGORA QUE CONHECE os princípios e as premissas básicos das metodologias de treinamento de *Malhar, Secar, Definir — Para Mulheres*, vejamos os exercícios que irá realizar e como treinar cada grupo muscular importante de forma adequada.

CONHEÇA QUEM VAI CONSTRUIR VOCÊ: OS QUATRO EXERCÍCIOS QUE DESENVOLVEM CORPOS FORTES E MUSCULOSOS

Das centenas e centenas de exercícios que você poderia fazer, quatro reinam supremos. Se negligenciá-los, como fiz quando comecei a malhar, você nunca conseguirá alcançar seu potencial genético em termos de tônus muscular, força e desempenho.

Esses exercícios são o agachamento, o levantamento terra, o supino e o desenvolvimento com barra, e o poder atemporal que eles têm foi comprovado acima de qualquer dúvida por mais de um século de fisiculturistas, fortões e atletas.

Há alguns programas de treinamento populares, como Starting Strength e 5 x 5, que não contêm nada além deles, e um dos principais objetivos do programa de treinamento de *Malhar, Secar, Definir — Para Mulheres* é melhorar o seu desempenho nesses quatro exercícios cruciais. Se conseguir fazer isso, você será capaz de conquistar o corpo que deseja — é simples assim.

Infelizmente, no entanto, muitos negligenciam esses exercícios ou os executam de forma incorreta, privando-se assim de potenciais ganhos.

SEÇÃO IV TREINO

A maioria interrompe o movimento de supino 15 cm ou mais acima do peito e o do desenvolvimento sobre o queixo dizendo que isso é "melhor para os ombros". Enchem a barra de pesos e depois agacham 30 cm ou 60 cm e sobem porque "não querem forçar os joelhos". Encurvam as costas quando realizam o levantamento terra porque assim conseguem "treinar pesado mesmo".

Bem, fazer os movimentos de modo impróprio não apenas reduz a efetividade dos exercícios como também abre a porta a lesões. Repetições a meio caminho com pesos elevados, seja no supino, no desenvolvimento ou no agachamento, colocam grande pressão sobre as articulações, os tendões e os ligamentos — muito mais do que haveria se você estivesse movimentando menos peso com um movimento adequado e completo, fortalecendo os músculos e tecidos de suporte gradualmente. Ao fazer levantamento terra, dobrar as costas para aumentar o peso e depois arquear severamente a lombar durante o bloqueio é simplesmente fazer tudo errado — uma sórdida lesão esperando para acontecer.

Por outro lado, se você treinar com atenção estrita à forma e à amplitude total dos movimentos, terá o benefício do pleno desenvolvimento dos músculos, de ganhos consistentes de força e de ausência de lesões desnecessárias.

A ignorância é sem dúvida uma das principais razões pelas quais tantas pessoas se exercitam de forma errada — elas simplesmente nunca aprenderam a treinar corretamente, o que requer um pouco de habilidade técnica —, mas a preguiça também é uma das razões principais. Estes quatro exercícios são *difíceis* quando realizados corretamente. O agachamento total, com as nádegas mais baixas que a paralela, é brutal quando comparado a uma covarde agachadinha pela metade. Se todo o mundo tivesse de encostar a barra no peito ao fazer supino, veríamos bem menos peso nas barras e muito mais dor nos rostos.

Há também o problema de determinar qual é a forma adequada. Existem diferentes opiniões embasadas sobre o formato adequado do agachamento, do supino, do levantamento terra, do desenvolvimento. Um treinador respeitado pode dizer que os dedos dos pés nunca devem ficar à frente dos joelhos no agachamento, enquanto outro diz que isso é o natural e recomendado. Um pode afirmar que não tem problema arredondar a parte superior da coluna vertebral no levantamento terra, ao passo que outro diz que é perigoso.

Quem está certo? Como podemos saber? E por que você deveria me ouvir?

Bem, neste caso, vou passar o bastão para o homem cujo trabalho me ensinou — bem como a centenas de milhares de outros — a fazer, pegando pesado e sem ter dor, o agachamento, o levantamento terra, o supino e o desenvolvimento: Mark Rippetoe.

"Rip", como é conhecido, está nesse jogo há quase quatro décadas, e é um treinador de força renomado e altamente respeitado. É autor de vários livros, como o icônico *Starting Strength*, e seus métodos de levantamento de peso são usados por leigos e atletas profissionais de todos os tipos.

Eu vou lhe ensinar os métodos de Rip de empurrar, puxar e agachar porque eles resistiram aos testes do tempo e de grande número de adeptos. Além de seguros e eficazes, eles não exigem nada de especial em termos de habilidade física.

Eu direi tudo o que você precisa saber para realizar os exercícios de forma adequada e segura, mas definitivamente recomendo que leia *Starting Strength* se quiser mergulhar na biomecânica de cada movimento.

Assim, vamos começar nossa discussão sobre os exercícios que você realizará no programa com os levantamentos mais importantes e aprender a fazê-los com correção e exatidão.

AGACHAMENTO

Muitos acham que treinar pernas consiste em colocar todas as anilhas da academia no *leg press*, e usar joelheiras apertadas como torniquetes e um cinto com peso ajustado no último furo, só para ir balançando até o trenó, esmurrar algumas excruciantes repetições malfeitas e celebrar com os amigos com toques e um grito ensurdecedor.

Boa notícia: você não será assim. Você vai ser a menina no canto com o suporte de agachamento — sabe como é, o lugar mais solitário da academia — fazendo agachamentos profundos e pesados em silêncio. Sem joelheiras, sem cinto, sem pose — apenas uma barra nas costas, carregada com algumas "miseráveis" anilhas e uma poça de suor no chão.

Quem vencerá, no final? Quem vai melhorar consistentemente a musculatura dos membros inferiores do corpo e quem tem menos chances de se machucar? Você, com certeza.

Embora muitas pessoas façam *qualquer coisa* para treinar pernas menos colocar a barra nas costas, elas estão perdendo o que muitos dos melhores treinadores de força do mundo consideram o exercício absolutamente mais robusto e mais gratificante que podemos realizar.

Não é surpresa para ninguém que o agachamento fortalece todos os músculos das pernas, o que não apenas aumenta a quantidade de peso que você consegue levantar — também ajuda a correr mais rápido e a pular mais alto, além de melhorar a flexibilidade, a mobilidade e a agilidade. E, como se essas razões não bastassem

SEÇÃO IV TREINO

para fazer o exercício regularmente, ele também é um treino enormemente efetivo de tronco.

Fora a preguiça, por que tantos evitam o agachamento? Bem, na maioria das vezes, eles foram vítimas dos mitos de que o agachamento é ruim para as costas e joelhos — uma mentira que se perpetua há cerca de cinco décadas.

Tudo começou na década de 1960, quando pesquisas concluíram que fazer agachamento profundo sobrecarregava demais os ligamentos do joelho, aumentando o risco de lesões. Essas descobertas se difundiram como um raio no mundo dos esportes, e algumas instituições militares dos EUA chegaram até a retirar os movimentos de agachamento de seus programas de treinamento.

Observou-se na época que os estudos apresentavam falhas graves, como a escolha dos participantes e vieses dos pesquisadores, mas isso não foi suficiente para impedir a revolta contra o agachamento. Por exemplo, um dos estudos tinha sido feito com paraquedistas cujos joelhos haviam levado repetidas pancadas violentas e se contorcido várias vezes nas cordas dos paraquedas.

Pois bem, muitas outras pesquisas foram feitas desde então, e um quadro muito diferente surgiu.

Um estudo rigoroso realizado por cientistas da Duke University analisou mais de duas décadas de literatura publicada para determinar, em grande detalhe, a biomecânica do exercício de agachamento e as tensões que ele coloca nos tornozelos, joelhos, nas articulações do quadril e na coluna vertebral.

Destaques do artigo e de muitos estudos nele analisados esclarecem como o agachamento afeta o corpo e ensinam muito sobre a forma adequada de realizá-lo:

- Os isquiotibiais contrabalanceiam a tração na tíbia, o que neutraliza a força de cisalhamento colocada no joelho e alivia o estresse no ligamento cruzado anterior (LCA).

- Mesmo em casos extremos, como o dos levantadores de peso que levantam 2,5 vezes o peso corporal, as forças de compressão colocadas sobre os joelhos e seus tendões estão completamente dentro das faixas de força máxima deles.

- O estresse colocado sobre o LCA é insignificante considerando a sua capacidade máxima (em um estudo, a mais alta potência registrada sobre o LCA no agachamento foi de meros 6% de sua força máxima). As mais altas forças sobre o LCP já registradas estavam completamente dentro dos limites de resistência natural.

MALHAR SECAR DEFINIR PARA MULHERES

- Se ficar com a coluna neutra no agachamento (em vez de rigidamente fle-
  xionada), você reduzirá enormemente a força de cisalhamento colocada em
  suas vértebras (a coluna lida melhor com a força compressiva do que com
  a de cisalhamento).

- Manter a postura o mais ereta possível reduz ainda mais essa força, assim
  como aumentar a pressão intra-abdominal, que você pode criar prendendo
  a respiração e olhando bem à frente em vez de para baixo durante o agachamento.

Por fim, os pesquisadores da Duke University concluíram que o agachamento
"não compromete a estabilidade do joelho e pode aumentá-la se realizado corretamente". Além disso, todos os riscos de lesão na coluna vertebral podem ser evitados
ao minimizar a força de cisalhamento colocada sobre ela.

Após fazer a própria revisão abrangente da literatura, a Associação Nacional de
Força e Condicionamento dos Estados Unidos chegou à mesma conclusão:

> O agachamento, quando executado corretamente e com supervisão ade-
> quada, não é apenas seguro como pode ser uma barreira significativa para
> lesões no joelho.

Portanto, fique tranquila: desde que você use a forma apropriada de agachamento, ele *não* representa risco de lesão nem para as suas costas nem para os seus
joelhos.

O problema real com o agachamento é que poucas pessoas o fazem corretamente. O erro mais comum é, evidentemente, fazer repetições parciais, deixando de
abaixar o corpo até os quadris descerem mais do que os joelhos. Há outros erros
comuns, no entanto: posicionamento muito aberto ou muito fechado, curvatura dos
joelhos, inclinação da pélvis e outros.

Bem, vamos nos certificar de que você não cometa os mesmos erros separando
o exercício em suas diferentes partes e analisando como ele funciona.

AJUSTE DO AGACHAMENTO

Recomendo que você sempre faça o agachamento num suporte com os pinos/barras
de segurança ajustados em torno de 15 cm abaixo da altura da barra no fim da repetição (que você saberá o que é em um instante). Faça isso ainda que esteja treinando
com uma parceira.

Posicione a barra no suporte de modo que ela atravesse a parte superior do seu tronco. Pode parecer que está um pouco baixo, mas é melhor que fique um pouco mais baixo do que você tentar tirar uma carga pesada do suporte na ponta do pé.

Fique de frente para a barra para poder se afastar andando de costas. Jamais movimente a barra para fora e para a frente, pois tentar recolocá-la no suporte andando de costas é perigoso.

Fique debaixo da barra e afaste os calcanhares na mesma largura de seus ombros com os dedos dirigidos para fora num ângulo de cerca de 20° a 25°, aproximadamente (o pé direito no ponteiro da 1 hora e o esquerdo no das 11 horas).

Quando estiver pronta para retirar a barra do suporte, aproxime as escápulas, endureça todo o alto das costas, erga o peito e endireite a coluna lombar. Coloque a barra abaixo do osso no alto das escápulas, solidamente encaixada no alto dos músculos das costas e na faixa posterior dos deltoides. *Não* coloque a barra no pescoço.

Segure a barra com os braços pouco abertos, porque isso ajuda a manter a tensão no alto das costas. Coloque os polegares sobre a barra.

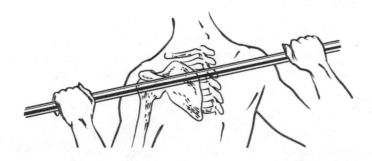

Observe como todo o peso está apoiado nas costas dela, sem nenhum nas mãos. Isso é importante. Pegar a barra com os braços afastados como fazem quase todas as pessoas diminui a tensão da musculatura das costas, que fornece um apoio crucial ao peso, e isso transfere a carga para a coluna. Não siga o exemplo delas.

Provavelmente essa posição vai parecer um pouco estranha no começo, e você talvez tenha de melhorar a flexibilidade dos ombros para chegar lá. Se ainda não for flexível o suficiente para isso, tudo bem — chegue o mais perto que conseguir da posição, garantindo que as suas escápulas estejam comprimidas e que o peso esteja solidamente sobre as suas costas (você não segura a carga com as mãos). À medida que continuar a treinar e se alongar, você conseguirá aproximar mais as mãos.

O MOVIMENTO DO AGACHAMENTO

Assim que tiver tirado a barra do suporte, dê um ou dois passos para trás e assuma a postura própria para o agachamento descrita acima (calcanhares afastados na mesma largura dos ombros, dedos virados para fora).

Escolha um ponto no chão a mais ou menos dois metros de onde estiver e dirija o olhar a ele durante toda a série. Não olhe para o teto, como alguns aconselham, porque isso estraga completamente a postura e torna quase impossível chegar à posição adequada embaixo, além de impedir o movimento adequado dos quadris e tirar o peito do posicionamento correto, e ainda causar uma lesão no pescoço.

Agora você está pronta para começar o movimento descendente, que é executado jogando os quadris para trás e descendo as nádegas até embaixo enquanto mantém o peito erguido e as costas retas e tensionadas.

Muitas pessoas têm a tendência de querer transferir a carga para os quadríceps à medida que fazem o movimento de descida do agachamento, e fazem isso deslizando os joelhos para a frente. Bem, se os joelhos ficarem muito à frente dos dedos dos pés enquanto você desce, ficarão em uma posição perigosa que pode levar a todo tipo de dores e problemas, especialmente no tendão patelar, debaixo da patela.

Uma boa regra prática é que o movimento dos joelhos para a frente deve ocorrer no primeiro terço ou na metade da descida, e eles não devem avançar um pouquinho à frente dos dedos. Assim que os joelhos deixam de ser obstáculos e estão no lugar, o movimento de agachar se torna uma simples queda reta dos quadris seguida de sua elevação também em linha reta.

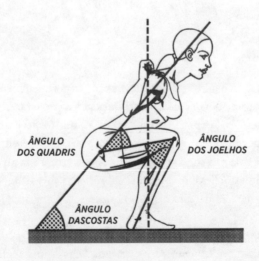

O fim do agachamento é o ponto em que os quadris estão atrás e um pouco mais baixos do que as patelas (o que obriga o fêmur a ficar um pouco mais abaixo do que a linha paralela ao chão). Os joelhos estão só um pouquinho à frente dos dedos e apontando na mesma direção que os pés, e as costas estão retas, mas não necessariamente *arqueadas*, e num ângulo que coloca a barra em linha sobre a metade dos pés.

Recomendo que você pratique o movimento sem a barra, para senti-lo. Se quiser ganhar pontos extras, filme-se fazendo isso para ter certeza de que o que você *acha* que está fazendo é o que está fazendo de fato.

Quando tiver agachado até embaixo, direcione as nádegas para cima — não para a frente — e erga os ombros no mesmo ritmo. Para fazer isso, você deve manter um ângulo nas costas que sustente o peso no meio dos seus pés. Se seus quadris se erguerem mais rápido do que os ombros, você começará a cair para a frente, o que forçará muito o pescoço e as costas.

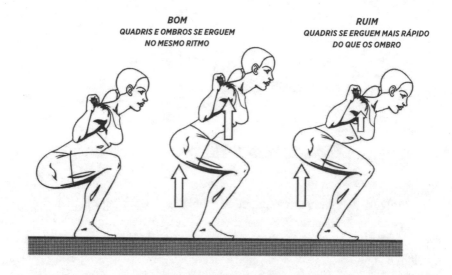

Não pense em mais nada além de erguer os quadris em linha reta mantendo o peito levantado e o ângulo apropriado da coluna, e você vai se elevar corretamente.

DICAS PARA O AGACHAMENTO

Se estiver com problemas para fazer com que os joelhos permaneçam em linha com os pés enquanto você desce e sobe, você pode fazer um exercício de mobilidade simples que funciona assim: faça agachamento sem peso e, no final do movimento, coloque os cotovelos nos joelhos e as palmas das mãos juntas, e empurre os joelhos para fora. Direcione os joelhos para dentro e para fora por uns bons 20 a 30 segundos, descanse e repita algumas vezes. Se fizer isso várias vezes por semana, rapidamente você notará diferença na sua capacidade de manter a posição adequada quando começar a adicionar peso.

Se você sentir que precisa posicionar a barra um pouco mais para cima nas costas por causa da rigidez dos ombros, os ângulos mudarão um pouco. Veja este outro diagrama:

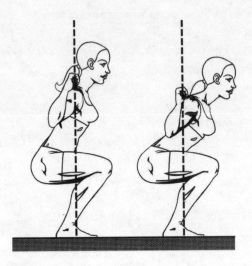

A figura à esquerda está no que se chama de posição "agachamento de barra alta", e a da direita na posição de "agachamento de barra baixa", que eu prefiro. Ainda que a posição de agachamento de barra baixa produza menos esforço de torção nos joelhos do que a posição da barra alta, a magnitude de ambas as forças está bem dentro dos limites toleráveis, o que faz com que nenhuma das posições seja "melhor" do que a outra com relação a isso. Use a postura que for mais confortável para você.

Agachar rápido demais aumenta as forças de compressão e cisalhamento exercidas sobre os joelhos. Certifique-se de que a sua descida seja controlada — não deixe os quadris simplesmente caírem o mais rápido possível.

Inspire fundo no início da primeira repetição —quando estiver em pé — totalmente ereta e na postura inicial, e prenda a respiração, tensionando o tronco inteiro. Você pode continuar a prendê-la enquanto realiza o exercício ou expirar um pouco

SEÇÃO IV TREINO

(talvez 10% do ar que estiver segurando) quando estiver se erguendo, e então inspirar novamente em cima.

A não ser que não tenha outra opção, não faça agachamento na máquina Smith. Ela força um raio de movimento que não é natural e pode ser bastante desconfortável, além de pesquisas mostrarem que ela é menos eficaz do que o agachamento livre com barra.

Se as suas costas tendem a se arredondar enquanto você desce, causando inclinação da pélvis, é porque os isquiotibiais estão muito tensos. Alongue-os todo dia (mas não antes de levantar peso, pois as pesquisas têm mostrado que isso esgota a força e não faz nada para prevenir o risco de lesões) e, conforme eles forem relaxando, você perceberá que consegue manter a lombar em posição neutra até chegar ao ponto mais baixo do exercício, quando a pélvis faz naturalmente uma pequena rotação para baixo.

Não coloque os pés retos para a frente, pois isso pode aumentar o estresse sobre os joelhos. Quando a postura fica mais aberta, o corpo naturalmente quer que os pés fiquem paralelos às coxas. Ao girar os pés para dentro, você força aos joelhos um torque que não é natural e que pode fazer com que você os arqueie ao descer, o que aumenta o risco de lesões.

Você pode começar a elevação criando um pequeno "balanço" no ponto mais baixo do agachamento, uma vez que os isquiotibiais, os glúteos e os músculos da virilha se alongam ao máximo de sua amplitude de movimento natural.

Não use a posição totalmente aberta do levantamento de peso básico a não ser que esteja de fato praticando essa modalidade. Essa posição permite que se pegue mais peso, mas reduz o papel do quadríceps no exercício.

Se você sentir necessidade de fazer agachamento com polias ou anilhas sob os calcanhares é porque precisa de mais flexibilidade nos isquiotibiais e/ou no tornozelo. Dê uma olhada nas obras do dr. Kelly Starret sobre a melhoria da mobilidade dos isquiotibiais e do tornozelo para que você possa fazer agachamento conforme descrito neste capítulo.

Acredite ou não, os calçados errados podem tornar o agachamento significativamente mais difícil. Tênis inadequados são aqueles com sola suave ou instável ou com calcanhar elevado, o que promove instabilidade durante exercício, e aqueles com calcanhar alto demais, o que desloca o peso corporal e assim os joelhos muito para a frente enquanto você desce e sobe. ·

Ao usar calçados com solas planas ou calçados próprios para musculação, com uma leve e rígida elevação do calcanhar, você achará muito mais fácil apoiar-se nos calcanhares e conseguirá engajar os isquiotibiais e os glúteos de forma mais eficaz. (Você encontrará as minhas recomendações de calçados no relatório extra).

VARIAÇÕES DO AGACHAMENTO

Existem algumas variações do agachamento, mas a maioria delas é inferior ao movimento básico e, portanto, não é recomendada.

Feita essa ressalva, há uma variação que é fantástica e faz parte do programa de *Malhar, Secar, Definir — Para Mulheres*: o agachamento frontal.

AGACHAMENTO FRONTAL

O agachamento frontal enfatiza o quadríceps e o tronco, e cria menos compressão da coluna vertebral e menos torque nos joelhos, o que o torna particularmente útil para aqueles com lesões ou limitações nas costas ou nos joelhos. Ele também facilita a obtenção de profundidade adequada.

Como no agachamento de costas ou tradicional, para colocar-se na posição do agachamento frontal separe os pés mais ou menos com a largura dos ombros, com os dedos apontando ligeiramente para fora.

Existem diferentes formas de segurar a barra, mas eu recomendo a posição usada para o levantamento olímpico conhecido como *arremesso*, que tem a seguinte forma:

Se essa pegada colocar pressão demais sobre os seus pulsos, você pode aliviá-la removendo um dedo ou dois de debaixo da barra, como o polegar e o mínimo.

Nessa posição, a barra fica na parte da frente dos ombros, o que exige mais esforço dos músculos da parte superior das costas e requer que o tronco permaneça ereto e que o peito e os cotovelos permaneçam para cima e para a frente. Não tente segurar a barra acima dos ombros com as mãos, pois seus pulsos começarão a doer. É incômodo no início, mas o que queremos é que os ombros sustentem a carga.

Mantenha esta posição vertical rígida durante todo o levantamento.

Para começar a descida, respire fundo e estabilize o tronco. Jogue os quadris para fora e agache-se em linha reta, mantendo os joelhos alinhados aos dedos dos pés, até que suas coxas estejam um pouquinho abaixo da linha paralela ao chão. Você notará que isso empurra seus joelhos um pouco mais para a frente do que o agachamento traseiro, o que é normal.

Impulsione os calcanhares para começar a subida e mantenha o peito para cima, as costas rígidas e os cotovelos elevados.

SUPINO RETO

Se você estiver começando a fazer academia, prepare-se para ver bandos de caras amontoados em volta do banco de supino cometendo todos os tipos de erros: deixando de descer com o peso até embaixo, arqueando as costas, levantando o traseiro do banco, encolhendo ou balançando os ombros ao erguer a barra até em cima, no topo, abrindo os cotovelos e outros.

Pois bem, embora se possa trapacear em algo como rosca bíceps sem correr muito risco de lesão, o supino é diferente. Se você não sabe o que está fazendo e tenta pegar grandes pesos com a forma errada, é fácil lesionar os ombros, o que pode levar uma eternidade para tratar e reabilitar.

Faça supino de modo correto, porém, e você continuará com ombros saudáveis e ficará com peitoral cada vez maior e mais forte. Vejamos como isso funciona.

AJUSTE DO SUPINO

Um bom supino começa com uma base forte, que funciona assim:

Deite-se no banco e "torça" as escápulas para dentro retraindo-as uma contra a outra e para baixo em direção à cintura. Crie um arco na sua lombar que seja grande o suficiente para que caiba um punho entre ele e o banco. Seu peitoral deve estar erguido como se você fosse mostrá-lo para alguém, e você deve mantê-lo "para cima" durante todo o levantamento.

A distância entre as suas mãos deve ser de poucos centímetros a mais do que a largura de seus ombros (em torno de 55 cm a 70 cm, dependendo de sua constituição). Se as suas mãos ficarem muito fechadas, você se apoiará demais nos tríceps (a propósito, o supino com pegada fechada é um fantástico exercício para os tríceps, mas falaremos a respeito disso mais tarde), e se ficarem muito abertas, você reduzirá a amplitude do movimento e a eficácia global do exercício.

Não faça a pegada "sem polegar" ou (como é devidamente chamada) "suicida", em que os polegares ficam ao lado dos indicadores em vez de envoltos na barra. Embora as pessoas forneçam vários motivos para gostar dessa pegada, sua desvantagem é óbvia: quando você está com pesos grandes, é muito fácil a barra escorregar da sua mão e despencar em cima do seu peito ou, pior, seu pescoço (se não acreditar em mim, é só procurar no Google "pegada sem polegar supino acidente"!).

Ponha a barra na palma da mão, não nos dedos, para não ficar com dor no punho.

Agarre a barra *com força*. Tente esmagá-la como se fosse espaguete, pois isso lhe dará uma explosão de força.

Crie uma base estável dos membros inferiores colocando os pés diretamente abaixo dos joelhos, que devem ser inclinados para fora, contraindo o quadríceps e acionando os glúteos. A parte superior da perna deve ficar paralela ao chão, e a parte inferior deve ficar perpendicular (formando um ângulo de 90°), o que lhe permite pressionar os calcanhares à medida que se ergue, criando a propulsão das pernas ou *"leg drive"*, da qual você provavelmente já ouviu falar (se você preferir, o estilo de supino do levantamento de peso básico, com os calcanhares elevados, também é bom).

Depois de ter feito tudo isso, você estará na posição em que é desejável permanecer durante todo o levantamento.

O MOVIMENTO DE SUPINO

Retire a barra do suporte travando os cotovelos para fora para removê-la dos ganchos e coloque-a em posição com os cotovelos ainda travados. Não tente trazer o peso direto dos ganchos para o peito, e não deixe o tórax cair nem relaxe as escápulas ao retirar a barra, pois se fizer isso, você vai empurrar a barra com os ombros.

Pesquisas mostraram que manter os braços em um ângulo de cerca 45° em relação ao tronco e empregar pegada média são os melhores meios de proteger os ombros durante o supino. No entanto, um ângulo de exatos 45° não é necessariamente correto para todo o mundo — o desejável é encontrar a posição que seja mais confortável para você entre 30° e 60°.

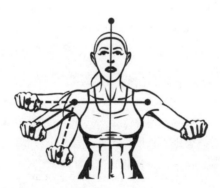

A posição mais baixa acima é de cerca de 20°, e é comum vê-la no levantamento de peso básico. A posição do meio é de cerca de 45°, e é a que eu considero mais confortável. A posição superior é de 90°, que coloca os ombros em uma posição temerária.

O movimento correto de supino é uma descida controlada da barra até a base do peito (sobre os mamilos) seguida por um impulso explosivo para cima. A barra deve se movimentar em linha reta para cima e para baixo, não para o rosto ou para o umbigo.

Há um debate interminável sobre a conveniência de descer a barra até o peito. Muitos "especialistas" em condicionamento físico afirmam que não se deve deslocar o peso além do ponto em que o antebraço fica paralelo ao chão, já que ir além força demais os ombros. Isso é besteira.

Reduzir a amplitude do movimento apenas reduz a eficácia do exercício, e os ombros só estarão sob risco de lesão quando em uma técnica incorreta. Ao usar amplitude total de movimento com forma correta, você maximizará o desenvolvimento muscular ao mesmo tempo que evita lesões.

Não olhe para a barra enquanto ela se mexe, uma vez que isso provavelmente fará com que você altere os ângulos de subida e de descida. Em vez disso, escolha um ponto no teto para olhar durante o exercício e veja a barra subir e descer em relação a ele. A meta é erguê-la até o mesmo ponto em todas as repetições.

Mantenha os cotovelos "dobrados" na posição inicial durante todo o tempo, prestando atenção especial durante a elevação (pois este é o momento em que muitos os abrem para ganhar alavancagem). Aumentar o ângulo em relação ao tronco facilita a elevação do peso, mas coloca tensão indevida sobre os ombros.

DICAS PARA O SUPINO

Não deixe o peito ficar achatado enquanto faz o exercício, nem permita que os seus ombros encolham ou escorreguem para a frente no ponto mais alto de uma repetição. Mantenha o peito empinado, os cotovelos dobrados e as escápulas contraídas e retraídas.

Impulsione as pernas contra o chão. Isso transfere uma parte da força para os quadris e as costas, o que ajuda a manter a forma correta e pode aumentar a força de empuxo que você é capaz de gerar.

Mantenha as nádegas encostadas no banco o tempo todo. Se elas levantarem, provavelmente o peso está excessivo. Os três pontos de contato que você deve sempre manter são a parte superior das costas (permanece no banco), as nádegas (idem) e os pés (permanecem plantados no chão).

Não balance a barra sobre o peito. Desça-a de maneira controlada, mantendo tudo contraído. Depois deixe que ela toque o peito e a empurre para cima.

Não force a parte de trás da cabeça no banco, pois fazê-lo pode comprimir o pescoço. Seu pescoço se contrairá naturalmente enquanto você estiver fazendo o exercício, mas não o force para baixo.

Quando estiver abaixando o peso, pense no impulso de subida por vir. Visualize a segunda metade explosiva do exercício o tempo todo e você achará mais fácil controlar a descida do peso, impedir que a barra oscile e até preparar os músculos para a tensão iminente de erguer a barra. (A propósito, essa técnica é boa para todos os exercícios.)

Só tente reposicionar a barra no suporte depois de ter concluído a última repetição. Muitas pessoas cometem o erro de levar a barra próximo ao rosto na subida da última repetição, o que é muito perigoso. E se você errar a repetição e a barra começar a descer ou sair dos ganchos? Não será bonito.

Em vez de fazer isso, empurre o peso para cima em linha reta, como de costume, trave os cotovelos para fora e recoloque a barra no suporte até que ela se encaixe no lugar apropriado, e depois a abaixe até os ganchos.

VARIAÇÕES DO SUPINO

Como parte do programa de *Malhar, Secar, Definir — Para Mulheres*, você fará duas variações do supino básico: o supino inclinado e o supino com pegada fechada.

SUPINO INCLINADO

O debate sobre o "tórax superior" é uma das muitas questões "controversas" do mundo da musculação.

É necessário fazer exercícios de peitoral especificamente para a parte superior do tórax? Ou todos os exercícios de peitoral estimulam todas as fibras musculares disponíveis? E, mais ainda, existe mesmo um "tórax superior"?

Bem, serei direto.

Há uma parte dos "músculos do peitoral" que compõe o que chamamos de "tórax superior". É conhecida como *peitoral clavicular*, e sua forma é a seguinte:

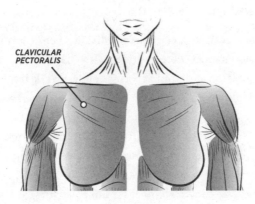

MALHAR SECAR DEFINIR PARA MULHERES

Embora seja parte do grande músculo do tórax, o peitoral maior, o ângulo das fibras deste músculo é bem diferente. Assim, certos movimentos podem enfatizar a extremidade principal do peitoral e outros podem enfatizar a extremidade clavicular.

Note que eu disse *enfatizar*, não *isolar*. Isso ocorre porque todos os movimentos que enfatizam um dos dois envolvem, em alguma medida, o outro. No entanto, desenvolver bem o peitoral requer *muita* ênfase no peitoral clavicular por dois motivos simples:

1. Ele é um músculo pequeno e teimoso que leva uma vida para crescer.

2. Os melhores movimentos para desenvolvê-lo também são, por acaso, ótimos para o crescimento do peitoral maior.

A melhor forma de garantir que o tórax superior não fique atrás do peitoral maior em tamanho é fazer bastante supino inclinado, por isso incluí no programa este exercício, que enfatiza o peitoral clavicular mais do que o supino reto e o supino declinado.

Nele, o ângulo de inclinação do banco deve ser de 30° a 45°. Eu prefiro 30°, mas algumas pessoas preferem inclinação mais próxima de 45°. Recomendo que você tente várias configurações na faixa de 30° a 45° e veja de qual gosta mais.

De modo geral, a configuração e o movimento do supino inclinado são exatamente iguais aos do supino comum, que já vimos, com uma pequena exceção: a barra deve passar pelo queixo e tocar logo abaixo das clavículas para permitir que tenha trajetória vertical.

SUPINO COM PEGADA FECHADA

Como já mencionei, quando você encurta a distância entre as mãos na barra, uma parte maior do esforço recai sobre os tríceps. Isso não é desejável se seu objetivo é treinar o peito, mas é uma das minhas formas preferidas de treinar o tríceps.

Ao fazer esse movimento, suas mãos devem estar ligeiramente mais fechadas do que a largura dos ombros, e nada além disso. Você verá muitas pessoas com abertura de apenas alguns centímetros entre as mãos, o que é uma má ideia — essa pegada coloca os ombros e os pulsos em uma posição temerária e enfraquecida.

O resto da postura e do movimento é como no supino comum: as escápulas "torcidas" em direção ao banco, a lombar faz um pequeno arco, os pés ficam retos no chão e a barra desce em linha reta, toca a base do peito e sobe em linha reta.

SEÇÃO IV TREINO

Se sentir desconforto nos ombros ou nos punhos na parte de baixo do movimento, basta ampliar a distância entre as mãos em mais ou menos um dedo e tentar de novo. Se não resolver, amplie mais outro dedo de distância entre as mãos e repita até ficar confortável (mas não tanto que você transforme o exercício em supino comum!).

LEVANTAMENTO TERRA

O levantamento terra é o supremo exercício de corpo inteiro, pois trabalha praticamente todos os grupos musculares: todos os músculos das costas, do tronco e dos braços. Basicamente, todo músculo do corpo envolvido na produção sistêmica de energia é trabalhado no levantamento terra, e é por isso que ele é parte integrante de qualquer programa de treinamento de força sério.

Embora poucos contestem sua eficácia para desenvolver músculos e força, alguns afirmam que ele também é um daqueles exercícios "perigosos" que devemos evitar se não quisermos vir a ter sérios problemas nas costas um dia.

À primeira vista, esse medo parece ter sentido: levantar um monte de peso do chão — colocar toda essa pressão sobre as costas, particularmente a lombar e o eretor da espinha — seria uma receita para o desastre torácico e lombar, certo?

Bem, vamos começar revisando um estudo realizado por pesquisadores da Universidade de Valência que definiu a forma mais eficaz de treinar os músculos paraespinhais, que percorrem os dois lados da coluna vertebral e desempenham papel importante na prevenção de lesões nas costas.

Os pesquisadores encarregaram 25 pessoas sem dor lombar de realizar dois tipos de exercícios para as costas: (1) exercícios feitos apenas com o peso corporal, como extensões lombares, flexões para a frente, levantamento terra com uma perna só e pontes; e (2) dois exercícios com pesos, levantamento terra e afundo, usando 70% do peso de 1RM. A atividade muscular foi medida usando eletromiografia, uma técnica de medir e analisar contrações musculares por meio da atividade elétrica que ocorre nos músculos.

Resultado: o levantamento terra foi o que mais ativou os músculos paraespinhais. E por ampla margem. A atividade eletromiográfica média do levantamento terra foi de 88% e atingiu o pico em 113%, ao passo que a extensão de costas produziu uma atividade média de 58% e um pico de 55%, e o afundo produziu uma média de 46% um pico de 61%. A atividade muscular média do resto dos exercícios variou entre 29% e 42%, com a ponte supino com bola Bosu sendo a menos efetiva.

MALHAR SECAR DEFINIR PARA MULHERES

Assim, concluíram os pesquisadores, o levantamento terra é uma maneira incrivelmente eficaz de fortalecer os músculos paraespinhais.

Outro estudo, realizado por pesquisadores da Universidade de Waterloo, procurou determinar a flexão lombar causada pelo levantamento terra e, assim, a tensão que ele coloca nos ligamentos das vértebras e da lombar. Será que o exercício exerce sobre as costas, e a lombar em particular, pressão excessiva que poderia levar a lesões?

Os pesquisadores usaram imagens de raios-X em tempo real (fluoroscopia) para monitorar a coluna vertebral de levantadores de peso de elite enquanto eles flexionavam completamente a coluna vertebral sem peso nenhum e enquanto pegavam mais de 200 kg no levantamento terra. Com exceção de um participante, todos os homens completaram o levantamento terra dentro da faixa de movimento normal que haviam exibido durante a flexão total. O comprimento dos ligamentos não foi afetado, o que indica que não ajuda a suportar a carga, mas limita a amplitude de movimento.

Assim, como se vê, executado corretamente o levantamento terra é efetivo para fortalecer as costas inteiras, inclusive os eretores da espinha, sem forçar nada que não seja natural em termos de amplitude de movimento.

Tal como acontece com o agachamento e o supino, é a execução errada que dá má fama ao levantamento terra. Há muitos erros que você pode vir a cometer, mas o proibido é arredondar a lombar durante o exercício, pois isso transfere boa parte da tensão dos músculos eretores da espinha para as vértebras e os ligamentos.

Portanto, vencido esse obstáculo, vamos aprender a fazer o levantamento terra de modo correto.

AJUSTE DO LEVANTAMENTO TERRA

Comece sempre com a barra no chão — não nos ganchos de segurança, nem no suporte.

A postura deve ser um pouco mais fechada do que a largura dos ombros, e os dedos dos pés devem apontar ligeiramente para fora. Você deve ficar com a barra sobre o meio dos pés (no alto do peito do pé).

Com a cabeça erguida e o tórax para fora, respire fundo com o diafragma (não com os pulmões), endurecendo o abdome como se estivesse prestes a levar um soco no estômago.

Dobre os joelhos até que as canelas toquem na barra e os joelhos estejam ligeiramente à frente dela, e então levante o peito até que as costas estejam numa posição neutra e contraída. Não encurve a lombar demais e não contraia as escápulas uma contra a outra como no agachamento. Simplesmente force o peito para cima e as costas e os ombros para baixo.

262

Não cometa o erro de principiante de abaixar os quadris demais com a intenção de levantar o peso "fazendo agachamento". Quanto mais baixos estiverem os quadris em relação à altura ideal, mais eles terão de subir antes que você consiga tirar o peso do chão, o que é simplesmente desperdício de movimento.

Em vez disso, você deve sentir a contração dos isquiotibiais e dos quadris ao restringir-se à posição de, essencialmente, "meio agachamento".

Seus braços devem ficar completamente esticados e um pouquinho mais abertos que as pernas, deixando espaço suficiente para os polegares roçarem as coxas.

Pegue a barra colocando-a no meio da palma das mãos, não nos dedos. As duas palmas devem estar viradas para a barra para proporcionar força à pegada. A outra opção de pegada é a "alternada", em que uma das palmas (normalmente a mão não dominante) fica para dentro e a outra para fora, o que pode permitir que você levante cargas maiores.

A posição inicial é assim:

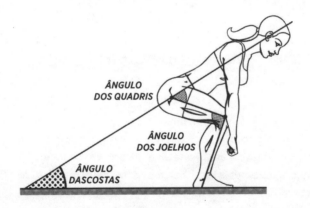

Agora você está preparada para o tranco.

MOVIMENTO DO LEVANTAMENTO TERRA

Mova o corpo para cima e ligeiramente para trás o *mais rápido possível* impulsionando com os calcanhares. Mantenha os cotovelos travados no lugar e a lombar ligeiramente arqueada (sem arredondamento!).

Certifique-se de que seus quadris e ombros subam simultaneamente: não lance os quadris para cima sem elevar também os ombros.

Você sentirá os isquiotibiais e quadris dando duro enquanto continuar a subir. Mantenha as costas neutras e contraídas durante toda a subida e tente manter a barra na trajetória o mais vertical possível (deve haver pouca oscilação lateral da barra enquanto você a suspende).

A barra deve subir pelas suas canelas e deslizar pelos joelhos e coxas, momento em que os glúteos se contraem com força para colocar você em posição ereta. Quando a barra chegar ao alto, seu peito deve estar projetado para a frente e seus ombros devem estar caídos. Não incline para trás, não sacuda o peso, nem jogue os ombros para cima e para trás.

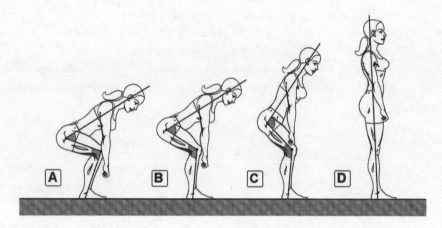

A próxima metade do movimento consiste em descer o peso de volta até o chão de maneira controlada (sim, ele tem de fazer a jornada inteira de volta ao chão!). Isto é basicamente uma imagem espelhada do que você fez na subida.

Você começa descendo a barra jogando para trás primeiro *os quadris*, deixando a barra descer em linha reta, deslizando pelas coxas, até alcançar os joelhos. Então você flexiona os joelhos e abaixa a barra até que fique no meio das canelas. As costas se mantêm contraídas na posição neutra o tempo todo.

Não tente desacelerar deliberadamente a descida da carga, em especial ao aproximar a barra nos joelhos. Toda a segunda metade do exercício deve demorar cerca de um a dois segundos.

Existem duas formas de transição para a próxima repetição: o método de "tocar e ir" e o de "parar e ir". No primeiro você bate com as anilhas no chão e avança diretamente para a próxima repetição, ao passo que no segundo você solta as anilhas no chão por um segundo antes de começar a próxima repetição.

O método de parar e ir é mais difícil que o de tocar e ir, mas não necessariamente melhor. É mais uma questão de descobrir o que parece ideal para você. Eu prefiro o método de tocar e ir, mas às vezes uso o de parar e ir se a carga está especialmente pesada.

DICAS PARA O LEVANTAMENTO TERRA

Use calça comprida e meias de cano alto no dia em que for fazer levantamento terra para prevenir arranhados nas canelas. Eles podem ser resultado de executar o exercício de forma incorreta, mas, dependendo da relação entre seu tronco e seus membros e a parte inferior do corpo, pode ser inevitável.

Como no caso do agachamento, é má ideia fazer levantamento terra com tênis que tenham almofada de ar, preenchimento de gel ou calcanhar elevado. Eles comprometem a estabilidade, provocam perda de força e interferem na execução correta do exercício. Prefira calçados com solas duras e rasas ou tênis de musculação para fazer levantamento terra e agachamento, e isso fará com que você se saia melhor.

Se você começar com os cotovelos dobrados, acabará colocando tensão desnecessária sobre os bíceps. Mantenha os cotovelos estendidos durante todo o levantamento.

Atenha-se à pegada pronada (mãos viradas para baixo) se possível, pois ela é ótima para fortalecer a pegada. À medida que você fica mais forte, no entanto, a barra pode começar a cair das suas mãos durante as séries. Se isto acontecer, você pode mudar para a pegada alternada e, se quiser, incluir na sua ficha alguns exercícios específicos para treinar a pegada, os quais você pode encontrar aqui [em inglês]: http://bit.ly/grip-training.

Adotar posição ou pegada muito abertos tornará o exercício estranho. A postura do levantamento terra é mais fechada que a do agachamento, e exige que as mãos fiquem quase coladas às pernas.

Tente esmagar a barra com a sua pegada. Se os nós dos dedos não ficarem brancos, você está apertando pouco.

Se começar a elevação do peso com os quadris muito altos, você transformará o exercício em levantamento terra com as pernas rígidas, o que pressiona muito mais a lombar e os isquiotibiais. Preste atenção para que os quadris abaixem o suficiente na posição inicial.

Um erro comum é começar a subida lentamente, o que torna *muito* mais fácil ficar paralisado. Empurre a barra para cima numa explosão com o máximo de rapidez que conseguir aplicando o máximo de força possível nos calcanhares.

Quando você estiver descendo o peso, se abrir os joelhos cedo demais, a barra vai bater neles. Para evitar que isso aconteça, comece a descida jogando os quadris para trás primeiro e não dobre os joelhos até que a barra os alcance.

Não se force a olhar para cima enquanto estiver fazendo levantamento terra. Mantenha a cabeça em posição neutra e alinhada com a coluna.

VARIAÇÕES DO LEVANTAMENTO TERRA

LEVANTAMENTO TERRA SUMÔ

O levantamento terra sumô usa uma postura bem aberta (1,5 a 2 vezes a largura dos ombros) para diminuir a amplitude de movimento e limitar a força de cisalhamento na coluna lombar. Ele também pode ser mais confortável para os quadris do que o exercício convencional, dependendo da sua biomecânica (se você caminha com os dedos dos pés apontados para fora, o sumô pode ser melhor para você).

A desvantagem do levantamento terra sumô é a reduzida amplitude de movimento, o que resulta em menos esforço realizado, o que significa menos desenvolvimento muscular global. No entanto, dê uma chance a esta variação se não tiver flexibilidade para fazer o levantamento terra convencional, se ele simplesmente causar desconforto (os corpos de certas pessoas são mais propícios ao levantamento terra sumô) ou se estiver causando dor lombar.

LEVANTAMENTO TERRA COM BARRA HEXAGONAL

A variação do exercício com barra hexagonal é uma ótima maneira de aprender a fazer levantamento terra, porque não requer tanta mobilidade do quadril e do tornozelo para chegar à barra e coloca menos esforço de cisalhamento na coluna vertebral. Ele também permite que você levante mais peso do que o levantamento terra convencional, o que pode torná-lo um exercício mais efetivo para desenvolver a potência geral dos membros inferiores.

Para o fortalecimento dos músculos do eretor da espinha e do quadril, no entanto, o levantamento terra convencional é mais eficaz, porque o levantamento terra com barra hexagonal é mais como um agachamento devido à carga elevada que coloca no quadríceps.

LEVANTAMENTO TERRA ROMENO (STIFF)

O stiff, como costuma ser chamado, foi introduzido pelo halterofilista romeno Nicu Vlad, que realizava ultrajantes proezas de força como elevar mais de 300 kg em movimento frontal, embora pesasse somente 100 kg.

O stiff trabalha os glúteos e os isquiotibiais, com participação menor dos quadríceps e dos músculos dos quadris.

Ele começa com o peso nos ganchos de segurança ou na porção inferior do suporte. A posição e a pegada são as mesmas do levantamento terra convencional, e o peso é levado um ou dois passos para trás. Na posição inicial, os joelhos ficam travados, o peito empinado, as costas retas e contraídas, e os olhos focalizam um ponto no chão a mais ou menos 30 cm de distância.

Ao começar o movimento, destrave os joelhos apenas o suficiente para transferir um pouco de tensão para os quadríceps, e arqueie ligeiramente as costas. Desça a barra em linha reta até as coxas empurrando os quadris para trás e incline o tronco para a frente para manter os ombros diretamente sobre a barra.

A barra passa pelos joelhos e desce até as canelas, e você desce o máximo que conseguir sem romper o alongamento das costas. Por causa do ângulo crescente do tronco, provavelmente você não conseguirá ir mais do que alguns centímetros abaixo da linha dos joelhos, e isso não é problema. Na verdade, se o peso estiver encostando no chão, você está fazendo errado (está dobrado os joelhos).

Resista à tentação de relaxar a tensão dos joelhos flexionando-os ao chegar embaixo, pois fazê-lo transfere a carga dos isquiotibiais para os quadríceps.

Assim que tiver chegado a um bom estiramento dos isquiotibiais e que as costas estiverem prontas para se soltar, comece a subir. Ao fazê-lo, mantenha o peito e as costas tensionados e travados na posição, e desloque a barra em linha reta na frente das pernas.

Mantenha as costas rígidas durante todo o levantamento. Não deixe o peito afundar, nem a lombar se soltar.

DESENVOLVIMENTO MILITAR

O desenvolvimento militar é o melhor e mais versátil exercício de ombro que se pode realizar. É um movimento simples e fácil de aprender que permite levantar pesos pesados com segurança.

Há duas variações do desenvolvimento: em pé e sentado. O desenvolvimento em pé exige uma força enorme no tronco e na lombar para manter o equilíbrio, o que limita o peso que é possível levantar. Embora não haja nada de inerentemente errado nisso, acho que fazer levantamento terra e agachamento pesados toda semana é mais do que o suficiente para desenvolver a força do tronco e da lombar; portanto, eu prefiro usar este exercício para maximizar a sobrecarga nos ombros.

Assim, eu vou de desenvolvimento sentado e recomendo que você faça o mesmo. No entanto, o desenvolvimento sentado requer um aparelho específico, que é assim:

Se a sua academia não tiver esse equipamento ou se você não pode montar algo parecido usando um suporte de barras e um banco, então pode optar pela variação em pé, que você pode executar em um suporte de agachamento.

Agora tratamos da forma, começando com desenvolvimento sentado.

AJUSTE DO DESENVOLVIMENTO SENTADO

Coloque os pés no chão na largura dos ombros com os dedos dos pés e os joelhos levemente virados para fora. Pressione os calcanhares no chão para manter a lombar e as nádegas firmes no lugar contra o encosto do banco.

Segure a barra com pegada ligeiramente mais aberta do que a do supino (ligeiramente mais aberta que a largura dos ombros) e coloque-a sobre os pulsos, não nos dedos. Suas costas devem estar em posição neutra e permanecer assim durante todo o exercício.

O MOVIMENTO DO DESENVOLVIMENTO SENTADO

Para começar a descida, respire fundo, contraia o abdome e os glúteos e impulsione o peito para cima. Desça a barra direto em direção à clavícula e mantenha os cotovelos dobrados como no supino (não os force a ficar ao seu lado e não os deixe escorregar muito para trás).

Incline a cabeça para trás para permitir que a barra passe pelo seu nariz e seu queixo e olhe para a frente, não para cima. (É por isso que um banco completo não funciona para o desenvolvimento militar: você não pode inclinar a cabeça para trás para tirá-la do caminho e é forçado a descer o peso mais abaixo no peito, o que é incorreto.) Deve haver um pequeno arco na sua lombar na parte mais baixa do exercício, mas não exagere, pois isso poderá causar lesões quando você começar a pegar cada vez mais peso. Se você estiver arqueando demais, provavelmente o peso está excessivo.

Uma vez que a barra tenha alcançado sua clavícula, erga-a em linha reta na trajetória de descida, e depois que ela passar sua testa, jogue o tronco um pouco para a frente e comprima os glúteos. Continue levantando a barra até que seus cotovelos estejam travados: os ombros, os trapézios e as costas devem estar contraídos e comprimidos.

AJUSTE E MOVIMENTO DO DESENVOLVIMENTO EM PÉ

O desenvolvimento em pé é executado exatamente do mesmo modo — só que em pé.

A barra fica no suporte na mesma altura em que ficaria se você estivesse fazendo agachamento, e depois que você a retirar, o movimento é como descrito acima. Para recapitular: pés e pegada na largura dos ombros, a pegada é como a do supino, as costas ficam neutras; desça direto para a clavícula, jogue a cabeça para trás enquanto olha para a frente, erga a barra pela mesma trajetória, jogue o tronco ligeiramente para a frente, comprima os glúteos e trave.

COMO TREINAR DO JEITO MALHAR, SECAR, DEFINIR — PARA MULHERES

Embora a teoria da "confusão muscular" seja tola e não tenha validade científica, é verdade que o corpo pode reagir de modo favorável à realização de novos exercícios depois de ter executado a mesma ficha por algum tempo. Dar uma mudada nas coisas também pode ajudar a manter você interessada nos treinos e entusiasmada com eles, o que melhora os resultados globais.

SEÇÃO IV TREINO

Assim, o programa de *Malhar, Secar, Definir — Para Mulheres* requer mudar a ficha de exercícios a cada oito semanas. Vamos entrar mais a fundo no programa concreto no próximo capítulo, mas primeiro eu quero fornecer a lista de exercícios "aprovados" para que você possa criar seus próprios treinos, bem como algumas dicas gerais sobre o treinamento de cada grupo muscular.

Os exercícios que recomendo são os que concluí serem os mais eficazes para desenvolver um corpo forte e musculoso. Eles são listados por ordem de prioridade (o primeiro exercício é o que me parece mais importante para o desenvolvimento do grupo muscular, o segundo é o segundo mais importante, e assim por diante). Como você verá no relatório extra, no programa que desenvolvi você realiza todos eles ao longo do seu primeiro ano.

Você pode se surpreender com quão poucas escolhas existem para cada grupo muscular, e isso ocorre porque, embora haja uma grande quantidade de exercícios que *poderíamos* fazer para treinar os vários grupos musculares do corpo, é uma pequena minoria que realmente traz benefícios (é o princípio 80/20 de Pareto* em ação).

Em termos de como fazer os exercícios, em vez de preencher mais 30 páginas com imagens e descrições, prefiro compartilhar vídeos. Você pode encontrar links para vídeos sobre a forma correta de todos os exercícios no relatório extra.

PEITO

Muitas mulheres não treinam os músculos do peitoral porque não querem ter peito musculoso.

O que precisam entender, porém, é que peito "musculoso" nas mulheres é bem diferente do que é nos homens. Nas mulheres, o peitoral bem treinado não fica "estourado" — toda a área simplesmente fica mais torneada e "atrevida", algo de que a maioria das mulheres gosta muito.

Os melhores exercícios para conseguir isso são poucos, que recrutam maximamente as fibras musculares e permitem uma sobrecarga progressiva pesada sem aumentar drasticamente o risco de lesões.

São eles:

Supino inclinado com barra
Supino inclinado com halteres
Supino reto com barra
Supino reto com halteres
Mergulho (versão peito)

Estes são os exercícios que você *tem de* dominar se quiser desenvolver um peitoral incrível. Ponto. Esqueça por ora exercícios com cabo, voadores com halteres, variações de flexão, aparelhos e qualquer outro tipo de exercício de peito disponível. Eles simplesmente não chegam nem perto da eficácia dos exercícios essenciais acima, e são apenas para halterofilistas avançados que já fizeram sua parte pegando pesado no supino para desenvolver um peitoral forte.

Eu costumo alternar entre fichas baseadas em halteres centrais e na barra central. Por exemplo, faço uma ficha de supino inclinado com halteres, supino reto com halteres e mergulho com peso por oito semanas, e então passo para uma ficha com supino reto, supino inclinado e supino reto com halteres pelas próximas oito.

COSTAS

Há alguns músculos que compõem o cerne das costas e precisam ser bem desenvolvidos, como o *trapézio*, os *romboides*, o *latíssimo do dorso*, os *eretores da espinha*, o *redondo maior*, o *redondo menor* e o *infraespinhal*. Veja a ilustração:

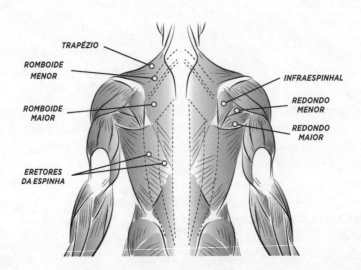

Muitos negligenciam o treino de costas porque raramente veem os próprios músculos das costas, mas isso é um erro. Não só isso resulta em uma aparência desequilibrada (*todas* as outras pessoas veem as suas costas), mas também causa um

SEÇÃO IV TREINO

desequilíbrio entre os músculos de "empurrar" e os de "puxar" que pode levar a problemas de postura e mesmo a lesões na academia.

Os exercícios que recomendo para treinamento das costas são os seguintes:

Levantamento terra com barra
Remada com barra
Remada unilateral com halter
Tração na barra fixa com pegada pronada
Puxada (frontal e dorsal)
Remada com barra T
Remada com polia sentado (pegada aberta e pegada fechada)
Tração na barra fixa com pegada supinada
Encolhimento com barra

O levantamento terra é, de longe, o exercício mais eficaz para costas que você pode fazer. Ele é simplesmente imbatível em termos de desenvolvimento global e de força, e é por isso que você vai fazê-lo toda semana. Você precisará de toda a energia que conseguir para puxar peso pesado.

A remada com barra, a remada unilateral com halter e a tração na barra fixa (especialmente a de pegada aberta) estão quase empatadas no meu livro, pois todas elas são fantásticos exercícios completos para o desenvolvimento das costas. Os encolhimentos são listados por último porque só treinam os trapézios e só serão incluídos nos treinos se o desenvolvimento desses músculos estiver deficiente.

Em termos de programar seus próprios treinos, recomendo altamente que você sempre comece com o levantamento terra. A partir daí, prossiga para um movimento de puxada de pegada aberta, como a remada com barra ou barra T ou a tração na barra com pegada aberta (com peso, se você conseguir), seguido de um movimento de puxada de pegada mais fechada, como a remada unilateral com halter, puxada dorsal, remada sentado com pegada fechada ou tração na barra com pegada supinada.

OMBROS

Os ombros consistem em três músculos principais conhecidos como *deltoides*, que em um homem são assim:

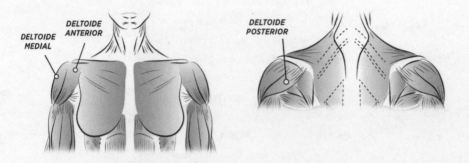

É importante desenvolver as três cabeças desse grupo muscular, porque se uma ficar para trás, será dolorosamente óbvio.

Na maioria dos casos, os deltoides laterais e os posteriores exigem mais trabalho, porque os deltoides anteriores são trabalhados com muita intensidade no treinamento adequado do peitoral. As outras duas cabeças, porém, não.

Os exercícios que eu recomendo para o seu treino de ombros são os seguintes:

Desenvolvimento barra sentado ou Desenvolvimento barra em pé
Desenvolvimento sentado com halteres ou Desenvolvimento Arnold com halteres
Elevação lateral com halteres ou Elevação unilateral com halteres
Elevação posterior para deltoide (inclinado ou sentado)
Puxada ao rosto (face pull)
Remada com barra para deltoide posterior
Elevação frontal com halteres

Como você pode ver, sou fã dos exercícios com barra no banco. Assim como acontece com o peitoral, simplesmente não é possível superar a pressão contra a gravidade para desenvolver os ombros. E fazendo musculação sem usar esteroides, você precisará de todo o auxílio disponível nesse departamento.

Se só fizer esse tipo de exercício, porém, você perceberá que o desenvolvimento dos seus deltoides laterais e posteriores ficou para trás. É por isso que um bom treino de ombro trabalha as três cabeças do músculo, tanto com exercícios de pressão com barras e halteres quanto exercícios laterais e posteriores. Assim como qualquer outro grupo muscular, os ombros podem se beneficiar de atividades com mais repetições, mas você deve enfatizar o levantamento de cargas pesadas se quiser que eles cresçam.

Como nota à margem, a elevação frontal com halter é um bom exercício, mas não o faça em vez de desenvolvimento com barra ou com halteres, pois ele simplesmente não desenvolve músculos como esses exercícios. Se você for especialmente fraca nos exercícios de extensão, a elevação frontal pode ser útil para fortalecer muitos dos músculos menores de sustentação necessários para os levantamentos mais pesados, mas eu recomendo que você faça isso depois do desenvolvimento militar, não em vez dele.

PERNAS

O treinamento de pernas é para a maioria das mulheres o que o treinamento de peitoral é para a maioria dos homens — o treino mais sagrado e mais desejado da semana. É aquele que você nunca perde nem realiza maquinalmente, e que você reza para que traga melhoras, por menores que sejam.

E não há problema nisso. Todos nós temos nossas partes mais queridas do corpo, e pernas e glúteos não são melhores nem piores que as outras.

Antes de chegar ao treinamento, eu gostaria de revisar rapidamente os principais músculos da perna, para que saibamos o que estamos tentando desenvolver.

O quadríceps é um grupo de quatro músculos que compõem a maior parte do músculo na frente da coxa. As quatro "cabeças" do quadríceps são o músculo reto femoral, o músculo vasto lateral, o músculo vasto medial e o músculo vasto intermédio. São eles:

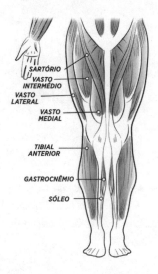

A parte de trás da perna é dominada por três músculos que contraem o tendão isquiotibial, que são o semitendíneo, o semimembranáceo e o bíceps femoral. Aqui estão eles:

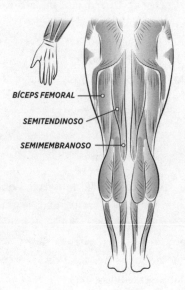

E por último vem o músculo da panturrilha, que consiste em dois músculos: o gastrocnêmio e o sóleo. Aqui estão eles:

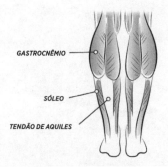

O gastrocnêmio é o músculo mais visível externamente, e o sóleo é um músculo profundo que subjaz a ele. Estes dois músculos trabalham juntos para manejar as articulações do pé e do tornozelo, bem como flexionar a perna na articulação do joelho.

SEÇÃO IV TREINO

É provável que você não esteja preocupada em desenvolver panturrilhas musculosas, mas se estiver, no que se refere apenas à aparência, estamos mais preocupados com o gastrocnêmio, mas um sóleo bem desenvolvido "ampara" o gastrocnêmio, fazendo com que cause uma impressão melhor.

Assim, esses são os dois grandes grupos musculares com que estamos preocupados em termos de desenvolvimento visível. Existem alguns músculos menores que afetam bastante nossa capacidade de treinar corretamente os maiores, mas não precisamos repassar cada um deles. As orientações deste capítulo os levarão a se desenvolver junto com os grupos maiores.

A lista dos meus exercícios de perna favoritos é bastante curta e simples. Eles são movimentos compostos, permitem o uso de cargas pesadas e são seguros.

Estes são os exercícios que usei para melhorar incrivelmente as minhas próprias pernas, e eles farão o mesmo por você:

Agachamento com barra
Agachamento frontal
Agachamento na máquina Hack
Leg press
Afundo com barra ou Avanço com barra
Afundo com halteres
Levantamento terra, variação romena
Mesa flexora (deitado ou sentado)
Elevação de panturrilha (*burrinho*, em pé ou sentado)
Panturrilha no *leg press*

Trabalhar pernas é muito simples. Regra nº 1: Sempre faça agachamento. Regra nº 2: Sempre faça agachamento. Regra nº 3: Você já pegou a ideia.

Em suma, todo treino de pernas deve começar com agachamento livre ou agachamento frontal, este enfatizando os quadríceps, e aquele os isquiotibiais. Em seguida, eu gosto de me concentrar no outro grande grupo muscular do par, sendo o agachamento livre meu exercício de escolha para a ênfase nos isquiotibiais, e o agachamento frontal, agachamento no Hack, *leg press* ou afundo, para ênfase no quadríceps. Depois, costumo encerrar com alguma atividade centrada nos isquiotibiais, como o levantamento terra romeno ou mesmo a mesa flexora.

Restam as panturrilhas — provavelmente o grupo muscular mais teimoso que você pode encontrar no corpo, o constrangimento dos halterofilistas em toda parte.

Por que é assim? Por que as panturrilhas bem desenvolvidas são tão raras e por que boa parte das pessoas que as têm raramente as treina?

Bem, muitos casos de "panturrilhas de bebê" são causados por negligência pura e simples. Tal como acontece com o abdome, muitos se esquecem de treinar as panturrilhas ou pensam que é desnecessário.

Mas isso não é tudo: também existem barreiras genéticas a superar, o que explica por que algumas pessoas tendem a ter panturrilhas pequenas que basicamente se recusam a crescer, independentemente do que façam, enquanto outras desenvolvem panturrilhas protuberantes quase sem esforço.

A resposta para esse "mistério" reside na própria composição das fibras musculares da panturrilha. Veja bem, existem dois grupos principais de fibras musculares: tipo 1, também conhecido como fibras de "contração lenta"; e tipo 2, também conhecido como fibras de "contração rápida".

As fibras musculares do tipo 1 têm o menor potencial de crescimento e produção de força. No entanto, elas são densas em capilares (pequenos vasos sanguíneos) e ricas em mitocôndrias (que produzem energia para células) e mioglobina (que fornece oxigênio extra para os músculos), o que as torna resistentes à fadiga. As fibras de tipo 2, por outro lado, têm um potencial muito maior de crescimento e produção de força do que as fibras de tipo 1, mas se cansam mais rápido.

Pesquisas mostram que as fibras musculares do músculo gastrocnêmio — o músculo da panturrilha que vemos e que estamos mais preocupados em desenvolver para fins estéticos — podem variar de composição de pessoa para pessoa. O gastrocnêmio de uma pessoa pode ser composto de até 60% de fibras de tipo 2, enquanto o de outra tem só 15%. Assim, a primeira achará fácil ganhar massa nas panturrilhas, mas a segunda (eu) achará um tormento lento e frustrante.

Além disso, estudos mostram ainda que a proporção das fibras do tipo 1 para o tipo 2 em vários músculos é determinada pelo modo como os usamos pela primeira vez. Como o uso principal da panturrilha é em atividades de resistência de baixa intensidade, como caminhar, correr, andar de bicicleta e assim por diante, há uma necessidade maior de fibras de tipo 1 do que o de tipo 2, o que nos predispõe a ter "perninhas".

Felizmente, não é nossa genética que decide, em última análise, se estamos fadados a ter panturrilhas minúsculas. Com o treinamento adequado, qualquer um consegue desenvolver panturrilhas musculosas, mas você precisa saber apenas que pode acontecer com rapidez ou lentidão, dependendo do seu DNA.

Agora, por falar em treinamento de panturrilhas, alguns dizem que é como treinar o abdome: você não terá de se preocupar com isso se estiver fazendo um monte de agachamento e levantamento terra. Pois bem, eu não concordo (em nenhum dos casos, na verdade, mas falaremos sobre o abdome em breve).

A menos que traga para a equação uma genética de panturrilha melhor do que a habitual, você terá de trabalhar um bocado essas pequenas sanguessugas para

SEÇÃO IV TREINO

provocar impacto visível no tamanho delas. Se não quiser panturrilhas maiores, então você pode simplesmente omitir treinamento de panturrilhas do programa.

Eu tentei muitas fichas de panturrilhas e aprendi algumas coisas:

Como o abdome, as panturrilhas parecem se recuperar dos exercícios mais rapidamente do que outros grupos musculares e, assim, podem ser treinadas de forma mais intensa.

Ainda não encontrei evidência científica concreta disso, mas a evidência informal remonta a décadas. Até Arnold Schwarzenegger percebeu que suas panturrilhas se recuperavam mais rápido do que outros grupos musculares.

As panturrilhas parecem responder particularmente bem ao treinamento periodizado que inclua exercícios com muitas repetições.

Fazer treinamento periodizado é trabalhar um grupo muscular com várias faixas de repetição, e a inclusão de faixas de maior repetição parece ser especialmente boa para as panturrilhas. Existem várias teorias que tentam explicar este fato, mas não há, que eu saiba, respostas definitivas.

No entanto, o sucesso deixa pistas, e esse é um tema que aparece muito em conversas com pessoas que desenvolveram panturrilhas de respeito e tiveram de trabalhar para isso.

Com base nestes dois pontos, a ficha de panturrilhas que vou recomendar funciona da seguinte forma:

- Faça 2 treinos de panturrilha por semana com pelo menos 1 dia de intervalo entre cada um.

- Faça 6 séries por treino.

- Na primeira série, aponte os dedos dos pés para a frente. Na segunda, aponte-os ligeiramente para fora (cerca de 20°). Na terceira, aponte-os ligeiramente para dentro. Repita nas próximas 3 séries.

- Use um ritmo de repetições 2-1-2: 2 segundos para a contração total, uma pausa rápida contraída e 2 segundos para relaxar.

- Assim que você atingir o máximo da sua faixa de repetições com determinado peso, acrescente 5 kg.

Os treinos são os seguintes:

TREINO DE PANTURRILHA A

Elevação de panturrilha em pé — 3 séries de 4 a 6 repetições
Elevação de panturrilha sentada — 3 séries de 4 a 6 repetições
Descanse de 2 a 3 minutos entre essas séries.

TREINO DE PANTURRILHA B

Panturrilha no *leg press* – 3 séries de 8 a 10 repetições
Elevação de panturrilha *burrinho* (ou panturrilha no *leg press*) –
3 séries de 8 a 10 repetições
Descanse de 1 a 2 minutos entre essas séries.

Simples assim. Eu tenho por hábito fazer o treino A na segunda-feira e o treino B na quinta-feira.

Tal como acontece com todos os exercícios, a forma é importantíssima no treinamento de panturrilhas. Se você trapacear reduzindo a amplitude de movimento, seus exercícios serão muito menos efetivos.

A forma correta desses exercícios de panturrilha é simples: na fase excêntrica, seus calcanhares abaixam o máximo que você conseguir, e você sente um estiramento profundo nas panturrilhas; e na fase concêntrica você fica na ponta dos pés como uma bailarina. Muitas pessoas simplesmente usam muito peso e não conseguem subir nem de longe o quanto deveriam, e depois não entendem por que suas panturrilhas nunca ficam maiores nem mais fortes. Não cometa o mesmo erro.

GLÚTEOS

Embora o treino correto de pernas possa, por si, resultar em nádegas fantásticas (agachamentos pesados e profundos são ótimos para isso), recomendo que você também faça treinos específicos para os glúteos.

Os exercícios que recomendo para isso são os seguintes:

Elevação pélvica com barra ou com halteres
Agachamento búlgaro
Ponte de glúteos
Glúteos na máquina

Esses exercícios e agachamentos regulares bastam para que você desenvolva o bumbum dos seus sonhos.

Como nota à margem, talvez você queira começar com a elevação pélvica com halteres, que é mais confortável, mas, à medida que ficar mais forte, você precisará começar a fazer a variação com barra.

BRAÇOS

Embora os braços recebam atenção *demais* em muitos programas de treino, eu não tenho dúvida de que um corpo em forma não está completo sem braços definidos e musculosos.

Como você deve saber, os maiores músculos do braço são o bíceps e o tríceps, mas vamos examiná-los mais detalhadamente, assim como ao antebraço, para que saibamos exatamente o que estamos treinando.

O bíceps (ou, formalmente, *bíceps braquial*), é um músculo de duas cabeças conforme abaixo:

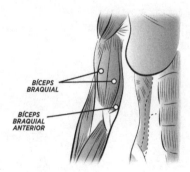

Você também pode ver o *braquial anterior*, que fica debaixo do bíceps braquial. Embora esse músculo não tenha nem metade da proeminência do bíceps braquial quando desenvolvido, ele desempenha um papel importante na aparência global dos braços.

Ele parece um simples "calombo" entre o bíceps braquial e o tríceps, mas o seu nível de desenvolvimento afeta a quantidade de "pico" que o bíceps parece ter (em última análise, o cume é determinado sobretudo pela genética, mas aumentar o tamanho do braquial anterior pode dar a *aparência* de um cume melhor).

O próximo grupo muscular é o tríceps, ou tríceps braquial, que tem três cabeças:

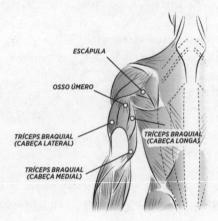

Como você pode ver, as três cabeças se combinam para formar uma distintiva "ferradura" que pode se tornar bastante pronunciada quando desenvolvida adequadamente.

Embora o bíceps normalmente seja o foco dos treinos de braço, muitos não percebem que o tríceps responde por uma boa quantidade do tamanho do braço. Um tríceps pequeno significa braço pequeno e desproporcional, qualquer que seja o tamanho do bíceps.

Por último, mas igualmente importante, temos o antebraço, que consiste em vários músculos menores:

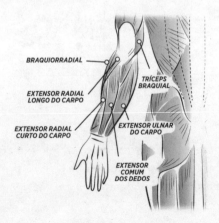

Os antebraços são como as panturrilhas dos braços. Não são o foco imediato, mas fica dolorosamente óbvio quando estão subdesenvolvidos.

Agora, vamos aos exercícios, começando pelo bíceps:

Rosca direta com barra
Rosca com barra W
Rosca direta com halteres
Rosca martelo
Tração na barra fixa com pegada supinada

Não se surpreenda por esta lista ser breve e eficaz. Esses exercícios mais o treino pesado de costas são tudo o que é necessário para desenvolver bíceps fortes.

Em termos de programação, você tem um bocado de flexibilidade. O que gosto de fazer é pelo menos um exercício com barra e um com halteres por treino para os bíceps. A maior parte das vezes é rosca direta com barra seguida de rosca martelo.

Vamos para o tríceps:

Supino fechado
Extensão de tríceps sentado
Mergulho de tríceps
Extensão de tríceps deitado ("tríceps testa")
Puxada para tríceps

Gosto de começar meu treino para tríceps com algo que me permita empurrar algum peso, como supino fechado ou extensão de tríceps sentado. Não há regra geral para o que vem depois — eu simplesmente faço um rodízio dos demais exercícios no plano de oito semanas que você seguirá.

TRONCO

Todo o mundo quer... o furtivo tanquinho e "torso sensual". A carteirinha da elite dos musculosos, a prova de que você conhece os "segredos" de como ficar definida.

Infelizmente, a quantidade de orientações erradas para conquistá-los é assustadora. Alguns instrutores dizem que basta fazer alguns tipos especiais de abdominais... e estão errados. Outros garantem que basta emagrecer para ter um tronco fantástico... e estão errados. Outros afirmam ainda que você só tem que praticar bastante agachamento e levantamento terra... e também estão errados. Sem esquecer os embusteiros que afirmam que o verdadeiro segredo é evitar certos tipos de alimentos e tomar pós e pílulas esquisitos — eles estão *totalmente* errados.

Como quase tudo na musculação, o verdadeiro segredo para ficar com barriga tanquinho — tanto para homens quanto para mulheres — é bem direto.

Quando falam de "tanquinho", as pessoas se referem a um par de músculos que formam o músculo reto abdominal:

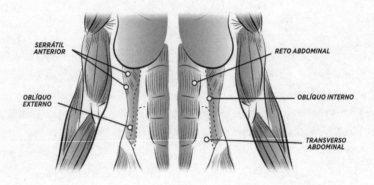

Como você pode ver, porém, esses músculos contam a história completa da barriga tanquinho que as pessoas querem. Há outros músculos do "tronco" que também precisam ser desenvolvidos adequadamente, como os oblíquos (principalmente os externos), o transverso abdominal (ou MTA, como é comumente chamado) e o serrátil anterior.

E o que fazer para esses músculos trincarem?, você pergunta. Bem...

NÚMERO NENHUM DE EXERCÍCIOS ABDOMINAIS LHE DARÁ UM BELO TORSO POR SI SÓ.

Por mais simples ou sofisticados que sejam os exercícios, eles são "atalho para a barriga tanquinho".

Sim, exercícios para o abdome são necessários para desenvolver o tanquinho, mas estímulos semanais ao abdome não bastam para alcançar o corpo que você deseja.

SÓ LEVANTAMENTO TERRA E AGACHAMENTO NÃO BASTAM.

Perdi as contas de quantas vezes ouvi o seguinte: "Eu não faço abdominais; faço agachamento e levantamento terra." E aqueles que dizem isso não costumam ter tanquinho nenhum.

SEÇÃO IV TREINO

A realidade é que esses exercícios, mesmo quando realizados com cargas pesadas (80% ou mais de 1RM), simplesmente não trabalham os músculos que "aparecem" do reto abdominal, do transverso abdominal e dos oblíquos externos tanto quanto as pessoas imaginam.

Ora, não me entenda errado: agachamento e levantamento terra pesados ajudam, sim, a desenvolver um belo de um tronco, mas não são por si suficientes.

TAMBÉM NÃO BASTA APENAS SER MAGRA.

É verdade que você precisa ter níveis baixos de gordura corporal para que o seu abdome se mostre completamente. Ele começa a ficar visível por volta de 20% de gordura corporal nas mulheres e 10% nos homens.

Mas você pode ficar muito magra e ainda não ter o tanquinho que quer, pois os músculos do tronco da maioria simplesmente não são desenvolvidos o bastante para ter os contornos e as linhas que formam uma barriga que de fato se destaque.

COMO SE PODE TER UM TRONCO MATADOR, ENTÃO?

Um belo tronco exige tanto baixos níveis de gordura *quanto* bom desenvolvimento dos músculos do tronco, e para isso é preciso fazer duas coisas:

REDUZIR OS NÍVEIS DE GORDURA CORPORAL.

Seu reto abdominal não começa a aparecer antes de você entrar na faixa dos 20%, e o resto dos músculos do abdome e do tronco não aparece até você estar abaixo disso.

Por mais desenvolvidos que sejam seus músculos da área do abdome, você não vai chegar ao corpo que quer se a sua percentagem de gordura estiver alta demais.

REALIZAR HABITUALMENTE OS EXERCÍCIOS CERTOS DE ABDOME E TRONCO.

Para desenvolver um tronco de respeito é necessário treinar tanto o reto abdominal quanto os outros músculos que completam o corpo que você quer.

Quais são os exercícios certos, então? Vamos ver...

Abdominal na polia alta (*cross over*)
Abdominal em suspensão
Elevação de pernas na vertical

Abdominal na rodinha
Abdominal bicicleta
Levantamento de pernas no banco plano
Abdominal na prancha declinada

Não escolhi esses exercícios ao acaso. Um estudo liderado pelo dr. Peter Francis, do Laboratório de Biomecânica da Universidade Estadual de San Diego, mostrou que eles são os mais efetivos para treinar o reto e os oblíquos do abdome.

Um dos maiores erros de treino abdominal que a maioria comete é não realizar exercícios com pesos. O resultado é a capacidade de fazer um mundaréu de abdominais ou elevação de pernas... mas com abdomes pequenos e subdesenvolvidos.

Os músculos do abdome são como qualquer outro: precisam de sobrecarga progressiva para crescer, e isso só pode ser alcançado mediante o acréscimo de resistência aos exercícios. Não é preciso colocar peso em todos os seus exercícios abdominais, mas é preciso colocar em alguns se você quiser que seus músculos trinquem.

Eu cheguei à conclusão de que o abdome parece responder melhor a uma combinação de trabalho com peso e sem peso. Eu gosto de fazer assim:

- Uma série de um exercício com pesos como abdominal na polia alta, abdominal em suspensão ou elevação de pernas na vertical por 10 ou 12 repetições (você pode colocar peso nos últimos dois pondo um haltere entre os pés).

- Ir direto para uma série de um exercício sem peso, até a falha.

- Descansar de 2 a 3 minutos.

Por exemplo:

- Faça uma série de abdominal na polia alta na faixa de 10 a 12 repetições.

- Vá diretamente para uma série de elevação de pernas na vertical, até a falha.

- Vá diretamente para uma série de abdominal bicicleta, até a falha.

- Descanse 2 a 3 minutos.

SEÇÃO IV TREINO

Faça 3 desses circuitos duas ou três vezes por semana e seu abdome e seus oblíquos *vão* se desenvolver.

Em termos de desenvolvimento do resto dos músculos do tronco, exercícios compostos com carga pesada, como levantamento terra, agachamento e desenvolvimento militar resolvem o problema melhor do que "exercícios para o tronco", especialmente quando realizados com grandes pesos. Nada mais é necessário aqui.

Certo, então, isto é tudo no que se refere aos exercícios que você fará no programa de *Malhar, Secar, Definir — Para Mulheres*. No próximo capítulo, você aprenderá a construir treinos com eles!

A RAIZ DA QUESTÃO

Desenvolver músculos e força não exige que você "estimule" constantemente os músculos com diferentes exercícios exóticos. Exige apenas que faça progressos em um número relativamente pequeno de exercícios que estimulem ao máximo cada grupo muscular e lhe permitam aumentar a carga com segurança ao longo do tempo.

Isto não apenas simplifica as suas metas como também torna mais agradável malhar. Você começa cada treino sabendo exatamente o que está fazendo e por que, e consegue monitorar com facilidade seu progresso ao longo do tempo.

RESUMO DO CAPÍTULO

INTRODUÇÃO

- Das centenas e centenas de exercícios que você poderia fazer, quatro reinam supremos: o agachamento, o levantamento terra, o supino e o desenvolvimento militar.

- Repetições a meio caminho com pesos elevados, seja no supino, no desenvolvimento ou no agachamento, colocam grande pressão sobre as articulações, os tendões e ligamentos — muito mais do que haveria se você estivesse movimentando menos peso com um movimento adequado e completo, fortalecendo os músculos e tecidos de suporte gradualmente.

AGACHAMENTO

- Desde que você use a forma apropriada, o agachamento *não* representa risco de lesão nem para as suas costas nem para os seus joelhos.

- Se puder evitar, não faça agachamento na máquina Smith.

- Não use a posição totalmente aberta do levantamento de peso básico a não ser que esteja de fato praticando essa modalidade.

- Se você sentir necessidade de fazer agachamento com polias ou anilhas sob os calcanhares é porque precisa de mais flexibilidade nos isquiotibiais e/ou no tornozelo. Dê uma olhada nas obras do dr. Kelly Starret sobre a melhoria da mobilidade dos isquiotibiais e do tornozelo para que você possa fazer agachamento conforme descrito neste capítulo.

- Ao usar calçados com solas planas ou calçados próprios para musculação, com uma leve e rígida elevação do calcanhar, você achará muito mais fácil apoiar-se nos calcanhares e conseguirá engajar os isquiotibiais e os glúteos de forma mais eficaz.

- O agachamento frontal enfatiza o quadríceps e o tronco, e cria menos compressão da coluna vertebral e menos torque nos joelhos, o que o torna particularmente útil para aqueles com lesões ou limitações nas costas ou nos joelhos.

SUPINO RETO

- Se você não souber o que está fazendo e tentar pegar grandes pesos com a forma errada, facilmente lesionará os ombros. Faça supino de modo correto, porém, e você manterá os ombros saudáveis.

- Não balance a barra sobre o peito. Desça-a de maneira controlada, mantendo tudo contraído. Depois, deixe que ela toque o peito e a empurre para cima.

- Quando estiver abaixando o peso, pense no impulso de subida por vir.

- Só tente reposicionar a barra no suporte depois de ter concluído a última repetição.

- Quando você encurta a distância entre as mãos na barra, uma parte maior do esforço recai sobre os tríceps.

LEVANTAMENTO TERRA

- O levantamento terra é o supremo exercício de corpo inteiro, pois treina praticamente todos os grupos musculares.

- O levantamento terra sumô usa uma postura bem aberta (1,5 a 2 vezes a largura dos ombros) para diminuir a amplitude de movimento e limitar a força de cisalhamento na coluna lombar. Ele também pode ser mais confortável para os quadris do que o exercício convencional, dependendo da sua biomecânica (se você caminha com os dedos dos pés apontados para fora, o sumô pode ser melhor para você).

- O levantamento terra com barra hexagonal — ou armadilha — é uma ótima maneira de aprender a fazer levantamento terra, porque não requer tanta mobilidade do quadril e do tornozelo para chegar à barra, e coloca menos esforço de cisalhamento na coluna vertebral.

- O RDL trabalha os glúteos e os isquiotibiais, com participação menor dos quadríceps e dos músculos dos quadris.

DESENVOLVIMENTO MILITAR

- O desenvolvimento militar é o melhor e mais versátil exercício de ombro que se pode realizar. É um movimento simples e fácil de aprender que permite levantar pesos pesados com segurança.
- Acho que fazer levantamento terra e agachamento pesados toda semana é mais do que suficiente para desenvolver a força do tronco e da lombar, e assim prefiro a variação sentado.

TREINO DE PEITO

- Esqueça por ora exercícios com cabo, voadores com halteres, variações de flexão, aparelhos e qualquer outro tipo de exercício de peito disponível.
- Devido à sua gama reduzida de movimentos, o supino inclinado estimula menos o músculo peitoral maior e o peitoral clavicular.
- Uma parte importante da construção de um grande peitoral está no seu supino inclinado mais do que em qualquer outra coisa.
- Costumo fazer rodízio entre fichas baseadas em halteres e fichas baseadas na barra.

TREINO DE COSTAS

- Em termos de programar seus próprios treinos, recomendo altamente que você sempre comece com o levantamento terra.
- A partir daí, prossiga para um movimento de puxada de pegada aberta, como a remada com barra ou barra T ou a tração na barra com pegada aberta (com peso, se você conseguir), seguido de um movimento de puxada de pegada mais fechada, como a remada unilateral com halter, puxada dorsal, remada sentado com pegada fechada ou tração na barra com pegada supinada.

TREINO DE OMBROS

- Na maioria dos casos, os deltoides laterais e os posteriores exigem mais trabalho, porque os deltoides anteriores são trabalhados com muita intensidade no treinamento adequado do peitoral. As outras duas cabeças, porém, não.
- Assim como acontece com o peitoral, simplesmente não é possível superar a pressão contra a gravidade para desenvolver os ombros. E fazendo

musculação sem usar esteroides, você precisará de todo o auxílio disponível nesse departamento.

- Se só fizer esse tipo de exercício, porém, você perceberá que o desenvolvimento dos seus deltoides laterais e posteriores ficou para trás. É por isso que um bom treino de ombro trabalha as três partes do músculo, tanto com exercícios de pressão com barras e halteres quanto exercícios laterais e posteriores.

TREINO DE PERNAS

- Em suma, todo treino de pernas deve começar com agachamento livre ou agachamento frontal.

- Em seguida, eu gosto de me concentrar no outro grande grupo muscular do par, sendo o agachamento livre meu exercício de escolha para a ênfase nos isquiotibiais, e o agachamento frontal, agachamento no Hack, *leg press* ou afundo, para ênfase no quadríceps.

- Depois, costumo encerrar com alguma atividade centrada nos isquiotibiais, como o levantamento terra romeno ou mesmo a mesa flexora.

- Como o abdome, as panturrilhas parecem se recuperar dos exercícios mais rapidamente do que outros grupos musculares e, assim, podem ser treinadas de forma mais intensa.

TREINO DE BRAÇOS

- Em termos de programação, você tem um bocado de flexibilidade. O que gosto de fazer é pelo menos um exercício com barra e um com halteres por treino para os bíceps. A maior parte das vezes é rosca direta com barra seguida de rosca martelo.

- Gosto de começar meu treino para tríceps com algo que me permita empurrar algum peso, como supino fechado ou tríceps testa.

TREINO DE TRONCO

- Um belo tronco exige tanto baixos níveis de gordura quanto bom desenvolvimento dos músculos do tronco.

- Agachamento e levantamento terra, mesmo quando realizados com cargas pesadas (80% ou mais de 1RM), simplesmente não trabalham os músculos que "aparecem" do reto abdominal, do transverso abdominal e dos oblíquos externos tanto quanto as pessoas imaginam.

- Os músculos do abdome são como qualquer outro: precisam de sobrecarga progressiva para crescer, e isso só pode ser alcançado mediante o acréscimo de resistência aos exercícios. Não é preciso colocar peso em todos os seus exercícios abdominais, mas é preciso colocar em alguns se você quiser que seus músculos trinquem.

18

A ficha de exercícios de *malhar, secar, definir —* *para mulheres*

Não importa o que você faça ou o quão gratificante isso possa ser nesse momento — imediatamente você irá querer mais. Você terá de querer mais se quiser descobrir o quão bom poderá ser.

— GLENN PENDLAY

AGORA QUE VOCÊ sabe quais exercícios deve fazer e como treinar cada grupo muscular corretamente, vamos ver como construir fichas de treino reais usando tudo o que você aprendeu.

Assim como as fichas de *Malhar, Secar, Definir — Para Mulheres* devem ser construídas usando os exercícios dados no capítulo anterior, elas também devem seguir certas diretrizes:

NÃO SE ESQUEÇA DA FÓRMULA DISCUTIDA NO CAPÍTULO 16, POIS ELA É O "MOTOR" QUE FAZ O PROGRAMA FUNCIONAR.

O modo como você treina tem tanta importância quanto os exercícios que você faz. Se fizer direito todos os exercícios, mas deixar de seguir a fórmula cometendo falhas como pegar pesos baixos demais, descansar muito pouco, fazer séries demais ou de menos por treino e assim por diante, você terá ganhos menores do que aqueles que poderia ter.

LEVANTE PESO DE TRÊS A CINCO VEZES POR SEMANA, COM QUATRO SENDO MELHOR QUE TRÊS, E CINCO MELHOR QUE QUATRO.

Claro que é possível progredir malhando 3 ou 4 vezes por semana, e eu vou lhe mostrar exatamente como fazer isso, mas você alcançará seu melhor se puder de algum modo trabalhar em cinco sessões por semana.

MALHAR SECAR DEFINIR PARA MULHERES

SE FOR TREINAR CINCO VEZES POR SEMANA, USE O SEGUINTE MODELO DE TREINO:

Dia 1: Peitoral e panturrilhas
Dia 2: Costas, glúteos e abdome
Dia 3: Ombros e panturrilhas
Dia 4: Braços e abdome
Dia 5: Pernas e glúteos

Se não quiser panturrilhas mais musculosas, deixe todo o treino de panturrilha de fora das suas fichas.

O seu dia de "costas, glúteos e abdome" consiste em três séries para os glúteos realizadas na faixa de oito a dez repetições seguidas de treino de costas com o mesmo formato. Como você verá nas fichas expostas no próximo capítulo e no relatório extra, este treino suplementar de glúteos consistirá em agachamento, elevação pélvica e glúteos na máquina.

Um exemplo de uma semana de cinco dias de treino no programa seria o seguinte (e lembre-se de que as "séries de trabalho" são as de desenvolvimento muscular pesado e as séries "opcionais" são para quando você sente que ainda dá para espremer mais um pouquinho, mas não são obrigatórias):

DIA 1
PEITORAL E PANTURRILHAS

Supino inclinado com barra — aquecimento e então 3 séries de trabalho
Supino inclinado com halteres — 3 séries de trabalho
Supino reto com barra — 3 séries de trabalho
Opcional: Mergulho (variação peito) — 3 séries de trabalho
Treino de panturrilha A

Se não conseguir fazer o mergulho, veja se a sua academia tem o aparelho Graviton e faça nele. Se não tiver e você ainda quiser fazer mais 3 séries no seu treino, pode fazer 3 séries de supino reto com halteres.

SEÇÃO IV TREINO

DIA 2
COSTAS, GLÚTEOS E ABDOME

Levantamento terra com barra — aquecimento e então 3 séries de trabalho
Agachamento com barra — 3 séries de trabalho
Remada com barra — 3 séries de trabalho
Remada unilateral com halter — 3 séries de trabalho
3 a 6 circuitos de abdome

Se tiver problemas de coluna lombar, lembre-se de que pode trocar o levantamento terra por uma variação que a force menos, como o levantamento terra sumô ou o levantamento terra com barra hexagonal, ou pode dispensá-lo completamente e escolher outro exercício "aprovado", como remada com barra T.

Se não conseguir fazer os exercícios de tração na barra fixa, você pode usar um aparelho. Se a sua academia não tiver nenhum, faça remada com halteres.

DIA 3
OMBROS E PANTURRILHAS

Desenvolvimento militar com barra sentado ou em pé — aquecimento e então 3 séries de trabalho
Elevação lateral — 3 séries de trabalho
Elevação posterior para deltoide inclinado — 3 séries de trabalho
Treino de panturrilha B

DIA 4
BRAÇOS E ABDOME

Rosca direta com barra — aquecimento e então 3 séries de trabalho
Supino fechado — aquecimento e então 3 séries de trabalho
Rosca alternada — 3 séries de trabalho
Extensão de tríceps sentado — 3 séries de trabalho
3 a 6 circuitos de abdome

DIA 5
PERNAS E GLÚTEOS

Agachamento com barra — aquecimento e então 3 séries de trabalho
Leg press — 3 séries de trabalho
Levantamento terra romeno — 3 séries de trabalho
Elevação pélvica — 3 séries de trabalho
Treino de panturrilha C

Se fizer musculação cinco dias por semana, recomendo que você fique com essa ficha durante as primeiras oito a dez semanas. É a primeira fase de treinos que você encontrará no relatório extra.

Quanto aos dias da semana nos quais é melhor treinar, a maioria prefere ir de segunda a sexta e tirar os finais de semana para descansar, ou talvez fazer aeróbico em um desses dias ou nos dois. Isso funciona, mas sinta-se livre para planejar seus dias de descanso como quiser. Algumas pessoas preferem malhar nos fins de semana e tirar dois dias de folga durante a semana.

Planeje suas sessões de aeróbico de acordo com o que for necessário. Você pode fazer musculação e aeróbico nos mesmos dias sem problemas.

SE FOR TREINAR QUATRO DIAS POR SEMANA, USE O SEGUINTE MODELO:

Dia 1: Peitoral, tríceps e panturrilhas
Dia 2: Costas, glúteos, bíceps e abdome
Dia 3: Ombros e panturrilhas
Dia 4: Pernas, glúteos e abdome

Um exemplo de uma semana de quatro dias no programa seria o seguinte:

DIA 1
PEITORAL, TRÍCEPS E PANTURRILHAS

Supino inclinado com barra — aquecimento e então 3 séries de trabalho
Supino inclinado com halteres — 3 séries de trabalho
Supino reto com barra — 3 séries de trabalho
Supino fechado — 3 séries de trabalho
Treino de panturrilha A

SEÇÃO IV TREINO

DIA 2
COSTAS, GLÚTEOS, BÍCEPS E ABDOME

Levantamento terra com barra — aquecimento e então 3 séries de trabalho

Agachamento com barra — 3 séries de trabalho

Remada com barra — 3 séries de trabalho

Remada com halteres — 3 séries de trabalho

Rosca alternada — 3 séries de trabalho

3 a 6 circuitos de abdome

DIA 3
OMBROS E PANTURRILHAS

Desenvolvimento militar com barra em pé ou sentado — aquecimento e então 3 séries de trabalho

Elevação lateral com halteres — 3 séries de trabalho

Elevação posterior para deltoide inclinado — 3 séries de trabalho

Treino de panturrilha B

DIA 4
PERNAS, GLÚTEOS E ABDOME

Agachamento com barra — aquecimento e então 3 séries de trabalho

Leg press — 3 séries de trabalho

Levantamento terra romeno — 3 séries de trabalho

Elevação pélvica — 3 séries de trabalho

3 a 6 circuitos de abdome

De novo, se fizer musculação quatro dias por semana, comece aqui.

Com relação aos dias de treino, você tem a mesma flexibilidade que no plano de cinco dias. Faça de acordo com o necessário.

SE FOR TREINAR TRÊS VEZES POR SEMANA, RECOMENDO QUE VOCÊ FAÇA ASSIM:

Dia 1: Empurrar, glúteos e panturrilhas

Dia 2: Puxar e abdome

Dia 3: Pernas e glúteos

O dia de "empurrar, glúteos e panturrilhas" consiste em treinar peitoral, ombros, tríceps, glúteos e panturrilhas.

Faça aeróbico de acordo com o que for necessário.

Exemplo de uma semana de três dias de treino:

DIA 1
EMPURRAR, GLÚTEOS E PANTURRILHAS

Supino inclinado com barra — aquecimento e então 3 séries de trabalho

Supino reto com barra — 3 séries de trabalho

Desenvolvimento militar com barra sentado ou em pé —3 séries de trabalho

Elevação lateral — 3 séries de trabalho

Elevação pélvica — 3 séries de trabalho

Treino de panturrilha A

DIA 2
PUXAR E ABDOME

Levantamento terra com barra — aquecimento e então 3 séries de trabalho

Remada com barra — 3 séries de trabalho

Remada unilateral com halteres — 3 séries de trabalho

Rosca direta com barra — 3 séries de trabalho

3 a 6 circuitos de abdome

DIA 3
PERNAS E GLÚTEOS

Agachamento com barra — aquecimento e então 3 séries de trabalho

Leg press — 3 séries de trabalho

Levantamento terra romeno — 3 séries de trabalho

Elevação pélvica — 3 séries de trabalho

Treino de panturrilha B

Este plano é bem diferente dos outros dois, mas ele segue algumas diretrizes simples:

Os dias de empurrar devem conter de 6 a 9 séries tanto para o peitoral quanto para os ombros e 3 para os glúteos e os tríceps. O mergulho é um ótimo exercício para este plano, porque treina o peitoral, os ombros e o tríceps, mas será preciso desenvolver sua força para poder fazê-lo.

Os dias de puxar devem incluir 9 a 12 séries para as costas e 3 para o bíceps.

O dia de pernas é idêntico ao das outras fichas.

COMO FAZER OS EXERCÍCIOS

Você deve fazer um exercício por vez, na ordem dada.

Assim, você começa com o primeiro exercício e faz as séries de aquecimento, seguidas pelas 3 séries pesadas (com o descanso adequado entre elas, evidentemente), e depois vai para o próximo exercício da lista, e assim por diante, do seguinte modo:

Exercício 1: Série 1

Descanso

Exercício 1: Série 2

Descanso

Exercício 1: Série 3

Descanso

Exercício 2: Série 1

Descanso

E assim por diante.

O "SEGREDO" PARA O AQUECIMENTO ADEQUADO

E se eu lhe dissesse que com uma técnica simples você poderia aumentar imediatamente sua força em todos os exercícios ao mesmo tempo que também reduz o risco de lesões?

Pois bem: você pode, e o "segredo" está no aquecimento de cada grupo muscular antes de pegar as cargas pesadas.

Se não se aquecer corretamente, você pode reduzir sua força e se predispor a uma entorse ou coisa pior. Segue um exemplo de aquecimento incorreto:

Ponha 12 kg na barra e faça cerca de 12 a 15 repetições. Descanse por alguns minutos e depois vá para 20 kg por 12 repetições. Depois de mais uma curta pausa, faça 8 repetições com 30 kg, o que é feito até a falha.

Qual é o problema aqui? Ora, quando chegar às séries pesadas que desenvolvem de fato os músculos, você estará tão cansada com o que já fez que não conseguirá nem de longe se sair bem como deveria. Isso leva a treinos medíocres que não sobrecarregam devidamente os músculos e produzem resultados débeis em consequência.

Outro erro de aquecimento comum é fazer muito pouco. Muitas pessoas ficam ansiosas para "ir para os exercícios", e assim fazem apenas uma série leve de aquecimento antes do trabalho pesado. Isso leva a torsões musculares, dores nas articulações ou coisa pior.

Se você se aquecer corretamente, porém, poderá chegar ao máximo de sua força sem aumentar o risco de lesões. Isso lhe permitirá sobrecarregar maximamente os músculos sem ter de se preocupar com a possibilidade de machucar-se, o que estimula com segurança a máxima quantidade de crescimento muscular.

O aquecimento adequado precisa fazer duas coisas simples: aumentar o influxo de sangue aos músculos que serão treinados e aclimatá-los progressivamente a cargas pesadas *sem* causar fadiga. Os músculos devem estar frescos e preparados para as séries pesadas — aquelas que desenvolvem os músculos —, e não esgotados de excesso de aquecimento.

Faça assim:

PRIMEIRA SÉRIE:

Na sua primeira série de aquecimento, o melhor é fazer 12 repetições com cerca de 50% do peso da sua série pesada de 8 a 10 repetições e então descansar durante um minuto. Esta série deve ser bem fácil e leve.

Por exemplo, se na semana anterior você tiver feito 3 séries de 9 repetições de agachamento com 40 kg, começará o aquecimento com cerca de 20 kg e fará 12 repetições, seguidas por um minuto de descanso.

SEGUNDA SÉRIE:

Na sua segunda série de aquecimento, use o mesmo peso que na primeira e faça 10 repetições, desta vez em ritmo um pouco mais acelerado. Então descanse por um minuto.

SEÇÃO IV TREINO

TERCEIRA SÉRIE:

A sua terceira série de aquecimento deve ter 4 repetições com cerca de 70% do seu peso normal, e deve ser feita em ritmo moderado.

Esta série e a seguinte são feitas para aclimatar os músculos às cargas pesadas que virão. Mais uma vez, ela deve ser sucedida por um minuto de descanso.

Se a série de trabalho tiver 40 kg, esta terá cerca de 30 kg.

QUARTA SÉRIE:

A quarta série de aquecimento é a última, e é simples: 1 repetição com cerca de 90% da sua carga habitual. Descanse por 2 a 3 minutos depois desta última série de aquecimento.

Esta série teria cerca de 35 kg se a pesada tivesse 40 kg.

QUINTA, SEXTA E SÉTIMA SÉRIES:

Estas são as suas séries de trabalho, realizadas dentro do raio de 4 a 6 ou 8 a 10 repetições com 70% a 85% da sua 1RM, dependendo do raio de repetições que você estiver usando.

PARTINDO PARA O PRÓXIMO EXERCÍCIO:

De modo geral, você não precisa realizar mais séries de aquecimento além das quatro por treino expostas acima. Por exemplo, se começar o treino com supino reto e seguir para o supino inclinado, não é necessário que faça uma nova rodada de séries de aquecimento.

Apesar disso, eu gosto de fazer uma série de aquecimento de 10 a 12 repetições quando sigo para algum exercício que trabalha músculos que não estão aquecidos o suficiente. Por exemplo, quando passo dos exercícios de desenvolvimento para os de elevação, gosto de fazer uma série de aquecimento de 10 a 12 repetições da elevação, pois me parece que os deltoides lateral e posterior nem sempre estão prontos para cargas pesadas depois do desenvolvimento.

AQUECENDO NO DIA DE BRAÇOS

No dia de treinar braços, gosto de fazer uma série de aquecimento para bíceps seguida imediatamente por uma série de aquecimento para tríceps, seguida de um descanso de 60 segundos.

Não faço das minhas *pesadas* superséries desse tipo, mas, como não estamos tentando levantar o máximo de peso possível no aquecimento, não perdemos nada fazendo, nesse caso, e economizamos um tempinho.

A RAIZ DA QUESTÃO

A raiz da questão é que o aquecimento correto é uma parte importante do treino com cargas pesadas e do desenvolvimento muscular. Confie em mim — vale a pena gastar os primeiros dez minutos aquecendo em vez de sair correndo para os pesos grandes.

AS SUAS PRIMEIRAS SEMANAS NO PROGRAMA

Se a musculação for novidade para você, tudo parecerá meio estranho no início. Certo — *muito* estranho. Você estará descobrindo suas cargas, terá problemas para fazer alguns exercícios de forma correta e provavelmente vai ficar bem dolorida depois dos treinos.

Tudo isso é normal e faz parte do jogo. Entretanto, não deve demorar muito para que você comece se sentir confortável com os exercícios e com o seu peso neles, e você ficará cada vez menos dolorida à medida que o tempo passa.

Dor e desconforto são esperados, mas dor aguda durante os exercícios significa que algo está errado. Não tente vencer dores agudas pela força. Em vez disso, largue o peso e avalie se está fazendo o exercício da forma correta. Se estiver, pare o exercício e faça outro.

Fique algumas semanas sem fazer o exercício que lhe causou a dor e fortaleça a área com outro exercício que não lhe cause dor. Depois tente de novo aquele e veja se ele ainda causa desconforto ou dor. Se causar, não o faça.

Se estiver sentindo dores sérias durante o treino ou depois dele, consulte um médico, pois elas podem ser indicação da existência de outro problema.

DESCOBRINDO SEUS PESOS INICIAIS

Descobrir seus pesos iniciais nos vários exercícios é mais ou menos uma questão de tentativa e erro. Você verá que, na maioria dos casos, só a barra, por si, será peso suficiente ou mesmo excessivo. Não fique desanimada com isso — trata-se de algo completamente normal.

Se conseguir pegar só a barra e trabalhar no seu raio de repetições inicial de 8 a 10, então está pronta. Rapidamente você ficará mais forte e poderá acrescentar peso (e como regra geral, a cada 5 kg que você acrescenta à barra, perde 2 repetições; o mesmo acontece com cada 2,5 kg a mais nos halteres).

Se, porém, a barra for demais (é o que acontece no caso de muitas mulheres no supino e no desenvolvimento militar), você pode começar os exercícios com barra fazendo as variações com halteres.

Se usar um peso que a limite a 8 a 10 repetições por série for pesado para você ao ponto de causar desconforto, você pode começar com pesos mais leves e ir sintonizando tudo à medida que se familiariza com os pesos e exercícios.

NÃO PRECISAMOS DE PARCEIRA NENHUMA... MAS ÀS VEZES AJUDA

Você não precisa ter uma parceira para acompanhá-la nos treinos, pois você deve sempre usar pesos com os quais pode realizar repetições completas sem assistência. Apesar disso, se tiver alguém para acompanhá-la em certos exercícios, como supino e desenvolvimento militar, isso trará algumas vantagens.

Em primeiro lugar, permite que você faça aquela repetição a mais que de outro modo talvez não tentasse.

Em segundo, acontece um estranho ganho de força em ter alguém em pé ao seu lado observando, mesmo que essa pessoa não faça nada além de colocar a mão, ou até mesmo os dedos sob a barra. Eu sei que parece conversa fiada de academia, mas você vai ter esta experiência: enfrentando a luta daquela última repetição, sua parceira coloca apenas os dedos debaixo da barra e subitamente você está levantando o peso e perguntando por que ela ajudou.

Assim, se não há ninguém para malhar com você, recomendo que peça a alguém na academia para dar uma olhada em você pelo menos naqueles dois exercícios.

Também recomendo que você diga à pessoa o que gostaria que ela fizesse, o que nos leva à maneira certa de apoiar:

1. Se necessário, ajude no levantamento.

2. Deixe que a pessoa faça o máximo de repetições possível sem nenhuma assistência sua.

3. Se a pessoa ficar empacada numa repetição, coloque as mãos debaixo da barra, mas ainda não tire nenhum peso. É provável que isso seja suficiente para ela terminar a repetição.

4. Se ela continuar empacada, tire mais ou menos 10% do peso.

5. Se ela continuar empacada, tire mais 10% a 15% do peso.

6. Se ela ainda estiver empacada é porque se esgotou — tire o máximo de peso que conseguir.

Não quero dar a impressão de que tudo isso é muito complicado, mas um bom parceiro está ali apenas por razões de segurança. A regra é: se a pessoa de quem você é parceira está conseguindo levantar o peso, ainda que devagar, você não toca nele. Não aceite uma parceira ruim, pois isso pode prejudicar seriamente seus ganhos, levando-a a acreditar que está atingindo certas marcas nos seus ganhos de força quando não está.

Embora a técnica para esse apoio seja autoexplicativa na maioria dos casos, eu gostaria de mencionar aqui a maneira certa de apoiar alguém fazendo agachamento: observe a barra, não a pessoa. Não enganche seus braços debaixo das axilas, pois o propósito é aliviar a carga, e observar o corpo não é a maneira mais segura de fazer isso.

Agora, se não for possível conseguir um apoio, você ainda pode fazer bons progressos nos exercícios de empurrar. Minha primeira recomendação é que você faça desenvolvimento militar e agachamento em uma gaiola funcional, pois ela permite ajustar as barras de segurança e assim fazer suas séries sem ter a preocupação de empacar com um peso em cima de você.

Se isso não for possível, então você precisa se acostumar a terminar as séries de supino, desenvolvimento e agachamento no ponto em que tem, na melhor das hipóteses, uma repetição a mais no tanque. Ou seja, você termina no ponto em que luta para terminar uma repetição e não tem muita certeza se consegue fazer mais uma. Você se tornará mais consciente desse ponto à medida que se exercitar mais.

A SEMANA DE DESCARGA

Como você sabe, recomendo que faça do descanso e da recuperação prioridade a cada oito semanas, ou ficando uma semana sem fazer musculação ou fazendo uma semana de descarga.

SEÇÃO IV TREINO

Eu gosto de programar minhas semanas de descarga assim:

DIA 1

Levantamento terra —
3 séries de 8 a 10 repetições com 50% do peso normal (pesado)
Remada com barra —
3 séries de 8 a 10 repetições com 50% do peso normal (pesado)
Remada unilateral com halter —
3 séries de 8 a 10 repetições com 50% do peso normal (pesado)
Tração na barra fixa — 3 séries com o peso corporal até a falha

DIA 2

Desenvolvimento militar —
3 séries de 8 a 10 repetições com 50% do peso normal (pesado)
Supino inclinado —
3 séries de 8 a 10 repetições com 50% do peso normal (pesado)
Supino fechado — 3 séries de 8 a 10 repetições com 50% do peso normal (pesado)
Mergulho — 3 séries com o peso corporal até a falha

DIA 3

Agachamento com barra —
3 séries de 8 a 10 repetições com 50% do peso normal (pesado)
Agachamento frontal —
3 séries de 8 a 10 repetições com 50% do peso normal (pesado)
Levantamento terra romeno —
3 séries de 8 a 10 repetições com 50% do peso normal (pesado)

E é só.

Como você pode ver, a grande diferença é uma redução drástica na intensidade dos treinos.

Com relação aos dias em que é melhor treinar, recomendo que você descanse um dia entre cada treino. A maioria das pessoas gosta de treinar às segundas, quartas e sextas.

MUDANDO OS EXERCÍCIOS

A não ser que seus músculos se constituam de matéria cerebral, eles não têm capacidades cognitivas. Eles não tentam adivinhar qual treino você fará hoje e não podem ser "confundidos" mediante a mudança habitual das fichas de treino. Os tecidos musculares têm natureza puramente mecânica e contraem e relaxam, nada mais.

Apesar disso, é válida a premissa básica de que, para continuar a desenvolver-se em tamanho e força, os músculos devem ser continuamente estimulados. A "teoria da confusão muscular", porém, perde o fio da meada com relação ao tipo de "estímulo" que impulsiona o desenvolvimento muscular.

Veja bem, você pode mudar de ficha toda semana — na verdade, *todo dia* — e ainda assim cair na mesmice com facilidade, sem obter ganhos, pois "mudança" não é um motor primário do crescimento muscular. Você já sabe, entretanto, o que é: sobrecarga progressiva.

A chave para desenvolver músculos e força não é simplesmente *mudar* os tipos de estímulo (novos exercícios), mas *aumentá-los*. E o modo mais eficaz de fazer isso é forçar os músculos a se superar e fazer mais do que da última vez.

Se você fizer isso somente com os exercícios centrais de desenvolvimento muscular do programa (agachamento, supino, levantamento terra e desenvolvimento), estará quilômetros à frente do frequentador de academias médio que tenta "confundir" os próprios músculos sem parar.

Com *Malhar, Secar, Definir — Para Mulheres*, porém, você levará essa abordagem um pouco além, incluindo outros exercícios que trabalham os vários grupos musculares de modo levemente diferente e ajudam na conquista de um corpo equilibrado e proporcional, tanto bonito quanto funcional, bom para "mostrar" e para "usar".

Por exemplo, se você só fizer desenvolvimento militar para os ombros e nunca fizer nenhum exercício isolado para os deltoides lateral e posterior, seus ombros nunca terão a definição completa que você deseja. Se só fizer agachamento costas para as pernas, é provável que seus quadríceps não se desenvolvam tão bem quanto aconteceria se você também incluísse alguns exercícios que os enfatizem, como agachamento frontal, *leg press* ou agachamento no Hack.

Mas há um método para o rodízio apropriado de exercícios. A saber, existem dois tipos de exercícios:

Os "não negociáveis", que são exercícios que devem ser feitos toda semana, sem falha.

São os grandes exercícios multiarticulares vitais para desenvolver um corpo forte e definido: o agachamento, o levantamento terra, o supino e o desenvolvimento militar.

Os "negociáveis", que podem ser vistos como trabalho "suplementar" acrescido ao esforço empenhado nos exercícios acima.

Trata-se principalmente de exercícios multiarticulares como desenvolvimento com halteres, remada com barra e mergulho, mas também inclui exercícios isolados, como elevação lateral, puxada ao rosto e rosca direta.

Um modo fácil e eficaz de programar um treino é fazer de 3 a 6 séries de exercícios "não negociáveis" seguidas de 3 a 6 séries de exercícios "negociáveis" e mudar os "negociáveis" a cada oito a dez semanas, depois da semana de descanso ou descarga.

A chave de tudo, porém, é garantir que você esteja fazendo progresso nesses exercícios. Isto é, aumentando o número de repetições que consegue fazer com um dado peso ao longo do tempo e usando isto para aumentar a quantidade de peso que consegue levantar.

INCORPORANDO CARGA MAIS PESADA AO PROGRAMA

Mencionei anteriormente neste livro que você começará no raio de 8 a 10 repetições, mas, com o tempo, passará a acrescentar trabalho mais pesado na sua ficha, de 4 a 6 repetições, no qual você levantará cerca de 80% a 85% da sua 1RM.

O momento para que isso deva ser feito dependerá da resposta do seu corpo ao programa. A maior parte das mulheres conclui que está pronta para incluir levantamentos mais pesados depois de seis meses trabalhando no raio de 8 a 10 repetições.

O essencial é não começar a incluir trabalho mais pesado até estar se sentindo forte e estável no raio de 8 a 10 repetições no agachamento, no levantamento terra, no supino e no desenvolvimento militar. São esses exercícios que você vai "atualizar" para o treino de 4 a 6 repetições quando chegar a hora.

Especificamente, quando chegar a hora você deve modificar o programa do seguinte modo:

TREINO DE PEITO

Seu treino de peito sempre começará com 3 séries de supino com barra ou com halteres no raio de 4 a 6 repetições, seguidas pelo resto do seu treino realizado no raio de 8 a 10 repetições.

TREINO DE COSTAS

Seu treino de costas sempre começará com 3 séries de levantamento terra com barra ou com halteres no raio de 4 a 6 repetições, seguidas pelo resto do seu treino realizado no raio de 8 a 10 repetições.

TREINO DE OMBROS

Seu treino de ombros sempre começará com 3 séries de supino com barra ou com halteres no raio de 4 a 6 repetições, seguidas pelo resto do seu treino realizado no raio de 8 a 10 repetições.

TREINO DE PERNAS

Seu treino de pernas sempre começará com 3 séries de agachamento costas ou frontal no raio de 4 a 6 repetições, seguidas pelo resto do seu treino realizado no raio de 8 a 10 repetições.

Com relação ao total de séries por treino (excluindo as séries de aquecimento), recomendo que você comece com o total de 9 séries por treino quando começar a incluir trabalho no raio de 4 a 6 repetições: 3 séries de 4 a 6 repetições seguidas por 6 séries de 8 a 10 repetições.

Se, com o tempo, você sentir que seu corpo aguenta mais, pode acrescentar mais 3 séries de 8 a 10 repetições, mas não faça mais do que isso para não acabar treinando em excesso.

A RAIZ DA QUESTÃO

Agora você conhece os princípios centrais do programa de *Malhar, Secar, Definir — Para Mulheres*. Você também sabe como programar treinos e obter o melhor rendimento possível com eles. Se estiver se sentindo um pouco esmagada pelos detalhes, eu entendo completamente. Tire alguns minutos para repassar este capítulo e absorver tudo.

Quando começar a aplicar o que aprendeu neste capítulo, você verá como é simples. Para obter grandes progressos na academia não é necessário nada além de

SEÇÃO IV TREINO

fazer algumas "coisinhas" certas tanto na dieta quanto no treino. Não há nenhum grande "segredo" para desenvolver um corpo forte e magro; basta separar correta-mente as peças do quebra-cabeça que tudo se encaixa.

RESUMO DO CAPÍTULO
PLANO DE TREINO

- Levante peso de três a cinco vezes por semana, com quatro sendo melhor que três e cinco melhor que quatro.

- Quanto aos dias da semana nos quais é melhor treinar, a maioria prefere fazê-lo de segunda a sexta e tirar os finais de semana para descansar, ou tal-vez fazer aeróbico em um desses dias ou nos dois. Isso funciona, mas sinta-se livre para planejar seus dias de descanso como quiser. Alguns pre-ferem malhar nos finais de semana e tirar dois dias de folga durante a semana.

- Planeje suas sessões de aeróbico de acordo com o que for necessário. Você pode fazer musculação e aeróbico nos mesmos dias sem problemas.

- Você deve fazer um exercício por vez, na ordem dada. Assim, você começa com o primeiro exercício e faz as séries de aquecimento, seguidas pelas 3 séries pesadas (com o descanso adequado entre elas, evidentemente), e depois vai para o próximo exercício da lista, e assim por diante.

AQUECIMENTO ADEQUADO

- Se não se aquecer corretamente, você pode reduzir sua força e se predispor a uma entorse ou coisa pior.

- O aquecimento adequado precisa fazer duas coisas simples: aumentar o influxo de sangue aos músculos que serão treinados e aclimatá-los progres-sivamente a cargas pesadas *sem* causar fadiga.

- Na sua primeira série de aquecimento, o melhor é fazer 12 repetições com cerca de 50% do peso da sua série pesada de 8 a 10 repetições e então des-cansar durante um minuto.

- Na sua segunda série de aquecimento, use o mesmo peso que na primeira e faça 10 repetições, desta vez em ritmo um pouco mais acelerado. Então des-canse por um minuto.

- A sua terceira série de aquecimento deve ter 4 repetições com cerca de 70% do seu peso normal, e deve ser feita em ritmo moderado. Mais uma vez, ela deve ser sucedida por um minuto de descanso.

- A quarta série de aquecimento é a última, e é simples: uma repetição com cerca de 90% da sua carga habitual. Descanse por 2 a 3 minutos depois desta última série de aquecimento.

- De modo geral, você não precisa realizar mais séries de aquecimento além das quatro por treino expostas acima. Apesar disso, eu gosto de fazer uma série de aquecimento de 10 a 12 repetições quando sigo para algum exercício que trabalha músculos que não estão aquecidos o suficiente.

- No dia de treinar braços, gosto de fazer uma série de aquecimento para bíceps seguida imediatamente por uma série de aquecimento para tríceps, seguida de um descanso de 60 segundos.

AS SUAS PRIMEIRAS SEMANAS NO PROGRAMA

- Se a musculação for novidade para você, tudo parecerá meio estranho no início. Certo — *muito* estranho.

- Dor e desconforto são esperados, mas dor aguda durante os exercícios significa que algo está errado. Não tente vencer dores agudas pela força.

DESCOBRINDO SEUS PESOS INICIAIS

- Descobrir seus pesos iniciais nos vários exercícios é mais ou menos uma questão de tentativa e erro. Você verá que, na maioria dos casos, só a barra, por si, será peso suficiente ou mesmo excessivo. Não fique desanimada com isso — trata-se de algo completamente normal.

- Se, porém, a barra for demais (é o que acontece no caso de muitas mulheres no supino e no desenvolvimento militar), você pode começar os exercícios com barra fazendo as variações com halteres.

- Como regra geral, a cada 5 kg que você acrescenta à barra, perde 2 repetições; o mesmo acontece com cada 2,5 kg a mais nos halteres.

PARCEIRA

- Você não precisa ter uma parceira para acompanhá-la nos treinos, pois você deve sempre usar pesos com os quais pode realizar repetições completas sem assistência. Apesar disso, se tiver alguém para acompanhá-la em certos exercícios, como supino e desenvolvimento militar, isso trará algumas vantagens.

- Não aceite uma parceira ruim, pois isso pode prejudicar seriamente seus ganhos. O pior erro que a maioria das pessoas comete quando observa alguém é tirar peso da barra quando não é necessário.

SEÇÃO IV TREINO

- Se não for possível conseguir uma parceira, eu recomendo que você faça desenvolvimento militar e agachamento em uma gaiola funcional, pois ela permite ajustar as barras de segurança e assim fazer suas séries sem ter a preocupação de empacar com um peso em cima de você.

MUDANDO DE FICHA

- A chave para desenvolver músculos e força não é simplesmente mudar os tipos de estímulo (novos exercícios), mas aumentá-los. E o modo mais eficaz de fazer isso é forçar os músculos a se superar e fazer mais do que da última vez.

- Um modo fácil e eficaz de programar um treino é fazer de 3 a 6 séries de exercícios "não negociáveis" seguidas de 3 a 6 séries de exercícios "negociáveis" e mudar os "negociáveis" a cada 8 a 10 semanas, depois da semana de descanso ou descarga.

- Não comece a incluir trabalho mais pesado até estar se sentindo forte e estável no raio de 8 a 10 repetições no agachamento, no levantamento terra, no supino e no desenvolvimento militar.

19

Monitorando seu progresso: se não pode medi-lo, você não o conhece

A coragem nem sempre ruge. Às vezes coragem é a voz tranquila no final do dia dizendo: "Amanhã eu tento de novo".

— MARY ANNE RADMACHER

EU ERA UM daqueles sujeitos que aparecem na academia todo dia, só para pegar mais ou menos os mesmos pesos com mais ou menos as mesmas repetições ao longo de meses. Não via diferença nenhuma no espelho — nenhum desenvolvimento muscular perceptível e nenhuma redução em percentual de gordura corporal.

O que eu fazia em resposta ao problema aparentemente insolúvel de não obter "ganho nenhum"? Mudava as coisas, é claro. Sabe como é, tentava novos exercícios e fichas, novos "truques" de dietas e novos suplementos.

Esse método de "atirar para todo lado" nunca funcionou — minha força e composição corporal não mudaram muito com a passagem do tempo —, mas eu continuava procurando fielmente o "treino da semana" ou a "descoberta" nutricional que finalmente me mostrasse o caminho... só para continuar decepcionado.

Embora boa parte da culpa por esse laborioso e frustrante ciclo de desilusões e retrocessos fosse dos próprios programas de treino e das dietas — que tinham tantas falhas que nenhum halterofilista natural poderia se sair bem com eles —, havia outro grande erro que eu cometia que exacerbava enormemente o problema.

Sir William Thomson, também conhecido como lorde Kelvin, foi um físico e engenheiro muito inventivo. Ele disse que, quando você pode medir algo e expressá-lo em números, conhece alguma coisa a respeito dele, mas quando não pode, seu conhecimento é deficiente.

Essa constatação é aplicável ao treinamento e à nutrição. Se você puder medir seu progresso (ou a ausência dele) e expressá-lo em números reais, então saberá se está ou não indo na direção certa. Se você não tem nenhuma maneira objetiva e

SEÇÃO IV TREINO

estável de mensurar o progresso, então está fazendo as coisas às cegas e torcendo para que tudo dê certo.

Era isto o que eu estava fazendo, sem nunca saber *realmente* se estava ficando mais forte com o tempo ou se estava me alimentando devidamente para alcançar meus objetivos.

Veja bem, uma das maneiras mais eficazes de evitar ficar empacada na mesmice da falta de ganhos é simplesmente *monitorar os seus números*. Isto é, você deve manter um diário de treinamento com o que você faz em cada treino, e monitorar ou planejar o seu consumo diário de alimentos (e ser fiel ao plano!).

Para alguns, isso pode parecer um tanto obsessivo, mas acho que você já entendeu por que é absolutamente vital para o sucesso contínuo neste jogo.

Desenvolver o corpo ideal leva tempo. Como diz o antigo adágio, é uma maratona, não uma corridinha qualquer. Sim, você pode transformar radicalmente seu corpo e sua vida e curtir o processo, mas de qualquer modo que o analise, trata-se de um verdadeiro investimento de tempo e esforço.

O que complica o processo de desenvolver músculos e força é que é tudo devagar, pouco a pouco. Se você acabou de começar a malhar, verá grandes saltos de força nos primeiros meses, mas, depois de algum tempo, seu progresso vai desacelerar. A partir desse momento, você terá de trabalhar conscientemente para conquistar cada repetição de melhora nos seus exercícios e cada grama de massa muscular acrescida à sua forma.

É aí que as coisas ficam nebulosas para aqueles que não fazem diário. A não ser que possua memória sobre-humana, você não saberá exatamente o que fez na semana anterior nos vários exercícios do seu programa. Claro, podem-se fazer notas mentais a respeito dos exercícios que "levantam o ego", como supino e roscas, mas e tudo o mais? Você precisa encarar *todos* os exercícios com a mesma atenção aos detalhes.

Se não sabe o que fez na semana anterior, você não saberá o que deve tentar alcançar nesta. Como a sua meta é se sair em cada treino um pouquinho melhor do que foi no anterior — mesmo que seja apenas mais uma repetição com os mesmos pesos — você pode compreender o problema aqui.

Ao caminhar para pegar a barra, não é desejável que você esteja tentando lembrar o que fez na semana anterior. Você deve saber exatamente o que quer alcançar. Há até quem goste de visualizar-se realizando a série com sucesso, e quem age assim garante que isso ajuda.

Se na semana passada você fez 4 repetições de agachamento com 60 kg, só o que interessa quando você vai para debaixo da barra é chegar a 5 repetições. Prossiga e, com o olho da mente, veja-se conseguindo. Então, na semana seguinte, sua meta serão 6 repetições na primeira série, ponto em que você vai colocar mais peso e almejar fazer 4 repetições na próxima série. É assim que se desenvolve força: uma repetição por vez.

Um treino bem-sucedido é aquele em que você fez *progresso* — em que você conseguiu fazer uma repetição a mais que na semana anterior ou aumentou o peso. Se isso não acontecer, não se desespere, mas precisará se esforçar mais na semana seguinte. Se você estiver paralisada há várias semanas ou até regredindo, deve verificar sua nutrição e seu descanso, pois algo está errado.

A raiz da questão é que se você não fizer um diário, a coisa ficará desleixada muito rápido. Fazer quantidades aleatórias de repetições com quantidades aleatórias de peso toda semana não tem nem metade da eficácia de ter um modelo preciso e linear de progressão guiado por dados concretos.

COMO MANTER UM DIÁRIO DE TREINO

Há algumas opções para se manter um diário de treino:

1. Você pode usar um aplicativo, como... ahn... o completamente fantástico que eu desenvolvi, chamado *Stacked* (www.getstackedapp.com).

2. Você pode tentar outros aplicativos disponíveis no mercado, mas saiba que ficará decepcionada. Provavelmente achará mais fácil simplesmente usar o aplicativo de notas do seu celular ou até um bom e velho caderno.

3. Você pode utilizar o programa de treinos e suplementos que traz o programa para ano inteiro de treinos de *Malhar, Secar, Definir — Para Mulheres* que você pode preencher à medida que progride no programa. Está em PDF na página deste livro no site da editora, para baixar gratuitamente.

Se você estiver criando seu próprio diário, faça uma lista dos exercícios que realizará no dia e veja os números da semana anterior. Avalie se a sua meta nesta semana é aumentar o número de repetições ou a carga e comece seu treino, anotando o que fizer em cada série (o peso levantado, as repetições feitas e qualquer observação relevante).

Eis um exemplo de como eu fazia o meu diário escrito antes de mudar para um aplicativo:

SEÇÃO IV TREINO

SEMANA 4

Segunda-feira
14/08/14
87 kg

PEITO

Supino — 125 x 4, x 4, x 4 (sensação de força)
Supino inclinado com halteres — 50 x 5, x 5, x 4
Supino reto com halteres — 50 x 5, x 5, x 5

Simples assim. Eu costumo fazer alguma anotação quando me sinto especialmente forte ou fraco num exercício, se alguma espécie de dor ou desconforto me incomoda, se não dormi bem na noite anterior etc.

Na semana seguinte, eu revisaria esses números e planejaria fazer algo como $5 \times 5 \times 4$ ou mesmo $5 \times 4 \times 4$ com 125 kg no supino. Se eu conseguir fazer isso e o resto do treino for exatamente o mesmo que na semana anterior, então o treino terá sido bem-sucedido.

Também é desejável monitorar seu peso, e você tem duas opções aqui:

1. Pesar-se uma vez a cada 7 dias, no mesmo dia toda semana, de manhã, despida, depois de ir ao banheiro e de estômago vazio.

2. Pesar-se diariamente nas mesmas condições descritas acima e calcular o peso médio a cada 7 dias. Veja o exemplo:

Dia 1: 87,1

Dia 2: 87

Dia 3: 86,6

Dia 4: 86,9

Dia 5: 87,5

Dia 6: 86,7

Dia 7: 86,5

Média de 7 dias: 86,9

Eu prefiro o método das médias porque ele evita que você fique desanimada por uma pesagem ruim, que pode ser causada por algo simples como reter mais líquido ou ter mais alimentos ainda em você no dia da pesagem.

A RAIZ DA QUESTÃO

Por melhor que seja o programa de treino que segue, se você não tiver um diário de treino e planejar ou monitorar a ingestão de alimentos, é quase garantido que terá problemas.

Manter um diário desse tipo permite que você sempre dirija o olhar para melhoras e nunca retroceda nem fique paralisada por longos períodos. Quando vir seus números estacionados, você poderá fazer algo imediatamente em vez de deixar que se passem meses antes de notar que nada está mudando.

E nove em cada dez vezes, voltar aos eixos é fácil, pois normalmente a paralisia é causada por esforço insuficiente nos treinos, alimentação incorreta, descanso insuficiente ou uma combinação dos três.

RESUMO DO CAPÍTULO

- Uma das maneiras mais eficazes de evitar ficar empacada na mesmice da falta de ganhos é simplesmente monitorar os seus números.

- Ao caminhar para pegar a barra, não é desejável que você esteja tentando lembrar o que fez na semana anterior. Você deve saber exatamente o que quer alcançar. Há quem goste de visualizar-se realizando a série com sucesso, e quem o faz garante que isso ajuda.

- Um treino bem-sucedido é aquele em que você fez progresso — em que você conseguiu fazer uma repetição a mais que na semana anterior ou aumentou o peso. Se isso não acontecer, não se desespere, mas você precisará se esforçar mais na semana seguinte. Se estiver paralisada há várias semanas ou até regredindo, verifique sua nutrição e seu descanso, pois algo está errado.

- A raiz da questão é que se você não fizer um diário, a coisa ficará desleixada muito rápido. Fazer quantidades aleatórias de repetições com quantidades aleatórias de peso toda semana não tem nem metade da eficácia de ter um modelo preciso e linear de progressão guiado por dados concretos.

20

O código de uma boa parceira de treino

A questão não é quem vai me dar permissão — é quem vai me impedir.

— AYN RAND

TREINAR COM PARCEIRA ruim é um lixo. Suga a energia e a motivação e pode fazê-la até perder completamente o entusiasmo de treinar.

Por outro lado, treinar com uma boa parceira pode fazer maravilhas para mantê-la na linha e progredindo. Ela a ajuda a se manter responsável e querendo ir à academia todo dia, e ter alguém que a supervisione em certos exercícios a ajuda a forçar mais uma repetição e a encoraja a aumentar o peso como deve.

Com o passar do tempo, essas coisas poderão vir a fazer uma grande diferença. Aqueles treinos, repetições a mais e aumentos de peso que não teriam acontecido se você estivesse sozinha resultam em ganhos reais.

Assim, recomendo que você encontre uma parceira com quem treinar antes de começar, e que vocês duas concordem com o seguinte código:

1. Serei pontual em todos os treinos, e se não puder evitar faltar a algum, avisarei a minha parceira assim que possível.

2. Não deixarei minha parceira escapar facilmente de uma sessão de treino. Vou rejeitar todas as desculpas que não forem realmente uma emergência ou um compromisso que não possa ser reagendado, e insistirei para que ela venha e treine. No caso de haver uma desculpa válida, me prontificarei, se possível, a treinar em outro horário para podermos realizar nosso treino juntas.

3. Irei à academia para *treinar* — não para bater papo. Quando estivermos na academia, nossa atenção estará voltada aos exercícios, estaremos

sempre prontas a supervisionar uma à outra e cumpriremos nossa tarefa com eficiência.

4. Vou treinar com empenho para dar um bom exemplo para minha parceira.

5. Motivarei minha parceira a fazer mais do que ela acha que consegue. Minha tarefa é motivá-la a usar pesos maiores e a fazer mais repetições do que ela acredita ser possível.

6. Darei apoio à minha parceira, e vou parabenizá-la por seus ganhos.

Esse código pode parecer brega, mas se você e sua parceira concordarem com esses seis pontos, estarão prestando um imenso favor uma à outra e se ajudarão mutuamente mais do que imaginam.

Se a sua parceira não conseguir obedecer a esses pontos — se não aparecer nos horários marcados, estiver mais interessada em bater papo do que em se exercitar, treinar de modo letárgico, não a pressionar a fazer mais etc. —, então ela é uma ameaça e está causando mais prejuízos do que ganhos. Você estará melhor treinando sozinha.

21

Como evitar lesões de treino

A força não vem da vitória. O que desenvolve suas forças são os seus esforços. Quando você passa por dificuldades e decide não se render — isso é força.

— ARNOLD SCHWARZENEGGER

À PRIMEIRA VISTA, parece fazer sentido que a musculação leve, com o tempo, a lesões ou pelo menos a problemas nas articulações.

Ora, não é possível que seja bom para o corpo agachar, empurrar e puxar um montão de peso várias vezes seguidas. Será que isso não apressa o "desgaste natural" das articulações, dos tendões e ligamentos, e assim o aparecimento de osteoartrite (a degradação das articulações)?

O interessante é que a literatura não embasa essas hipóteses.

Por exemplo, um estudo conduzido por pesquisadores da Glasgow Royal Infirmary analisou os corpos de 25 halterofilistas profissionais — pessoas que passam muito mais tempo treinando e pegam muito mais peso do que eu e você — e concluiu que, em geral, as articulações deles estavam tão saudáveis quanto, ou mais saudáveis que, as das outras pessoas da mesma idade. Além disso, cerca de metade dos participantes admitiu usar esteroides regularmente, o que significa que suas articulações estavam sob tensão ainda maior que a resultante dos pesos excessivos que levantam.

Pesquisadores também descobriram que articulações lesionadas anteriormente são mais suscetíveis a degeneração do que as articulações saudáveis. Assim, quem já lesionou as articulações pode precisar diminuir a intensidade da musculação para preservar a saúde das articulações.

Veja bem, a realidade é que a musculação simplesmente não é uma atividade perigosa. Há uma probabilidade muito maior de você se lesionar fazendo praticamente qualquer outro esporte do que levantando pesos.

Entretanto, isso não responde à questão de por que tantos halterofilistas parecem ter problemas nos ombros, nos joelhos e na coluna lombar. Se o levantamento de pesos não é inerentemente ruim para as articulações, qual é o problema aqui?

Pois bem, é verdade que as lesões de musculação estão aumentando, o que provavelmente se deve ao fato de que o número de pessoas que a está praticando também está aumentando. Movimentos de massa como o CrossFit também não ajudam, pois basta um instrutor ruim para que um vasto número de pessoas tenha risco drasticamente maior de sofrer lesões.

Apesar disso, como ocorre com toda atividade física, a dor ou torção ocasional é inevitável, mas se você cometer certos erros, pode se machucar, o que provavelmente envolverá uma articulação como os ombros, os joelhos ou a coluna lombar.

ERRO QUE ARRISCA LESÃO #1
PEGAR MAIS PESO DO QUE DÁ CONTA

De acordo com pesquisa encomendada pelo Centro para Pesquisas e Políticas de Lesões dos Estados Unidos, a forma mais comum de as pessoas se machucarem na musculação é deixar pesos caírem sobre si mesmas.

E como as pessoas aumentam o risco de deixar os pesos caírem sobre si? Fazendo levantamento de ego. Elas ajustam as anilhas e rezam para que dê certo.

Chego a tremer quando vejo caras magrelos colocarem três ou quatro anilhas de cada lado da barra só para realizar repetições malfeitas com a ajuda de um parceiro. Basta uma descida um pouquinho mais rápida ou uma bambeada momentânea das costas ou dos joelhos e o Johnny Bravo *vai* se estrepar.

Tentar levantar cargas pesadas demais também força demais as articulações, os tendões e os ligamentos. Trabalhando com pesos que dá conta de levantar adequadamente, porém, e fazendo repetições completas e controladas, você não apenas evita esses problemas como também faz mais progresso e melhora a flexibilidade.

A raiz da questão é a seguinte: se não conseguir fazer repetições completas é porque está usando peso excessivo e, assim, aumentando seu risco de lesão. Simplesmente diminua a carga, faça repetições completas, melhore sua força e só aumente o peso quando conseguir mantê-lo completamente sob controle.

SEÇÃO IV TREINO

ERRO QUE ARRISCA LESÃO #2
POSTURA INCORRETA

Este erro é similar ao primeiro, mas não é o mesmo.

Erros de postura vão muito além das repetições pela metade que dão má fama aos grandes exercícios compostos como o agachamento, o levantamento terra, o supino e o desenvolvimento militar. Você pode trabalhar com a quantidade correta de peso e usar a amplitude correta de movimento e ainda assim se colocar sob risco considerável de lesão.

Por exemplo, ainda que você esteja trabalhando com pesos que consegue levantar devidamente...

- Se você arredondar as costas durante o levantamento terra, ou hiperextendê-la no topo, estará pedindo por uma lesão na lombar.

- Se achatar as costas e arredondar os ombros no topo do supino ou abrir os cotovelos demais, provavelmente acabará com problemas no ombro em algum momento.

- Se deixar os joelhos dobrarem para dentro no agachamento ou irem muito além dos dedos dos pés, você poderá lesioná-los quando pegar pesado.

- Se fizer desenvolvimento militar por trás do pescoço e a constituição do seu corpo for similar à da maioria, você estará aumentando seu risco de lesão. (Estranhamente, o corpo de algumas pessoas pode lidar mecanicamente com este tipo de movimento, mas o da maioria não se dá bem com ele.)

Pressionar-se na academia é bom, desde que você sempre mantenha também a execução correta.

ERRO QUE ARRISCA LESÃO #3
DEIXAR DE SE AQUECER DIREITO

O aquecimento de muitas pessoas consiste em alguns minutos de alongamento estático, e isso é péssimo.

Já se demonstrou que fazer alongamento estático antes de exercícios prejudica a velocidade e a força. Não apenas ele pode deixar de prevenir lesões como aumentar o risco de que ocorram, devido a danos celulares que causa aos músculos e a seu efeito analgésico.

O aquecimento correto deve aumentar o fluxo de sangue para os músculos que serão treinados, aumentar a elasticidade, subir a temperatura e melhorar o movimento livre e coordenado, razões pelas quais eu prescrevo a rotina de aquecimento exposta anteriormente neste livro. Já foi demonstrado que o processo de movimentar os músculos repetidamente pelas amplitudes de movimento esperadas reduz o risco de lesões.

ERRO QUE ARRISCA LESÃO #4
"SEM SOFRIMENTO NÃO HÁ RECOMPENSA, MANO!!!"

Pode parecer óbvio, mas muitos não entendem muito bem: se você sentir dor, pare a série. Se um exercício sempre a incomoda, faça outro.

Entenda que a dor é uma advertência de que algo está errado, e se você não prestar atenção a ela, poderá ocorrer uma lesão séria.

Exemplo de caso: provavelmente a lesão mais séria que já testemunhei foi a de um cara na casa dos 60 anos numa competição de supino. Ele custara a arrancar uma repetição com cerca de 160 kg, e então começou a massagear o cotovelo. Em seguida, disse ao pessoal para colocar mais carga, que tentaria bater o próprio recorde. Todo o mundo o encorajou.

Ele entrou debaixo da barra, tirou-a do suporte e a abaixou até o meio do caminho. Aí nós ouvimos um *plec!* no meio da multidão. Felizmente, os parceiros estavam de olho e o salvaram do que pareceu uma quase decapitação. Seu cotovelo estava completamente estourado, e eu entreouvi um idiota lhe dizendo que era só colocar gelo que passava. Na verdade, ele deveria estar a caminho da sala de emergência.

A moral é a seguinte: *não seja estúpida.*

Dor, enrijecimento e coisas assim são comuns e normalmente passam depois que você faz aquecimento, mas se ignorar e tentar vencer no muque uma *dor*, estará pedindo para se machucar.

O segredo para lidar com a dor é tratá-la como uma lesão até que melhore. Evite exercícios que a piorem e deixe-a sarar. Se isso significar não fazer levantamento terra ou agachamento por algumas semanas, que seja. Descubra exercícios alternativos que possa fazer. Chato, sim, mas uma lesão que a fará retroceder vários *meses* é muito mais frustrante.

SEÇÃO IV TREINO

COMO SE RECUPERAR DE LESÕES DE TREINO

Se você não cometer os erros acima, a probabilidade de lesionar-se será bem baixa. Mas essas coisas podem acontecer, então vamos falar de como se recuperar nesse caso.

Em primeiro lugar, se a lesão for séria, você deve consultar um médico imediatamente. Não "vá para casa e ponha gelo" e ache que tudo vai ficar bem. Feita essa ressalva, as lesões mais comuns são distensões musculares menores, das quais é bem fácil recuperar-se se você adotar as ações seguintes.

DESCANSO

A parte mais importante da recuperação é descansar, e é simples: não coloque nenhuma tensão na(s) parte(s) afetada(s) do corpo até que ela(s) esteja(m) totalmente curada(s). Aqueles que violam este princípio simples podem acabar com disfunção crônica, que talvez se torne um problemão.

Quando a área lesionada parecer curada (sem dor nenhuma ao longo de uma amplitude completa de movimento), comece lentamente a treinar de novo. Trabalhe com pesos mais leves e veja como se sente no dia seguinte, e vá passando gradualmente para a sua ficha normal.

GELO

O gelo auxilia na recuperação reduzindo a inflamação, o inchaço e o sangramento interno de capilares e vasos sanguíneos lesionados. Enquanto houver dor e inflamação, o gelo ajudará.

Você deve começar o tratamento com gelo, não com calor, e eu recomendo manter um tecido úmido entre a bolsa de gelo e a pele para evitar desconforto.

Não aplique gelo por mais de 15 a 20 minutos por vez, mas você pode ir colocando e tirando o dia inteiro.

COMPRESSÃO

Como o gelo, a compressão ajuda a sarar reduzindo o inchaço e a inflamação. Use uma faixa elástica ou uma luva de compressão e aperte bem a parte afetada, mas não tanto que atrapalhe o fluxo de sangue.

Você pode combinar compressão e gelo enfaixando a bolsa de gelo ou comprando um produto feito especificamente para combinar os dois.

ELEVAÇÃO

Elevando a parte afetada a um nível acima do coração, você acelera a jornada do sangue de volta para ele, o que reduz o inchaço e ajuda na remoção dos resíduos da área.

A RAIZ DA QUESTÃO

Não pense que as lesões são inevitáveis neste jogo. Porque sigo as orientações deste capítulo, eu nunca tive de lidar com uma distensão muscular (bata na madeira!), e desejo o mesmo a você!

RESUMO DO CAPÍTULO

- A musculação não é uma atividade perigosa. Há uma probabilidade muito maior de você se lesionar fazendo praticamente qualquer outro esporte do que levantando peso.

- Quem já lesionou as articulações pode precisar diminuir a intensidade da musculação para preservar a saúde das articulações.

- Se não conseguir fazer repetições completas, você está usando peso excessivo e, assim, aumentando seu risco de lesão. Simplesmente diminua a carga, faça repetições completas, melhore sua força e só aumente o peso quando conseguir mantê-lo completamente sob controle.

- Pressionar-se na academia é bom, desde que você sempre mantenha também a execução correta.

- Já se demonstrou que fazer alongamento estático antes de exercícios prejudica a velocidade e a força. Não apenas ele pode deixar de prevenir lesões como aumentar o risco de que elas ocorram, devido a danos celulares que causa aos músculos e a seu efeito analgésico.

- Se você sentir dor, pare a série. Se um exercício sempre a incomoda, faça outro. O segredo para lidar com a dor é tratá-la como uma lesão até que melhore. Evite exercícios que a piorem e deixe-a sarar.

SEÇÃO V
SUPLEMENTAÇÃO

22

O guia de suplementos sem conversa fiada: o que funciona, o que não funciona e com o que se deve tomar cuidado

Os bíceps são como ornamentos em uma árvore de Natal.

— ED COAN

AS PRATELEIRAS DA loja de suplementos alimentares que você frequenta estão lotadas de toda espécie de lixo fajuto prometendo resultados que somente esteroides podem entregar. Você conhece as promessas...

Fórmula com liberação prolongada garante nutrição à sua massa magra por mais de 8 horas!

Acelere ao máximo sua produção de testosterona e otimize seus ganhos!

Ataque os receptores de estrogênio em seu corpo e bloqueie completamente os hormônios que destroem músculos!

Estão entre produtos desse tipo suplementos pré-treino, suplementos intra-treino, suplementos pós-treino, suplementos para estimular a produção de hormônio do crescimento e óxido nítrico, suplementos para inibir a produção de estrogênio e aromatase, e a lista continua.

Se você acreditar em metade das lorotas que se leem nas propagandas e embalagens dos suplementos, bem, provavelmente vai levar algum tempo para perceber que a verdade pura e simples é que...

Quase tudo o que existe por aí em termos de suplemento é absolutamente inútil.

Sim... um desperdício completo de dinheiro. Não tudo. Mas quase tudo.

E como posso afirmar isso com tanta certeza? Ora, eu não apenas já experimentei todo tipo de suplemento que se possa imaginar como estudei os dados científicos, e só me interesso por aquilo que foi objetivamente comprovado — não "fofoca de academia" nem campanhas de marketing pomposas.

Veja bem, os fabricantes de suplementos estão lucrando horrores com um "truquezinho" que a mente aplica na gente conhecido como *efeito placebo*. É um fato cientificamente comprovado que a simples crença na eficácia de um medicamento ou suplemento pode fazer com que a substância funcione. Há pessoas que já aliviaram, e em alguns casos até curaram, toda espécie de enfermidade séria, tanto mental quanto física, usando substâncias clinicamente inertes (inúteis) que *acreditavam* ter valor.

Assim, só porque algumas mulheres *acreditam* que o reluzente novo frasco de cápsulas "maximizadoras de músculos" irá funcionar e então "sentem que está funcionando" não significa que o produto tem valor real. Infelizmente, porém, parece que o efeito placebo não é forte ao ponto de nos ajudar a ganhar mais músculos com pó mágico, ainda que pensemos que é isso que está acontecendo.

E a triste realidade é que boa parte (a maior parte, na verdade) dos suplementos celebrados em academias, revistas e websites não são nada além disso: pós mágicos. Isto é, nunca se comprovou cientificamente que a maioria dos ingredientes desses produtos faça nada do que prometem fazer ou, melhor ainda, comprovou-se que muitos são totalmente inúteis.

Se você estiver se perguntando como as empresas de suplementos podem cometer fraudes tão evidentes e ficar impunes, a resposta é simples: a indústria de suplementos é totalmente desregulamentada. Não é necessário submeter os produtos à FDA para começar a vendê-los — basta bater uma massa qualquer, dizer o que bem entender na propaganda e, *voilá!*, você está no mercado de suplementos. Assista ao documentário *Bigger Stronger Faster* se quiser ver como isso é risivelmente fácil.

Os degenerados que administram certas empresas de suplementos estabelecem os padrões para práticas antiéticas fazendo coisas como adulterar suplementos pré-treino com substâncias similares à metanfetamina (sim, várias grandes empresas de suplementos foram pegas fazendo isso) ou acrescentar um perigoso produto químico extraído da dinamite em pílulas para queimar gorduras (uma das mesmas empresas também fez isso), e, bem, eles podem ser pegos... um dia. E multados. Ou não.

Já tive o desprazer de encontrar vários desses tipos repugnantes, e não me espantou ouvir piadas sobre suas últimas "pílulas num pote" para os consumidores abocanharem; sobre a facilidade de dizer às pessoas exatamente o que querem ouvir e lhes vender qualquer coisa; sobre as elevadas despesas com esteroides dos halterofilistas que patrocinam (pois é, algumas empresas de suplementos pagam as drogas de seus atletas, mas você é levada a acreditar que a chave para o corpo que têm é o pó mágico); sobre formas desonestas de manipular dosagens de ingredientes e fatos nutricionais, como o processo de "aminoadulterar" pós de proteína, que consiste em enchê-los de colheres de aminoácidos baratos que podem ser exibidos tecnicamente como gramas de proteína; e outras mais.

Apesar disso, *há* pessoas e empresas honestas no mercado, e *há* alguns suplementos cujos uso e compra realmente valem a pena. A maioria deles não é a porcariada sexy para perder gordura e ganhar músculos divulgada nas revistas por mulheres sensuais, mas é cientificamente comprovado que ajudam na sua jornada para desenvolver músculos, emagrecer e ficar saudável.

Assim, vamos repassar os tipos mais comuns de suplementos e ver em que você deve e em que não deve gastar seu suado dinheiro. E no relatório extra, você encontrará minha recomendação exata de produtos (os próprios produtos e marcas).

VITAMINA D

Há poucos anos, a vitamina D era conhecida simplesmente como a "vitamina dos ossos", e mesmo hoje, muitos médicos ainda acreditam que ela é essencial somente para a saúde óssea.

As pesquisas mostram outra coisa, porém: níveis insuficientes de vitamina D aumentam o risco de muitos tipos de doença, como osteoporose, problemas cardíacos, derrame, alguns tipos de câncer, diabetes tipo 1, esclerose múltipla, tuberculose e até gripe, mas nós vamos nos concentrar no lado positivo.

Graças ao trabalho duro de muitos cientistas, como o notável dr. Michael Holick, hoje sabemos que praticamente todos os tipos de tecidos e células do corpo têm receptores de vitamina D, o que significa que ela é um hormônio essencial que desempenha papel vital em grande número de processos fisiológicos.

Quando ingerimos vitamina D ou a produzimos na pele (como resultado da exposição ao sol), ela é convertida na sua forma ativa, *1,25-di-hidroxivitamina D*, ou vitamina D3. Esta substância então dá suporte a virtualmente todos os tipos de tecido do corpo, inclusive o coração, o cérebro e até células adiposas. Ela também regula os genes que controlam o sistema imunológico, o metabolismo e o desenvolvimento e o crescimento das células.

Como você pode ver, essa vitamina merece *muito* mais atenção do que recebeu nas últimas décadas. Felizmente, porém, a importância vital e os incríveis benefícios da vitamina D estão se tornando cada vez mais conhecidos e aceitos.

Ora, como você deve saber, o corpo não é capaz de produzir vitamina D sem exposição ao sol, e de acordo com um estudo publicado em 2011 pelo Centro para Controle de Doenças do Estados Unidos, 8% dos norte-americanos têm deficiência de vitamina D, e 25% fazem parte do grupo considerado "em risco" de desenvolver deficiência. De acordo com outros estudos, porém, o número de pessoas com deficiência de vitamina D pode chegar a até 42%.

Há duas formas de ter certeza de que você está obtendo vitamina D suficiente:

1. Passar de 15 a 20 minutos por dia no sol com pelo menos 25% da pele exposta.

2. Suplemento.

Uma vez que a maior parte de nós não pode fazer pausas para o bronze no meio do dia, a suplementação é a resposta.

COMO TOMAR VITAMINA D

De acordo com o Instituto de Medicina dos Estados Unidos, a quantidade adequada para pessoas que têm de 1 a 70 anos são 600 UI por dia (e 800 UI por dia para pessoas acima de 70 anos), mas esses números foram severamente criticados por cientistas especializados em pesquisa com vitamina D. Eles chamam atenção para os mais de 125 estudos revisados por pares que indicam que tais recomendações são baixas demais, e é provável que levem a deficiências de vitamina D.

Uma comissão da Sociedade Endócrina dos Estados Unidos se reuniu recentemente para revisar as evidências e concluiu que entre 600 UI a 1.000 UI por dia é a quantidade adequada para pessoas que têm entre 1 a 18 anos, e entre 1.500 UI e 2.000 UI por dia é a quantidade adequada para pessoas de 19 anos para cima.

De acordo com o dr. Michael Holick, porém, mesmo a quantidade de 2.000 UI por dia está aquém do ideal. Pesquisas mostram que a quantidade de 2.000 UI por dia é o mínimo necessário para manter a suficiência de vitamina D (30 mg por mililitro), mas o dr. Holick sustenta que a quantidade ideal de vitamina D é entre 50 mg e 80 mg por mililitro, o que exigiria consumo diário próximo a 5.000 UI.

Assim, recomendo que você comece com 2.000 UI por dia e meça os níveis de 25-hidroxivitamina D (a forma utilizável da vitamina que o corpo cria) para avaliar

SEÇÃO V SUPLEMENTAÇÃO

a sua condição de vitamina D. É provável que o resultado fique abaixo de 50 mg a 80 mg por mililitro.

Pesquisas mostram que é necessário aumentar o consumo de vitamina D em 100 UI para aumentar a concentração sanguínea em 1 mg por mililitro, portanto você pode calcular a quantidade adicional que precisa tomar para alcançar os níveis ideais. Por exemplo, se o teste revelar que você tem 30 mg por mililitro e você quiser aumentar para 50 mg por mililitro, precisa aumentar seu consumo atual em 2.000 UI.

SUPLEMENTOS DE PROTEÍNA

Usar suplementos de proteína como *whey*, albumina e caseína (as três melhores opções) não é necessário, mas é conveniente.

Como você sabe, *whey protein* é uma fantástica fonte de proteína, e é vendido em três formas: *concentrada, isolada* e *hidrolisada*.

O *whey* concentrado é o menos processado e de fabricação mais barata, e contém um pouco de gordura e lactose. Dependendo da qualidade do produto, pode ter de 35% a 80% de proteína por peso.

O *whey* isolado é processado para remover a gordura e a lactose. Tem mais de 90% de proteína por peso, e como sua produção é mais cara, ele também é mais caro para o consumidor.

O *whey* hidrolisado é uma forma pré-digerida de *whey protein* que é facilmente absorvida pelo corpo e não contém as substâncias alergênicas presentes em derivados do leite. Pesquisas indicam que o processo de hidrólise melhora a solubilidade e a digestibilidade, mas esses benefícios custam caro: o *whey* hidrolisado é a mais cara das três opções.

Então, qual você deve comprar? Bem, ao escolher um *whey*, você tem de considerar algumas coisas.

Embora as formas isolada e hidrolisada sejam vendidas como superiores à concentrada devido à pureza e à concentração maior de proteína por colher, as evidências que sustentam as alegações de que são superiores ao concentrado em termos de satisfazer as necessidades diárias de proteína são insuficientes.

Feita essa ressalva, no entanto, é preciso dizer que escolher o *whey* mais barato que encontrar, que será um concentrado, também não é uma boa ideia. Um *whey* concentrado de qualidade tem cerca de 80% de proteína por peso, mas os inferiores podem chegar a ter proporções mínimas, como 30%.

E que outra coisa há por aí, então?

Infelizmente, só podemos especular, pois a adulteração (o acréscimo de componentes como maltodextrina e farinha para aumentar a quantidade) é espantosamente desenfreada nessa indústria. Em muitos casos, você recebe aquilo pelo que paga. Se o produto custa muito menos do que o preço habitual do *whey*, deve ter sido produzido com ingredientes inferiores.

No entanto, preços elevados nem sempre são indicativos de alta qualidade. Empresas de suplementos desonestas também empregam outros truques, como usar concentrados de baixa qualidade, acrescentar pequenas quantidades de isolados e hidrolisados para criar uma "receita" e, em seguida, chamar a atenção para o isolado e o hidrolisado na embalagem.

Para se proteger como consumidora, verifique sempre as listas de ingredientes, tamanhos de porções e quantidades de proteína por porção antes de comprar proteína em pó.

Especificamente, observe a ordem em que os ingredientes são listados (eles são listados em ordem decrescente da sua proporção no produto em peso) e a quantidade de proteína por colher em relação ao tamanho da colher.

Por exemplo...

- Se um produto tiver maltodextrina ou qualquer outro ingrediente listado antes do próprio pó de proteína, não o compre. Isso significa que há mais maltodextrina, creatina ou outra substância usada apenas para preencher espaço do que proteína em pó.

- Se uma colher é de 40 g, mas há apenas 22 g de proteína por porção, não compre o produto, a não ser que saiba que os outros 18 g são constituídos por coisas que você quer (pessoas que estão trabalhando para ganhar peso, por exemplo, consomem um bocado de carboidratos por colher).

É fácil detectar um suplemento de alta qualidade: o *whey* concentrado, isolado ou hidrolisado será o primeiro ingrediente listado, e o tamanho da colher será relativamente próximo da quantidade de proteína por colher. (Nunca vai coincidir totalmente, porque em toda porção há pelo menos adoçantes e aromatizantes junto e com o pó de proteína em cada dose).

Felizmente, não há tanto motivo para preocupação com relação a suplementos de caseína e albumina. Escolha uma caseína que use caseína micelar (que tem a mais alta qualidade disponível). Quanto à albumina, a qualidade da maioria dos produtos é similar, mas eu prefiro uma empresa especificamente, que você encontrará no relatório extra.

SEÇÃO V SUPLEMENTAÇÃO

AMINOÁCIDOS DE CADEIA RAMIFICADA (BCAAS)

Sabe aquela garrafa com um líquido rosa que o fisiculturista monstrão da sua academia carrega de aparelho em aparelho? Provavelmente ela contém um coquetel de aminoácidos de cadeia ramificada (BCAAs, na sigla em inglês), que ele jura terem grande poder de desenvolver os músculos.

Se você der ouvidos ao que se fala, terá a impressão de que os suplementos de BCAA têm quase tanta eficácia quanto os esteroides para promover o desenvolvimento de massa muscular e força. Mas, como ocorre com relação a muitos suplementos, não se está dizendo tudo. Para simplificar, embora os BCAAs tenham um uso válido (a respeito do qual falaremos), eles não têm *nem de longe* a eficácia propagada.

Vamos entender por que, mas vamos começar do início: o que exatamente são os BCAAS, afinal?

São um grupo de três aminoácidos essenciais (que o corpo deve obter a partir da dieta):

- leucina;
- isoleucina;
- valina.

A leucina é a estrela do trio, pois estimula diretamente a síntese proteica através da ativação de uma enzima responsável pelo crescimento celular conhecida como alvo da rapamicina em mamíferos, ou mTOR.

A isoleucina é o número 2 da lista, pois melhora o metabolismo da glicose e aumenta a captação muscular.

A valina fica num distante terceiro lugar, já que não parece fazer muito quando comparada à leucina e à isoleucina.

Você encontra grandes quantidades desses aminoácidos em proteínas de qualidade, como carne, ovos e laticínios, e no *whey protein* isolado as quantidades são particularmente elevadas.

Se eu quisesse vender um suplemento BCAA, não seria muito difícil. Eu poderia citar uma variedade de benefícios cientificamente comprovados deles, como...

- melhora do sistema imunológico;
- redução da fadiga;

- redução dos níveis de danos musculares induzidos por exercícios;

- aumento dos níveis de crescimento muscular pós-exercício;

- e outros...

Basicamente, bastaria contar a mesma história contada por quase toda empresa de suplementos que vende BCAAS, e que seria, à primeira vista, difícil refutar.

Mas há dois pontos importantes nas pesquisas sobre BCAAS a respeito dos quais você *não foi* informada:

As pesquisas que costumam ser citadas para demonstrar os benefícios musculares da suplementação com BCAA foram realizadas com sujeitos que não tinham ingerido proteína suficiente.

Por exemplo, um estudo conduzido por pesquisadores do Centro de Estudos e Pesquisa de Medicina Aeroespacial (França) é uma das meninas dos olhos das empresas que vendem BCAAS. Os cientistas examinaram os efeitos da suplementação com o produto em um grupo de lutadores de elite com déficit de calorias e, após três semanas, o grupo de suplementos, que ingeriu 52 g de BCAA por dia, preservou mais músculos e perdeu um pouco mais de gordura do que o grupo de controle (que não usou suplemento nenhum).

Parece muito legal, certo? Pois bem, o que você não vai ouvir é que os participantes, cujo peso médio era de cerca de 70 kg, estavam ingerindo a mísera quantidade de cerca de 80 g de proteína por dia. Como você sabe, com base na literatura sobre as necessidades de proteína de atletas com restrição calórica, eles deveriam estar comendo o *dobro* dessa quantidade de proteína para preservar a massa magra.

Então, tudo o que esse estudo nos diz é que se estivermos a fim de comer metade da quantidade de proteína que devemos comer, um suplemento de BCAAS pode ajudar a mitigar os danos. Nada muito emocionante.

Outros estudos que demonstram vários benefícios relacionados ao ganho de músculos da suplementação com BCAAS têm resumos promissores, mas quase sempre são obstruídos pela falta de controle nutricional e/ou baixo consumo de proteínas. Além disso, em quase todos os casos, os participantes estão treinando em jejum, o que é um ponto importante sobre o qual falaremos mais em um minuto.

Você pode obter dos alimentos todos os BCAAs de que o seu corpo precisa, o que é mais barato e muito mais gratificante.

SEÇÃO V SUPLEMENTAÇÃO

Pesquisas que demonstram os efeitos anabólicos dos suplementos de BCAAs antes, durante e depois da atividade física são usadas para vendê-los. Mas não percamos o foco.

O que essas pesquisas revelam é que elevar intensamente os níveis de BCAAs (e de leucina em particular) antes e depois do exercício ajuda a ganhar mais músculos. Não há, porém, *nenhuma* prova de que fazê-lo através da ingestão de um suplemento de BCAAs seja mais eficaz do que através da ingestão de alimentos.

Na verdade, há pesquisas que revelam o contrário: alimentos, e *whey protein* especificamente, podem ser ainda mais eficazes do que misturas de aminoácidos. As proteínas dos alimentos, em sua maioria, são compostas de cerca de 15% de BCAAs, e a maioria dos suplementos de proteína tem acréscimo de BCAAs, então se ingere proteína suficiente, especialmente se usar suplementos de proteína com BCAAs, você obtém quantidade maior desses aminoácidos do que a necessária para atender às demandas do seu corpo.

É por isso que eu recomendo que você consuma de 30 g a 40 g de proteína antes e depois de malhar e que eu tomo *whey protein* nessas refeições. É mais barato que suplemento de BCAAs, tem gosto melhor e provavelmente é mais eficaz.

Então é assim que as coisas ficam quando as despimos do olhar da moda e da publicidade. Mas antes de passar para um uso legítimo dos BCAAs, quero abordar uma questão que pode ter lhe ocorrido:

Não existe algum estudo no qual participantes com treinamento em exercícios de resistência levantam pesos e tomam suplementos de BCAAs ao mesmo tempo que fazem uma dieta rica em proteína? Eu gostaria que existisse, porque isso iluminaria muito a controvérsia.

Tudo o que temos no momento é um estudo não publicado pago pela Scivation — criadora do popular suplemento de BCAAs Xtend — e dirigido por Jim Stoppani, que... cof... demonstrou?... alguns resultados notáveis:

A suplementação diária com BCAA durante o treino foi *duas vezes* mais eficaz que suplementação com *whey protein* durante o treino e resultou em um estrondoso ganho de 4,5 kg de músculos *e* uma redução de 2% de gordura corporal em apenas oito semanas... em homens com treinamento de força com pelo menos dois anos de experiência de musculação... que estavam ingerindo de 2,2 g a 2,4 g de proteína por quilo de peso corporal... e estavam com excedente de calorias...

Espere... o quê? Se eu tomar BCAAs — não, perdão, não qualquer BCAA, mas Xtend — enquanto malho posso estar com excedente de calorias e alcançar níveis de crescimento muscular de quem toma esteroides *e* ficar mais magro? Uau! Aqui está, pegue todo meu dinheiro, Scivation!

Não. Coloque-me na categoria dos céticos aqui. Para citar o famoso pesquisador e escritor da área de esportes Alan Aragon na sua revisão mensal dos estudos publicados:

> O cético em mim fica tentando atribuir parte dos resultados não apenas à fonte de financiamento (Scivation), mas também à amizade de muitos anos[nota minha] entre Jim Stoppani e a equipe da Scivation. O fato é que não existe nenhum modo de quantificar o grau de viés comercial inerente a este experimento — nem, aliás, a nenhum outro.

Certo, então os BCAAS não parecem nem um pouco tão bons quanto afirmam as empresas de suplementos.

Se você estava em dúvida se devia comprar um pote para usar como suplemento de uso cotidiano, provavelmente já se decidiu. Acontece, porém, que este suplemento de fato tem uma utilidade cientificamente comprovada, relacionada ao *treino em jejum*.

Normalmente as pessoas pensam que "treino em jejum" significa "treinar com o estômago vazio", mas é um pouquinho diferente.

Treino em jejum significa treinar "em estado de jejum", o que tem a ver com os níveis de insulina no sangue. Como você sabe, ao ingerirmos alimentos, eles são decompostos em várias moléculas que as células podem usar e que são liberadas no sangue. A insulina é liberada junto, e a função dela é transportar essas moléculas para dentro das células.

O corpo entra em estado "de jejum" quando termina de absorver todos os nutrientes dos alimentos ingeridos e os níveis de insulina retornam ao seu estado normal, "padrão". Quando você se exercita com o corpo nesse estado, a perda de gordura é acelerada (e a musculação nesse estado é especialmente eficaz para isso).

Há uma desvantagem do treinamento em jejum, porém, e é aí que entram os BCAAS: quando você se exercita assim, a quebra muscular aumenta drasticamente. Isso é ruim simplesmente porque quebra muscular em excesso prejudica o crescimento muscular total ao longo do tempo.

Evitar isto é simples, no entanto, e consiste em tomar BCAAS.

COMO TOMAR BCAAS

Tudo o que você tem de fazer é tomar 10 g de BCAAS ou de 3 g a 5 g de leucina (aviso: o gosto é ruim) 10 a 15 minutos antes do treino em jejum.

SEÇÃO V SUPLEMENTAÇÃO

Isto suprime a quebra muscular durante o treino com impacto mínimo nos níveis de insulina, desse modo mantendo você em estado de jejum.

SUPLEMENTOS PRÉ-TREINO

Os anúncios de produtos pré-treino populares estão entre os mais exagerados da área. Se acreditarmos no que afirmam, algumas colheres de pó basicamente nos transformarão em super-heróis por uma hora. Quero dizer, os halterofilistas monstruosos que parecem prestes a morrer de um ataque cardíaco não mentiriam, certo?

Pois bem, os suplementos pré-treino são notórios por algumas práticas enganosas:

- Incluir pequenas quantidades de ingredientes baratos e inócuos para que a lista de ingredientes fique grande e chamativa, e usar (muitas vezes interpretando de forma errada) estudos escolhidos a dedo, falhos ou enviesados para convencer que a fórmula deles é fantástica.

- Subdosar ingredientes eficazes para economizar dinheiro e esconder-se atrás da brecha do rótulo de "receita própria", que permite às empresas não revelar as dosagens de cada parte da mistura.

- Usar o nome químico de compostos comuns para criar a ilusão de que têm ingredientes especiais. Por exemplo, *epigalocatequina-3-galato* é só extrato de chá verde, *1,3,7-trimetilxantina* é só cafeína.

Por que fazer esse tipo de coisas?

Porque é *extremamente* lucrativo.

Veja bem, o negócio é o seguinte: quando a Suplementos Duvidosos Ltda. quer criar um suplemento pré-treino, ela acredita que duas coisas são essenciais para as vendas:

1. incluir alguns ingredientes cujas eficácia e segurança são clinicamente comprovadas, de modo que as promessas de marketing possam ser defendidas;

2. incluir uma porcariada em favor da qual não há prova nenhuma para dar a impressão de que o produto tem muito a oferecer em relação a seu preço.

Mas há um problema aí relacionado aos custos.

Sabe, usar doses clinicamente efetivas de ingredientes que valem a pena fica muito caro muito rápido. O modelo de negócios da Suplementos Duvidosos gira em torno de gastar o mínimo possível na produção e despejar toneladas de dinheiro em marketing e nos bolsos de seus donos gananciosos, de modo que ela simplesmente não pode se dar ao luxo de fazer um bom produto.

O que fazer, então? Simples.

Usar pequenas quantidades dos ingredientes essenciais — muito menores do que as dosagens usadas nas pesquisas que provam sua eficácia — e depois encher a lista de ingredientes com pequenas quantidades de um montão de porcarias para fazer vista.

Empresas desse tipo não querem que você saiba a quantidade de cada ingrediente que o produto leva, pois isso poderia deixá-la desconfiada. De novo, a solução é simples: usar a marca própria, que lhes permite listar apenas o peso total da mistura, em vez dos ingredientes em si.

Como os ingredientes das receitas próprias são listados em ordem decrescente de acordo com a predominância por peso, quando o primeiro ingrediente é algo barato, digamos maltodextrina (substância doce, ou às vezes insípida, usada para preencher espaço) ou mono-hidrato de creatina, pode ser (e frequentemente é) mais de 90% do verdadeiro produto.

Por maior que seja a quantidade de ingredientes listados após o primeiro, eles podem ser apenas uma pequena percentagem da mistura real.

Em seguida, o departamento de marketing da Suplementos Duvidosos obtém o produto e lista todos os benefícios que pode encontrar para doses mais elevadas dos ingredientes subdosados, muitas vezes exagerando-os até o ponto do absurdo, e, em seguida, acrescenta mais algumas promessas baseadas em nada para completar.

No fim, isso significa que um norte-americano paga de 30 a 50 dólares por um produto cuja fabricação custou à Suplementos Duvidosos de 2 a 5 dólares, e que custaria 30 se as porcarias fossem descartadas, e as doses adequadas dos ingredientes que valem a pena, usadas.

Se você quiser ajudar a pôr fim a toda essa palhaçada, a primeira coisa que deve exigir como consumidora é o fim das marcas próprias. Não há absolutamente nenhuma razão para usá-los para nada que não seja enganação e fraude. Toda a ciência por trás de ingredientes efetivos está disponível publicamente. Todo o mundo sabe o que funciona e o que não funciona e em quais doses. As alegações de "segredos comerciais" ou pesquisas próprias são espúrias.

Você também deve saber que a inclusão de mais ingredientes não significa necessariamente um produto melhor. Na verdade, você não encontrará um produto pré-treino legítimo com 30 ingredientes, porque não é financeiramente viável incluir

SEÇÃO V SUPLEMENTAÇÃO

tantos ingredientes em doses clinicamente efetivas (e seria difícil encontrar 30 ingredientes que valem a pena usar, ponto).

Ao escolher suas compras com sabedoria, você pode forçar as mudanças que precisam acontecer: a morte da receita própria e a utilização apenas de ingredientes cientificamente validados em doses clinicamente eficazes com a eliminação de ingredientes ineficazes que só servem para "preencher o rótulo".

Então, isso nos leva à pergunta do milhão: existem suplementos de pré-treino que vale a pena usar, ou devemos simplesmente nos ater a nossa confiável amiga cafeína?

Pois bem, a cafeína é um estimulante pré-treino útil que pode aumentar a resistência e a força muscular, mas o fato é que existem várias outras substâncias saudáveis e seguras que podem melhorar ainda mais seu desempenho... *se* forem dosadas corretamente.

Assim, considerados todos os fatores, um *bom* suplemento pré-treino vale o investimento, na minha opinião. Ele lhe dará um empurrão de energia, mais foco, uma boa explosão e resistência muscular maior.

Uma coisa que você deve saber sobre as bebidas pré-treino, no entanto, é que a maioria delas contém um pouco de cafeína por porção (qualquer coisa entre 100 mg a 300 mg). Se o seu organismo for sensível a ela, você pode procurar algum suplemento que tenha pouca ou nenhuma cafeína.

CREATINA

A creatina é uma substância naturalmente presente no organismo e em alimentos como a carne vermelha. É talvez o suplemento alimentar a respeito do qual mais se pesquisa no mundo da nutrição esportiva; ela já foi objeto de mais de 200 estudos.

A pesquisa mostra que a suplementação com creatina desenvolve os músculos e melhora a força, aumenta a resistência anaeróbia e reduz os danos musculares e o desconforto dos exercícios.

E caso você esteja preocupada com a possibilidade de a creatina fazer mal para os rins, saiba que alegações nesse sentido foram categórica e repetidamente refutadas. Já se mostrou que, em sujeitos saudáveis, a creatina não tem efeitos colaterais danosos, nem a curto nem a longo prazo. Não é aconselhável, porém, que pessoas com problemas nos rins usem suplemento de creatina.

Assim, a creatina é um dos suplementos que recomendo enfaticamente que você use. Há diferentes formas disponíveis, porém. Qual é a melhor?

Bem, a forma mono-hidratada foi objeto da vasta maioria dos estudos realizados sobre a molécula de creatina e tem eficácia comprovada, mas as máquinas de marketing das empresas de suplementos nos bombardeiam constantemente com coisas de nome pomposo, como citrato de creatina, creatina etil éster, creatina líquida, nitrato de creatina, creatina tamponada, creatina hiclorizada e outros.

Essas variações são certamente mais caras do que a creatina mono-hidratada, mas não são mais eficazes. Certas formas de creatina são mais solúveis em água, como o citrato, o nitrato e o cloridrato de creatina, mas isso não as torna mais eficazes no organismo.

Não pague por formas de creatina da moda anunciadas em campanhas publicitárias de um milhão de dólares e vendidas em embalagens chamativas mais do que elas valem. A creatina mono-hidratada é o melhor investimento que você pode fazer, e o padrão pelo qual todas as outras formas de creatina ainda são avaliadas.

Se a boa e velha creatina mono-hidratada incomodar seu estômago, tente alguma forma mais solúvel em água, como a creatina mono-hidratada micronizada, ou citrato, nitrato ou cloridrato de creatina.

COMO TOMAR CREATINA

O método mais comum de suplementação com creatina encontrado na literatura é fazer um período de "carga" de 20 g por dia de 5 a 7 dias seguido de uma dose de manutenção de 5 g por dia.

Você não *tem* de fazer a carga de creatina se estiver começando com a suplementação (você pode começar com apenas 5 g por dia), mas fazê-lo de fato acelera a acumulação de creatina nos músculos, o que causa o benefício de ela "cair" mais rápido.

Pesquisas mostram que ingerir creatina junto com carboidratos aumenta a acumulação de creatina nos músculos. Uma vez que esse efeito é resultado sobretudo da elevação dos níveis de insulina, o consumo de proteína também pode contribuir. Em verdade, um estudo de pesquisadores da Universidade de Nottingham demonstrou que 50 g de proteína e carboidratos tiveram a mesma eficácia que 100 g de carboidratos no aumento da acumulação da creatina muscular.

Assim, com base nessa pesquisa, você deve tomar creatina com uma refeição de bom tamanho para maximizar os efeitos dela.

Além disso, há pesquisas que indicam que tomar creatina depois do treino é mais eficaz do que tomá-la antes, razão pela qual eu tomo a minha com a refeição pós-treino, que consiste em 50 g de proteína e 75 g a 125 g de carboidratos.

SEÇÃO V SUPLEMENTAÇÃO

É NECESSÁRIO FAZER CICLO COM A CREATINA?

Não, não há nenhuma prova científica de que o uso de creatina por muito tempo seja prejudicial. Portanto, não, não há razão para fazer temporadas tomando e sem tomar. Ela não é um esteroide.

A CAFEÍNA INTERFERE NOS EFEITOS DA CREATINA?

Talvez.

Um estudo realizado por pesquisadores da Universidade de Leuven demonstrou que a ingestão de cafeína com creatina mono-hidratada diminui a produção de força muscular quando comparada à ingestão de creatina mono-hidratada sozinha, mas isso não é evidência suficiente para encerrar o caso.

Isso é especialmente verdadeiro quando se considera o fato de que um estudo conduzido por pesquisadores da Universidade de Luton demonstrou que tomar cafeína e creatina mono-hidratada em conjunto era mais efetivo do que tomar somente creatina na melhoria do desempenho no treino intervalado de alta intensidade (HIIT). Resultados similares também foram observados em um estudo realizado por pesquisadores da Universidade de Yu Da (Taiwan).

Com base nas evidências, gosto de apostar no que é mais garantido e tomar minha creatina e minha cafeína separadamente, não juntas, ao contrário de como vêm na maioria das bebidas pré-treino.

A CREATINA PROVOCA INCHAÇO?

Isso era um problema, mas na década passada ou por aí o processamento melhorou muito, e agora o tema não existe mais.

É improvável que você perceba alguma diferença na retenção de líquido subcutânea ao tomar creatina, mesmo que seja bastante magra.

VOCÊ DEVE TOMAR CREATINA AO FAZER DIETA PARA PERDA DE GORDURA?

Sim.

A creatina funciona igualmente bem quando você está com déficit calórico, o que significa que você conservará mais força e, portanto, massa magra ao definir.

ESTIMULADORES DE HORMÔNIO DO CRESCIMENTO HUMANO

Direto ao assunto: os estimuladores do hormônio do crescimento são dinheiro jogado fora. Em geral, eles contêm vários aminoácidos que quando na dose adequada de fato proporcionam vários benefícios, mas não aumento dos níveis de hormônio de crescimento associados ao desenvolvimento muscular.

Veja bem, há mais de 100 formas de hormônio do crescimento no corpo, e cada uma delas executa uma função diferente. Embora você possa ter ouvido que foi demonstrado que algo como o ácido gama-aminobutírico, ou GABA, eleva os níveis de hormônio do crescimento em repouso e pós-exercício, o que não lhe dizem é que não há comprovação de que a forma de hormônio do crescimento cuja produção ele estimula contribui para o crescimento muscular.

Guarde seu dinheiro e pule os estimuladores de hormônio do crescimento humano.

GLUTAMINA

A glutamina é o aminoácido mais abundante do corpo e é expressivamente gasta pela atividade física intensa e prolongada.

A pesquisa mostrou que a suplementação com glutamina pode:

- reduzir os efeitos negativos da atividade física prolongada sobre o sistema imunológico (pesquisas mostraram que a atividade física esgota os níveis de glutamina do organismo, o que pode prejudicar o sistema imunológico);

- melhorar a resistência e reduzir a fadiga em exercícios prolongados;

- ajudar o corpo a lidar melhor com o estresse sistêmico da atividade física prolongada.

Embora claramente a suplementação com glutamina tenha seus benefícios, ela não é capaz de satisfazer as promessas que costumam ser usadas para vendê-la, que giram em torno do desenvolvimento de mais músculos.

Geralmente, citam-se pesquisas que mostraram que os níveis de glutamina intramuscular desempenham papel importante na síntese proteica e na prevenção da quebra muscular, e que ela melhora a capacidade do corpo de usar a leucina.

SEÇÃO V SUPLEMENTAÇÃO

A verdade, no entanto, é que não há estudos que indiquem que a suplementação com glutamina ajuda adultos saudáveis e bem alimentados a desenvolver mais músculos. Esses efeitos só são observados em pessoas e animais doentes ou subnutridos. Vários estudos realizados com adultos saudáveis mostram que, ao contrário, a suplementação com glutamina não tem efeito sobre as taxas de síntese de proteína, desempenho muscular, composição corporal ou prevenção da quebra muscular.

Assim, ainda que a suplementação com glutamina não proporcione estímulo anabólico, os benefícios antiestresse e antifadiga que oferece a tornam uma compra valiosa se você se exercita com regularidade, intensamente e por períodos prolongados.

COMO TOMAR GLUTAMINA

Estudos mostraram que 100 mg a 200 mg de glutamina por quilo de peso corporal por dia são suficientes para atletas, e que o uso contínuo é importante.

SUPLEMENTOS DE OXIDO NÍTRICO

Muitos suplementos de pré-treino consistem numa forma dos aminoácidos *arginina* e *citrulina* e da substância *agmatina*. Eles prometem aumentar a quantidade que o corpo produz de uma substância chamada óxido nítrico, que amplia os vasos sanguíneos e, assim, permite que cheguem mais oxigênio e nutrientes aos músculos, o que pode melhorar o desempenho.

Embora isso soe como apenas mais uma duvidosa invenção de marketing, existem estudos que embasam alguns desses ingredientes e alegações, mas novamente o problema são as doses. Você encontrará com frequência moléculas que aumentam o óxido nítrico em produtos pré-treino, mas em quantidades baixas demais para importar.

Feitas essas ressalvas, observo que, na dose adequada (cerca de 8 g), notei que a citrulina, em particular, melhora o ímpeto e o desempenho nos exercícios.

MULTIVITAMÍNICOS

Assim como acontece com a maioria dos suplementos, os multivitamínicos são badalados demais e prometem o que não podem entregar. As propagandas proclamam, alto e bom som, que bastam algumas pílulas por dia para evitar doenças, melhorar os hormônios, ajudar o intestino, aprimorar o funcionamento cognitivo e aumentar os níveis de energia. Algumas são ainda mais ousadas, prometendo que os multivitamínicos também ajudarão a desenvolver músculos, ganhar força e perder gordura.

Do outro lado da moeda, no entanto, estão aqueles que afirmam que os multivitamínicos são um completo desperdício de dinheiro, não oferecem absolutamente nenhum benefício para a saúde e chegam até a fazer mal.

Bem, a verdade está em algum lugar no meio das duas posições.

POR QUE·OS MULTIVAMÍNICOS SÃO ÓTIMOS... NA TEORIA?

O corpo precisa de um amplo espectro de vitaminas e minerais para realizar os milhões sofisticados de funções que executa todos os dias. É desejável manter um suprimento adequado deles para auxiliar qualquer processo de crescimento e reparo que ocorra.

Idealmente, obteríamos todas as vitaminas e minerais de que precisamos a partir dos alimentos que comemos. Devido à natureza da dieta ocidental média, no entanto, tendemos a ter deficiências de certas vitaminas e minerais.

Por exemplo, de acordo com uma pesquisa publicada em 2005 por cientistas da Universidade Estadual do Colorado, pelo menos metade da população dos Estados Unidos não consegue atender à ingestão diária recomendada (IDR) de vitamina B-6, vitamina A, magnésio, cálcio e zinco, e 33% da população não alcança a IDR para ácido fólico. Pesquisas mostram que os níveis médios de ingestão de vitamina K e D também podem estar abaixo do recomendado.

O que fazer, então? Como podemos garantir facilmente que nossos corpos obtenham a quantidade suficiente de todas as vitaminas e minerais essenciais?

Aí é que entra o suplemento multivitamínico.

A ideia de tomar um suplemento que possa cobrir eventuais deficiências nutricionais em nossas dietas e mitigar os efeitos prejudiciais de alguns de nossos hábitos menos saudáveis é um ótimo conceito. Isso criaria uma espécie de "seguro" para a nossa saúde.

Isso é o *mínimo* que você deve esperar de um multivitamínico, na realidade: a combinação certa de vitaminas e minerais nas doses corretas. Isso pelo menos tamparia qualquer buraco nutricional e garantiria que o corpo estivesse recebendo os micronutrientes adequados.

Eu acho, porém, que é pouco. Afinal, existem dezenas de substâncias naturais que, como já foi comprovado pela ciência, evitam doenças e melhoram a saúde e o desempenho, e acho que os multivitamínicos deveriam conter uma série delas em doses clinicamente eficazes.

SEÇÃO V SUPLEMENTAÇÃO

Mas muitas empresas pensam de forma diferente. Elas preferem jogar o jogo de que já tratamos em detalhes: gastar muito pouco na produção, exagerar e até inventar benefícios prometidos e aproveitar as grandes margens de lucro.

Resumindo, a maioria dos fabricantes de suplementos espera que você não examine as listas de ingredientes dos multivitamínicos, porque, se o fizesse, rapidamente você descobriria várias coisas...

AS FALHAS DO MULTIVITAMÍNICO MÉDIO

Existem dois motivos principais pelos quais os multivitamínicos em geral têm sido atacados ao longo dos anos.

Muitos multivitamínicos são recheados de todos os tipos de micronutrientes, sem considerar se precisamos suplementá-los, e em doses injustificadamente altas ou baixas.

Se não tiver deficiência das vitaminas e minerais contidos no multivitamínico, não vai fazer diferença nenhuma suplementar com mais quantidade deles. E em muitos casos os multivitamínicos têm doses elevadas de vitaminas e minerais de que a maioria de nós não tem deficiência e doses baixas daqueles de que precisamos.

Por exemplo, sabe-se que a suplementação de cálcio é benéfica, pois indivíduos com baixa ingestão de laticínios e legumes (inclusive vegetarianos e veganos que não comem porções adicionais de vegetais para compensar) tendem a ter certa deficiência, o que só aumenta em frequência com a idade.

No entanto, atletas tendem a ter níveis excessivos de cálcio devido à dieta rica em proteína (uma colher de proteína de caseína fornece 60% da IDR!). Embora isso não represente risco grave para a saúde, o excesso de níveis de cálcio pode reduzir a absorção de minerais que nos interessam (zinco e magnésio). Assim, um multivitamínico específico para atletas pode omitir o cálcio sem riscos.

Fornecer superdoses de vários micronutrientes através de suplementos mal formulados não só não proporcionará benefício nenhum como pode até ser prejudicial.

Por exemplo, tradicionalmente se acrescenta a vitamina A (retinol) porque é uma vitamina, mas descobriu-se que doses elevadas de retinol podem prejudicar ativamente o fígado, cortando o suprimento de sangue para as células.

Devido a isso, muitas vezes o pigmento vegetal betacaroteno é usado em vez de retinol, porque se transforma em retinol quando necessário e, portanto, é mais seguro, mas ele também é abundante na dieta da maioria das pessoas. Uma opção melhor seriam os carotenoides (pigmentos vegetais), que tendem a faltar na dieta média do Ocidente, como a fucoxantina, presente em algas marinhas, ou a luteína e a zeaxantina, presentes no ovo.

A vitamina E presente em muitos multivitamínicos também pode ser prejudicial. Muitos suplementos trazem quantidades espantosamente elevadas dela, com base no pressuposto de que mais antioxidantes é sempre melhor e, como ela e a vitamina C são baratas, geralmente há doses grandes de ambas.

Infelizmente, os antioxidantes não são todos iguais, e atualmente a suplementação regular de vitamina E acima de 400 UI por dia é suspeita de aumentar o risco de mortalidade por todas as causas. Mais nem sempre é melhor.

Em muitos casos, os fabricantes de suplementos não se preocupam em determinar as doses ideais das vitaminas e minerais essenciais para o seu público-alvo e simplesmente escolhem as formas mais baratas disponíveis. Eles também podem escolher formas desnecessariamente caras que ficam bem nas campanhas de marketing, mas não conferem nenhum benefício a mais que as formas mais baratas.

A trilha do barato proporciona maiores margens de lucro, e a trilha do desnecessariamente caro acrescenta despesas inúteis tanto para o fabricante quanto para o cliente, o que resulta num produto que é, em última análise, menos benéfico do que seria se o orçamento de fabricação fosse gasto com mais inteligência.

Outro truquezinho para se ficar de olho é o uso de várias formas da mesma vitamina ou mineral, o que torna o produto mais vistoso (na mente de muitos consumidores, ingredientes mais numerosos e com nomes sofisticados significam um produto melhor).

Por exemplo, usar quatro tipos diferentes de magnésio e chamá-los de "Receita de Maximização de Magnésio" impressiona o cliente, mas não significa absolutamente nada em termos de eficácia.

E já que estamos tratando de formas de vitaminas e minerais, examinemos o controverso tópico do conflito entre o natural e o artificial.

Muitos acreditam que se uma coisa é proveniente da natureza, deve ser melhor do que uma coisa produzida sinteticamente. Daí o potencial de marketing da pretensão tão comum (e tão sem sentido) que todo o tipo de produto alimentício tem de ser "totalmente natural".

Quando se trata de suplementos vitamínicos, muitas vezes se presume que as formas naturais de vitaminas, incluindo as fontes alimentares, sejam automaticamente melhores do que suas correspondentes sintéticas. Para nos convencer a comprar produtos de origem natural, algumas empresas de suplementos chegam até a alegar que as vitaminas sintéticas fazem mal.

SEÇÃO V SUPLEMENTAÇÃO

Há alguma verdade nessas alegações, mas elas não se aplicam igualmente a todas as moléculas. Nem todas as vitaminas naturais são melhores do que as formas sintéticas, e nem todas as formas sintéticas são prejudiciais.

Existem exemplos notáveis de vitaminas naturais que têm propriedades únicas de que as formas sintéticas carecem, como a vitamina E, e exemplos notáveis de vitaminas sintéticas que superam as naturais — o ácido fólico sintético é mais bem absorvido do que o ácido fólico obtido de fontes naturais.

Os suplementos que se vangloriam de usar apenas vitaminas naturais valem-se da nossa tendência de pressupor que estas são automaticamente mais saudáveis ou melhores, e aqueles que, além disso, demonizam todas as vitaminas sintéticas estão simplesmente mentindo e torcendo para que você seja ignorante.

Muitos multivitamínicos oferecem pouco mais do que uma coleção mal formulada de micronutrientes essenciais.

Em alguns casos, os multivitamínicos não incluem absolutamente mais nada em termos de ingredientes, mas muitos incluem outras substâncias além de apenas vitaminas e minerais. A prática usual, no entanto, é abarrotar cada porção com receitas próprias do máximo possível de coisas para criar um quadro de fatos nutricionais longo e "vistoso".

Costuma-se alegar que esses extras fazem de tudo: aumentam o anabolismo; otimizam hormônios; fornecem ao corpo antioxidantes vitais; ajudam na digestão e na absorção de nutrientes; auxiliam o fígado, o sistema imunológico, os ossos e as articulações; melhoram as habilidades cognitivas; e por aí vai.

Embora todas essas coisas *soem* excelentes — e como seria bom se tudo fosse verdade —, quando examinamos os ingredientes e as dosagens, constatamos que eles contam outra história: uma que agora você conhece bem.

Em alguns casos, há pouca ou nenhuma evidência científica de que tais substâncias possam conferir os benefícios prometidos, e em outros, há boa ciência embasando o consumo das substâncias utilizadas, mas as doses administradas nas pesquisas clínicas foram 5, 10 ou mesmo 15 a 20 vezes maiores do que as que estão nos produtos.

É a mesma velha enganação.

A verdade é que, para muitas pessoas, os multivitamínicos são apenas uma "compra na fé", feita sem o menor exame crítico e sem nenhum benefício perceptível no curto prazo. Se algum benefício perceptível chega a ocorrer no longo prazo, é difícil atribuí-lo ao suplemento.

MALHAR SECAR DEFINIR PARA MULHERES

Enquanto você *sabe* que a cafeína funciona logo após a ingestão, algo como *Bacopa monnieri* não tem benefícios agudos, e você simplesmente tem de confiar que os benefícios observados em estudos científicos ocorrerão com o tempo.

A máquina coletiva de marketing da indústria de suplementos fez um bom trabalho tornando os multivitamínicos uma peça fundamental tanto da nossa dieta quanto de suas fontes de receita. Embora se preocupem com os benefícios de coisas como bebidas pré-treino ou suplementos para dormir, as pessoas tomam multivitamínicos "porque são multivitamínicos" e simplesmente confiam que lhes fará bem... geralmente sem provas convincentes em favor disso.

A raiz da questão é que se consumir quantidade substancial de uma grande variedade de alimentos nutritivos diariamente você poderá obter tudo de que precisa em termos de vitaminas e minerais. Mas muitos não obtêm, e a suplementação pode ajudar a fornecer o que está faltando.

Além disso, bons multivitamínicos contêm outras substâncias que melhoram a saúde e o desempenho, e cujas quantidades adequadas é difícil ou basicamente impossível de obter apenas por meio da dieta.

Eu tomo um multivitamínico diariamente por esses motivos, e recomendo que você também o faça.

QUEIMADORES DE GORDURA

Com o mercado de perda de peso avaliado em assustadores 60,5 bilhões de dólares e mais de um terço dos adultos dos EUA obesos, não espanta que haja uma abundância de "queimadores de gordura" (ou "termogênicos") à venda hoje em dia.

Do mesmo modo, também não é surpresa que eles estejam entre os suplementos mais caros nas prateleiras, com uma das maiores margens de lucro e as promessas de marketing mais estridentes.

Mas será que esses produtos funcionam? Justificam o gasto significativo?

Vamos descobrir.

POR QUE OS "QUEIMADORES DE GORDURA" PODEM SER FUNDAMENTALMENTE ENGANOSOS

Uma das razões pelas quais os queimadores de gordura vendem tanto é o próprio nome de guerra: quando você está tentando perder gordura com o máximo de eficácia possível, um "queimador de gordura" parece o acréscimo perfeito ao seu regime. Qualquer coisa que "queime gordura" vale uma conferida, não?

Porém, não é tão simples. Nenhuma substância natural pode simplesmente "queimar gordura", na lata, por mais complexas ou pseudocientíficas que sejam as promessas do marketing.

Veja bem, para vender os queimadores de gordura, muitas empresas falam em aumentar as taxas de oxidação de gordura, preservar a massa magra, auxiliar a tireoide, induzir termogênese, inibir enzimas relacionadas ao armazenamento de gordura, induzir enzimas que causam perda de gordura, manipular níveis de hormônios e neurotransmissores, reduzir a retenção de líquido, melhorar a distribuição de nutrientes e muito mais.

Pois bem, a verdade é que tudo isso são aspectos da perda de gordura, mas esse tipo de publicidade é pouco mais do que uma tentativa de deslumbrá-la com terminologia e meias verdades científicas com a esperança de que você simplesmente aceite os benefícios prometidos pelo valor nominal.

Quando examinamos friamente os fatos da ciência da perda de gordura, constatamos que existem apenas três maneiras de acelerá-la consideravelmente:

VOCÊ PODE ACELERAR A SUA TAXA METABÓLICA BASAL.

Embora existam muitas, muitas maneiras de aumentar a taxa metabólica, em última análise elas dependem de um dos seguintes mecanismos ou de ambos:

1. induzir as células a produzir mais energia a partir de carboidratos e ácidos graxos;

2. reduzir a eficiência do processo através do qual a energia celular é produzida, aumentando assim o "custo energético" de atender às necessidades do corpo.

Existem meios de manipular esses mecanismos através da suplementação, e nós chegaremos a eles em um minuto, mas não são nem tão numerosos nem tão potentes quanto algumas empresas gostariam de fazer você acreditar.

VOCÊ PODE EVITAR QUE A FOME E A FISSURA ESTRAGUEM SEUS PLANOS.

Um dos principais motivos pelos quais até as boas dietas falham é que as pessoas simplesmente não conseguem mantê-las por tempo suficiente. Os desejos se transformam em fissuras e, finalmente, em compulsões, que podem desfazer dias ou mesmo semanas de trabalho árduo.

Embora fazer dieta seja mais fácil para alguns indivíduos do que para outros, quase todo o mundo tem de lidar, em algum momento, com fome e fissura, em maior ou menor grau.

Sabe-se que alguns compostos naturais reduzem a fome e outros aumentam a sensação de saciedade que temos depois das refeições, e uma combinação de moléculas com eficácia comprovada pode ser usada com sucesso para reduzir a fome e as fissuras e retirar os benefícios máximos da dieta.

VOCÊ PODE TORNAR A EXPERIÊNCIA DE FAZER DIETA MAIS AGRADÁVEL EM GERAL.

Não se engane: embora mudar seu corpo com dieta, exercícios e suplementação possa mudar drasticamente sua vida para melhor, não é fácil.

Quantidade nenhuma de pós ou pílulas fará com que você chegue lá. É preciso muito trabalho, e leva tempo. E esta é outra das principais razões pelas quais as dietas falham: ninguém quer superar o desconforto da coisa toda.

Bem, assim como reduzir a fome e as fissuras, tornar o processo de dieta mais agradável, principalmente aumentando a sensação geral de bem-estar, torna mais fácil manter-se fiel ao plano e levá-lo até o final.

QUAIS SÃO AS CARACTERÍSTICAS DE UM BOM "QUEIMADOR DE GORDURA"?

Embora o aparato fisiológico envolvido na perda de gordura seja vasto e complexo, sua aplicação prática continua simples.

Ao contrário do que muitas empresas que vendem suplementos gostariam que acreditássemos, a estimulação direta de qualquer um dos milhares de proteínas e enzimas envolvidos na perda de gordura ou não funciona ou não foi investigado pela ciência.

Lembre-se de que a perda de gordura é um processo que envolve todo o corpo. Para que um queimador de gordura seja de fato baseado em ciência de qualidade e afete significativamente a perda de gordura, ele deve se concentrar em metas simples, essenciais e comprovadas, porque, em seguida, tudo o mais se ativa e funciona em consequência.

Assim, bons "queimadores de gordura" precisariam alcançar os três objetivos acima: aumentar a taxa metabólica basal, reduzir a fome e as fissuras, e aumentar a saciedade e a sensação de bem-estar geral.

Vejamos, dentre alguns dos ingredientes mais comuns dos queimadores de gordura, quais são capazes de realizar o serviço e quais não são.

CAFEÍNA

A cafeína ajuda a perder gordura simplesmente aumentando o gasto diário de energia do corpo, e proporciona ainda outros benefícios para quem malha: melhora a força e a resistência muscular e o desempenho anaeróbico, além de reverter a "fraqueza da manhã" experimentada por muitos halterofilistas.

COMO USAR A CAFEÍNA PARA PERDA DE PESO

Para maximizar a eficácia da cafeína, é desejável evitar que o corpo desenvolva excesso de tolerância a ela.

O melhor meio de fazer isso é limitar a ingestão. Eu recomendo o seguinte:

1. Antes do treino, suplemente com 3 mg a 6 mg de cafeína por quilo de peso corporal. Se você não sabe se é sensível à cafeína, comece com 3 mg por quilo e vá aumentando.

2. Não ingira mais do que 6 mg por quilo de peso corporal. Não tome 6 mg por quilo antes do treino para depois beber vários copos de café ao longo do dia também.

3. Fique um ou dois dias por semana sem consumir cafeína ou consumindo-a em pouca quantidade, e um por semana sem cafeína. No dia de pouca cafeína, consuma metade da sua ingestão normal, e no dia sem cafeína, menos de 50 mg (você pode tomar um ou dois copos de chá ou uma xícara pequena de café, mas sem bebidas pré-treino, pílulas de cafeína etc.)

CETONAS DE FRAMBOESA

As cetonas de framboesa são o composto primário do aroma da framboesa vermelha (elas dão cheiro à framboesa), e também estão presentes em outras frutas, como a amora e o oxicoco.

Como um composto aparentemente tão aleatório foi parar em produtos para perda de peso?

Bem, tudo começou com alguns estudos em animais que demonstraram que a suplementação com cetonas de framboesa impedia o ganho de peso ao aumentar as taxas de lipólise e oxidação de gordura. Isso pode soar promissor, mas há bons motivos para ser cético.

Em primeiro lugar, pesquisas com animais não podem ser usadas como prova de eficácia em seres humanos. Os corpos de humanos e ratos simplesmente não são parecidos o suficiente, e isso é especialmente verdadeiro em termos de funções metabólicas.

Em segundo lugar, um dos estudos com ratos foi *in vitro*. Isso significa que partes de ratos vivos foram removidas para serem estudadas isoladamente, diferente das pesquisas realizadas com organismos vivos e intactos (pesquisa *in vivo*). A pesquisa *in vitro* é menos definitiva do que a *in vivo*, porque os organismos vivos são incrivelmente complexos e, às vezes, descobertas *in vitro* simplesmente não se concretizam *in vivo*.

Em terceiro lugar, o estudo com ratos *in vivo* que exibiu prevenção de ganho de peso usou uma dose oral enorme: até *20 g por quilograma* de peso corporal, ou *4.761* vezes maior do que a ingestão humana média.

Em quarto lugar, há apenas um experimento humano que eu sei que costuma ser citado como evidência da eficácia das cetonas de framboesa para a perda de peso. O problema com esse estudo, no entanto, é que o composto foi agrupado com cafeína, capsaicina, alho, gengibre e *Citrus aurantium* como fonte de sinefrina. É impossível saber se as cetonas de framboesa fizeram alguma coisa.

Considerando as evidências atualmente disponíveis, não há provas suficientes para embasar o uso de pequenas doses orais de cetonas de framboesa para fins de perda de gordura. Elas não têm lugar em suplementos para queimar gordura.

SINEFRINA

A sinefrina é um composto químico presente em certos tipos de frutas cítricas (particularmente as de variedade amarga).

É quimicamente semelhante à efedrina e às catecolaminas e, embora menos potente, induz efeitos semelhantes no corpo.

Pesquisas mostram que a suplementação com sinefrina aumenta a taxa metabólica basal e a lipólise, inibe a atividade de certos tipos de receptores de células de gordura que evitam a mobilização de gordura e aumenta o efeito térmico dos alimentos (o que, caso você não lembre, é o "custo energético" de metabolizar alimentos).

Além disso, pesquisas mostram que a sinefrina funciona sinergicamente com a cafeína para aumentar tanto as próprias características que induzem a perda de gordura quanto as da cafeína. A sinergia observada nos termogênicos do tipo "ECA" (efedrina, cafeína e aspirina)* também ocorre com a sinefrina.

A propósito, qualquer coisa que consiga aumentar a atividade das catecolaminas também pode suprimir a fome entre as refeições (um componente da reação de "lutar ou fugir"); assim, portanto, a sinefrina é considerada geralmente um supressor de apetite eficaz.

COMO USAR A SINEFRINA PARA PERDER PESO

As doses clinicamente eficazes de sinefrina variam de 25 mg a 50 mg e podem ser tomadas de uma a três vezes ao dia, dependendo da tolerância individual.

GARCÍNIA CAMBOGIA

A garcínia cambogia é uma pequena fruta muito usada na culinária indiana e asiática para dar um sabor amargo aos alimentos. É uma boa fonte natural de *ácido hidroxicítrico* e recentemente recebeu muita atenção da mídia como auxiliar da perda de peso.

Mas essas pretensões são infundadas.

Como acontece com muitos suplementos da moda, a garcínia cambogia tem algumas pesquisas animais a seu favor, mas as pesquisas humanas são contraditórias e difíceis de interpretar.

Alguns estudos com ratos mostraram que ela pode reduzir o ganho de peso durante um período de sobrealimentação mediante a supressão da síntese de ácidos graxos no fígado (ela reduziu a quantidade de gordura que os ratos conseguiam formar com o excesso de calorias).

As pesquisas humanas, entretanto, estouram essa bolha.

Uma meta-análise de 12 estudos clínicos randomizados da garcínia cambogia concluiu o seguinte:

---

* Suplementos baseados nessa combinação eram muito populares nos anos 1990 e no início dos anos 2000, mas a efedrina, medicamento broncodilatador de estrutura similar à da anfetamina, foi sendo cada vez mais regulamentada em razão de relatos de sérios efeitos colaterais, até que, em março de 2006, o governo dos Estados Unidos proibiu sua venda como suplemento alimentar, medida que então vários outros países passaram também a adotar. (N. do T.)

- Três estudos com amostragem pequena relataram queda estatisticamente significativa, embora modesta, da massa adiposa em relação aos grupos de placebo.

- (Caso você queira saber, o melhor resultado foi a perda de 1,3 kg a mais de peso do que o grupo do placebo ao longo de um período de três meses).

- Dois estudos, inclusive o maior e mais rigoroso dos revisados, não encontraram diferença de perda de peso entre o grupo da garcínia cambogia e o do placebo.

- Os resultados dos demais estudos analisados foram prejudicados por sérias falhas de concepção e/ou execução.

Como você pode ver, as pesquisas disponíveis atualmente afirmam que, apesar da popularidade, provavelmente a garcínia cambogia não irá ajudá-la a perder peso e, portanto, não vale a pena incluí-la em suplementos que queimam gordura.

EXTRATO DE CHÁ VERDE

O extrato de chá verde é um produto herbáceo derivado de folhas de chá verde. Ele contém grande quantidade de uma substância conhecida como *catequina*, que é responsável por muitos dos benefícios do chá para à saúde, dentre os quais o auxílio à perda de peso.

Pesquisas mostraram que a suplementação com extrato de chá verde reduz a massa adiposa, acelera a perda de gordura induzida pelos exercícios e pode reduzir particularmente a gordura abdominal. O principal mecanismo pelo qual ele realiza isso é a inibição de uma enzima que degrada catecolaminas.

Isso também faz com que o extrato de chá verde trabalhe em sinergia com a cafeína: a cafeína aumenta os níveis de catecolaminas, e o extrato de chá verde aumenta o tempo que elas ficam no sangue.

COMO USAR O EXTRATO DE CHÁ VERDE PARA PERDER PESO

Se analisar as dosagens cuja efetividade foi comprovada em estudos clínicos, você verá que a faixa normal é de 400 mg a 600 mg de catequinas por dia.

Não importa quando se toma extrato de chá verde. As pesquisas mostraram que a absorção é mais rápida quando as pílulas são tomadas em jejum, mas os níveis plasmáticos de catequina permanecem elevados durante várias horas após o consumo, seja ou não em jejum.

AÇAÍ

A mania do açaí passou, mas ele continua a ser um dos suplementos para perda de peso mais vendidos.

Serei breve, citando apenas o Centro Nacional de Medicina Complementar e Alternativa dos Estados Unidos:

> Não há nenhuma evidência científica definitiva com base em estudos em seres humanos para apoiar o uso de açaí para alguma finalidade relacionada à saúde.
>
> Não foram publicados em periódicos revisados por pares estudos independentes que fundamentassem as alegações de que suplementos de açaí promovam rápida perda de peso por conta própria. Pesquisadores que investigaram o perfil de segurança de um suco fortificado com açaí em animais observaram que não houve alterações de peso corporal no grupo dos ratos que receberam o suco em comparação com os ratos do grupo de controle.

Não desperdice seu dinheiro em produtos com açaí se estiver tentando perder peso.

EXTRATO DE CAFÉ VERDE

O extrato de café verde é um suplemento derivado de grãos de café verde. É semelhante aos grãos de café comum, mas possui grandes quantidades de uma substância conhecida como *ácido clorogênico*.

Uma meta-análise recente dos cinco estudos disponíveis sobre os efeitos do extrato de café verde em humanos verificou que altas doses de ácido clorogênico ingeridas por meio do extrato de café verde (400 mg a 800 mg de ácido clorogênio por dia) podem induzir perda de gordura, mas os pesquisadores observaram que os estudos demonstrando isso tinham alto risco de viés devido às suas fontes de financiamento (empresas com fins lucrativos que produzem extrato de café verde).

O extrato de café verde pode ajudá-la a perder peso se for tomado em doses altas o bastante para isso, mas até que sejam feitas mais pesquisas sobre ele — especialmente pesquisas imparciais —, seu valor como suplemento para perda de gordura é incerto.

CARNITINA

A carnitina é um composto que o corpo produz a partir dos aminoácidos lisina e metionina e desempenha papel vital na geração de energia celular.

Embora existam provas científicas de que a suplementação com carnitina pode auxiliar na recuperação muscular pós-exercício, será que ela tem algo a oferecer em termos de perda de peso?

Bem, ela tem um mecanismo que é de interesse: a carnitina aumenta a oxidação da gordura nos músculos. O que isso significa é que parece aumentar a taxa em que o tecido muscular queima gordura em vez de glicogênio para obter combustível. Teoricamente, isso pode resultar em perda de gordura adicional durante a atividade física.

As pesquisas concretas sobre este mecanismo, no entanto, não entusiasmam.

Há evidências de que a carnitina pode reduzir a massa adiposa e aumentar a massa muscular em idosos, mas esses efeitos não foram observados quando testados em mulheres com sobrepeso que estavam na pré-menopausa. Nas pesquisas com animais, o composto também não demonstrou nenhum benefício para a perda de peso quando simplesmente combinado a uma dieta de restrição de calorias.

Com base no que sabemos atualmente, é possível afirmar que se a capacidade do organismo de oxidar gordura não estiver prejudicada por doenças ou disfunções, não é provável que os efeitos metabólicos da carnitina auxiliem na perda de gordura.

5-HTP

O aminoácido 5-HTP, presente em alimentos como leite, carne, batata, abóbora e várias verduras, é convertido no cérebro em serotonina, que é um dos principais neurotransmissores envolvidos na sensação de felicidade.

Pesquisas mostram que, quando tomado com alimentos, o 5-HTP aumenta a sensação de saciedade e, portanto, ajuda a controlar a ingestão de alimentos. Além disso, estudos demonstraram que o mecanismo de saciedade do 5-HTP pode reduzir a ânsia por carboidratos em particular.

COMO USAR O 5-HTP PARA PERDA DE PESO

As doses clinicamente efetivas de 5-HTP variam de 150 mg a 500 mg, que devem ser tomados com as refeições. Como ocorre com a sinefrina, o usual é consumir de um a três porções por dia, dependendo da tolerância.

SEÇÃO V SUPLEMENTAÇÃO

FORSCOLINA

A forscolina, usada há muito tempo na medicina ayurvédica para tratar doenças cardíacas e respiratórias, está presente na erva indiana *Coleus forskohlii*.

A suplementação com forscolina aumenta os níveis intracelulares e plasmáticos de uma molécula conhecida como AMPc *(adenosina monofosfato cíclico)*, que funciona como um "retransmissor de mensagens" intracelular vital para vários processos bioquímicos, como a regulação do metabolismo de glicogênio, açúcar e lipídios.

A AMPc e o trifosfato de adenosina (ATP) — a forma mais básica de energia celular do corpo — interagem na célula de forma simples, mas poderosa. Quando o ATP está elevado, isso indica um estado de energia abundante, e o corpo procurará armazenar e construir tecido. Mas quando a AMPc está elevada, isso significa falta de ATP e, assim, inicia-se um processo para produzir mais ATP mediante a queima das reservas de energia.

A forscolina ativa uma enzima conhecida como *adenilato-ciclase*, que converte ATP em AMPc, aumentando assim significativamente a proporção de AMPc em relação a ATP e iniciando o processo de queima de energia. Além disso, os efeitos da forscolina são amplificados pelos efeitos da sinefrina.

E isso não é só teoria abstrata: pesquisas mostram que a suplementação com forscolina acelera a perda de gordura e aumenta os níveis de testosterona.

COMO USAR A FORSCOLINA PARA PERDER PESO

Embora não se saiba qual a amplitude de dosagem efetiva da forscolina, e embora seja provavelmente vasto, sabe-se que entre 25 mg a 50 mg da substância uma vez por dia é uma quantidade eficaz.

IOIMBINA

A ioimbina, substância presente na planta *Pausinystalia yohimbe*, ajuda a bloquear, segundo mostram pesquisas, um mecanismo das células de gordura que impede a perda de peso, o que resulta na aceleração da perda de gordura.

Mas tem um problema: você deve estar em jejum para que ela funcione. O aumento nos níveis de insulina que ocorre depois das refeições anula completamente os efeitos benéficos da ioimbina.

Embora a ioimbina seja eficiente na aceleração da perda de gordura, não gosto, de modo geral, que seja incluída em suplementos para a queima de gordura, pois seu uso causa agitação em algumas pessoas. Assim, acho que é melhor vendê-la e tomá-la separadamente, para que se possa descartá-la, se necessário, sem ter de perder os benefícios do resto do queimador de gordura.

COMO USAR A IOIMBINA PARA PERDER PESO

Eu recomendo começar com 0,1 mg por quilo de peso corporal para avaliar a tolerância. Se você não sentir nada de errado, então aumente para a dose clinicamente eficaz de 0,2 mg por quilo.

Como ocorre com tudo o mais, doses excessivas de ioimbina podem ter efeitos colaterais negativos. Não pire com isso. Além do mais, verificou-se que a ioimbina aumenta a pressão arterial. Portanto, se você tiver pressão alta, não recomendo o uso de iombina.

ÓLEO DE PEIXE

O óleo de peixe é uma ótima fonte de "ácidos graxos ômega-3" (*ácido eicosapentaenoico*, ou EPA, e *ácido docosa-hexaenoico*, ou DHA), que são um tipo essencial de gordura, o que significa que não podem ser sintetizados pelo organismo e devem ser obtidos a partir da dieta.

Pesquisas mostram que a suplementação com óleo de peixe pode:

- aumentar a síntese de proteínas nos músculos;

- reduzir dores musculares, inflamação e ansiedade;

- reduzir a pressão arterial, a depressão, os efeitos negativos do estresse e o risco de doenças renais e cardiovasculares, de derrames e de síndrome metabólica;

- melhorar a absorção de glicose e a sensibilidade à insulina em pessoas com problemas no metabolismo da insulina, e preservá-lo nas que não têm;

- melhorar a memória e o desempenho cognitivo;

- ajudar a evitar o ganho de peso;

- acelerar a perda de gordura.

SEÇÃO V SUPLEMENTAÇÃO

Como você pode ver, este é definitivamente um suplemento que vale a pena tomar, especialmente diante do fato de que a dieta média do Ocidente é bastante pobre em ácidos graxos ômega-3.

No entanto, nem todos os óleos de peixe são iguais. Há duas coisas importantes a considerar ao escolher um:

COMO O ÓLEO FOI PROCESSADO.

Existem atualmente duas formas de óleo de peixe no mercado: *triglicerídeos* e *etil éster*.

A forma de triglicerídeos é o óleo de peixe no seu estado natural, e a forma de etil éster é uma versão processada daquela acrescida de uma molécula de etanol (álcool).

Embora muitos estudos tenham demonstrado os benefícios da suplementação com ésteres etílicos de ácidos graxos (FAEE), a literatura mostra que o organismo absorve melhor a forma de triglicerídeos. Uma das razões para isso é que a forma de etil éster é muito mais resistente ao processo enzimático pelo qual o corpo quebra o óleo para uso.

Outra desvantagem da forma de etil éster é que durante o processo digestivo o corpo a converte de volta na forma de triglicerídeo, o que resulta na liberação da molécula de etanol. Embora a dose seja pequena, pessoas sensíveis ao álcool ou dependentes dele podem ser afetadas negativamente. Além disso, pesquisas forneceram evidências de toxicidade e lesão celular e orgânica resultantes da ingestão de FAEE.

QUANTO DE EPA/DHA CADA PORÇÃO CONTÉM.

Devido à qualidade variável dos óleos de peixe no mercado, é importante que você verifique a quantidade de EPA e DHA em cada porção.

Suplementos de qualidade inferior podem ter apenas entre 150 mg e 200 mg por 1 g de gordura, o que os torna quase inúteis, pois é necessário tomar uma quantidade enorme por dia para obter ômega-3 suficiente (é desejável um mínimo de 2 g a 3 g de ômega-3 por dia).

Os óleos de melhor qualidade custam um pouco mais caro, mas quando você analisa o que está comprando em termos da quantidade de ácidos graxos ômega-3 obtida, o preço faz mais sentido.

Por exemplo, este é o quadro nutricional de um óleo de peixe barato e de baixa qualidade (etil éster):

100 cápsulas

Porção de 1 cápsula
Doses por embalagem: 100

Quantidade por porção	%Valor Diário*	
Calorias	10	
Calorias da gordura	10	
Gordura Total	1g	2%
Colesterol	5mg	2%
Óleo de peixe	1g	**
Total ácidos graxos ômega-3	300mg	
EPA (ácido eicosapentaenoico)		
DHA (ácido docosa-hexaenoico)		**

*A porcentagem de Valores Diários é baseada em dieta de 2.000 calorias
**Valor Diário não estabelecido

Outros ingredientes:
Gelatina, glicerina, esmalte resinoso, etilcelulose, revestimento entérico, (alginato de sódio, ácido esteárico), tocoferóis mistos, vanilina

ALÉRGICOS:
CONTÉM INGREDIENTES DE PEIXE (ANCHOVA, CAVALINHA, SARDINHA)

Esse produto custa cerca de 11 dólares e vem com 100 comprimidos, o que significa que o comprador recebe 30 g de ácidos graxos ômega-3 por frasco e paga cerca de 37 centavos de dólar por grama.

Na próxima página segue o quadro nutricional de um óleo de peixe de triglicerídeo de alta qualidade.

Esse óleo custa por volta de 40 dólares e vem com 120 comprimidos, o que significa que o comprador obtém cerca de 77 g de ácidos graxos ômega-3 por frasco e paga cerca de 52 centavos de dólar por grama.

Assim, como você pode ver, a diferença de preços inicial, de 11 dólares para 40 dólares, não é tão drástica quando você analisa o que está recebendo: 37 centavos de dólar por grama de um óleo de qualidade baixa, que provavelmente não trará todos os benefícios que você espera, contra 52 centavos por grama do óleo de maior qualidade disponível no mercado norte-americano, que trará.

Portanto, recomendo que você pague um pouco mais por um óleo de peixe de alta qualidade. Você poderá ver exatamente qual eu uso no relatório extra.

SEÇÃO V SUPLEMENTAÇÃO

120 cápsulas

Porção de 2 cápsulas
Doses por embalagem: 60

Quantidade por porção		%Valor Diário*
Calorias	18	
Calorias da gordura	18	
Gordura Total	2g	3%
Gordura Saturada	0,1g	1%
Gordura Trans	0g	†
Vitamina E	30 UI	100%

Peso	Volume	%
Ácidos graxos ômega-3		
EPA (ácido eicosapentaenoico)	650mg	35%
DHA (ácido docosa-hexaenoico)	450mg	25%
Outros ômega-3	180mg	10%
Total ômega-3	1280mg	70%
Ácido oleico (ômega-9)	56mg	3%

*A porcentagem de valores diários é baseada em dieta de 2.000 calorias
†Valor Diário não estabelecido
Menos de 5mg de colesterol por porção

Outros ingredientes:

Óleo de peixe de profundidade purificado (a partir de anchovas e sardinhas), cápsula de gel mole (gelatina, água, glicerina, óleo natural de limão), óleo natural de limão, D-alfa tocoferol, extrato de alecrim.

Não contém glúten, levedura, derivados do leite, corantes ou sabores artificiais. Contém vitamina E derivada de óleo de soja refinado.

COMO USAR O ÓLEO DE PEIXE PARA MELHORAR O DESEMPENHO E A SAÚDE EM GERAL

Pesquisas indicam que a quantidade diária ideal de ácidos graxos ômega-3 para pessoas que têm uma dieta normal de 2.000 calorias é de 1,3 g a 2,7 g, e que um pouco mais de 6,5 g por dia é o limite máximo recomendado.

Observe que eu disse gramas de *ácidos graxos ômega-3*, não gramas de óleo de peixe. Essa é uma distinção importante, porque 1 g de óleo de peixe não é 1 g de ácidos graxos ômega-3.

ESPIRULINA

A espirulina é uma alga azul-esverdeada não tóxica rica em nutrientes. Pesquisas mostram que a suplementação com espirulina pode:

- reduzir os danos musculares causados pelo exercício físico;
- melhorar o desempenho nos exercícios;
- aumentar a força;
- melhorar os níveis de colesterol e triglicerídeos;
- reduzir a pressão arterial;
- melhorar o controle dos níveis de açúcar no sangue;
- reduzir a inflamação sistêmica;
- melhorar os sintomas de alergia;
- melhorar a sensibilidade à insulina.

Como você pode ver, ela traz benefícios semelhantes aos do óleo de peixe, mas com alguns brindes adicionais diretamente relacionados ao exercício físico em geral e à musculação em particular.

COMO USAR A ESPIRULINA PARA MELHORAR O DESEMPENHO E A SAÚDE EM GERAL

A dose comum observada nos estudos é de 1 g a 3 g por dia, embora você possa obter benefícios adicionais em até 10 g por dia, que é a dose alta recomendada para humanos.

Vale a pena notar que alguns indivíduos têm reações alérgicas à espirulina. Se você tiver qualquer tipo de reação negativa, como inchaço na face, vermelhidão na pele ou diarreia, interrompa o uso do suplemento.

A CHAVE É A CONSISTÊNCIA

Assim como acontece com o treino e a dieta, o aspecto mais importante da suplementação é *consistência*. Você deve tomar os suplementos de modo consistente para obter todos os benefícios que podem oferecer.

Para simplificar, basta incluir seu regime de suplementação em seu plano de refeições diárias para não esquecer.

A RAIZ DA QUESTÃO

Embora tenhamos repassado a maioria dos suplementos mais populares, você sempre pode encontrar alguma coisa diferente nas prateleiras da loja de suplementos. Faça um favor à sua carteira e ignore-as todas, *especialmente* aquelas que parecem mirabolantes.

É possível obter grandes ganhos sem suplemento nenhum, mas se você estiver disposta a gastar algum dinheiro para tirar o máximo proveito do seu treino, então faz sentido incluir os suplementos corretos.

Se você não quiser incluir tudo o que recomendo neste capítulo (e eu entendo perfeitamente — não fica barato), minha ordem de prioridades em termos de importância e proveito é a seguinte:

- Vitamina D

- Multivitamínico

- Óleo de peixe

- Proteína em pó (se necessário para atender às suas necessidades diárias de proteína)

- Espirulina

- Creatina

- Suplemento pré-treino ou estimulador de óxido nítrico

- Glutamina

E se você estiver fazendo dieta para perder gordura, minha classificação dos suplementos para perda de gordura é a seguinte:

- Cafeína

- Queimador de gordura (se tiver a fórmula correta, caso em que conterá boa parte das substâncias abaixo)

- Sinefrina

- Ioimbina e BCAAS (se você estiver treinando em jejum)

- Extrato de chá verde

- Forscolina

- 5-HTP

E, mais uma vez, confira o relatório extra se quiser ver quais marcas e produtos específicos eu uso e recomendo.

SEÇÃO VI
O INÍCIO

23

Daqui para a frente, seu corpo mudará

Seu amor por aquilo que faz e sua determinação para se esforçar quando outros não estão dispostos a se mexer — isso é o que tornará você excelente.

— LAURENCE SHAHLAEI

ENTÃO... ACHO QUE ficamos por aqui, certo? Chegamos ao fim...

De jeito nenhum.

Agora você entrou num processo — e, sim, ele já começou — de provar para si mesma que é capaz de transformar seu corpo com mais rapidez do que jamais imaginou. Dentro dos seus três a quatro primeiros meses de treinamento, você saberá com *certeza absoluta* que pode seguir o que aprendeu neste livro para conquistar o corpo dos seus sonhos.

É muito bacana perceber que você *tem* o poder de mudar seu corpo — para ficar definida, magra, forte e saudável — e que tem controle total sobre o desempenho e a aparência dele.

Por mais "comum" que você acredite ser, eu juro que você é capaz não apenas de desenvolver um corpo fora do comum, mas também de viver uma vida fora do comum, extraordinária. Não se espante se a segurança e o orgulho que você ganhar com os treinos se espalhar para outras áreas de sua vida, inspirando-a a tentar alcançar outros objetivos e melhorar também de outras maneiras.

Daqui para a frente, você só precisará trilhar o caminho que eu expus para, em doze semanas, olhar-se no espelho e pensar: "Que bom que eu consegui", e não "Queria ter conseguido".

Meu objetivo é ajudar você a alcançar o seu objetivo, e espero que este livro a auxilie.

Se trabalharmos juntos, em equipe, poderemos e iremos ter sucesso.

Assim, eu gostaria que você fizesse uma promessa ao iniciar a sua transformação. Você pode prometer para mim — e a si mesma — que vai me contar quando tiver alcançado sua meta?

Meus contatos são os seguintes:

Facebook: facebook.com/muscleforlifefitness
Twitter: @muscleforlife
Instagram: instagram.com/muscleforlifefitness
G+: gplus.to/MuscleForLife

E, por fim, minha página na web é www.muscleforlife.com. Se você quiser me escrever, meu e-mail é mike@muscleforlife.com. (Tenha em mente que eu recebo vários e-mails por dia e respondo a todos em pessoa; então, se puder ser o mais breve possível na sua mensagem, você ajudará a garantir que eu consiga retornar a todos!)

Obrigado mais uma vez. Espero ter notícias suas, e lhe desejo tudo de bom!

SEÇÃO VII

PERGUNTAS E RESPOSTAS, E CONSIDERAÇÕES FINAIS

Perguntas frequentes

Nestes tempos, em que se acredita haver um atalho para tudo, a maior lição a aprender é que o caminho mais difícil é, a longo prazo, o mais fácil.

— HENRY MILLER

P: NÃO CONSIGO ACHAR TEMPO PARA FAZER EXERCÍCIOS, MAS QUERO ENTRAR EM FORMA. O QUE POSSO FAZER?

R: Não conheço ninguém que consiga *encontrar* tempo para se exercitar. Nunca aconteceu de alguém me dizer, por exemplo: "Mike, estou com muito tempo livre ultimamente. Acho que vou passar algumas horas por dia na academia para entrar em forma. O que devo fazer enquanto estiver lá?"

É sempre o oposto: a maioria de nós leva vidas ocupadas e frenéticas e acha que não tem tempo para fazer nada novo. Mas em quase todos os casos, isso simplesmente não é verdade. Por mais que muita gente goste de *pensar* que é ocupada demais para fazer exercícios, se analisasse e reorganizasse o modo como gasta cada minuto que passa acordada, daria um jeito.

Aqueles que conseguem transformar o próprio corpo têm as mesmas 24 horas por dia que o resto de nós. E ainda têm de trabalhar, passar tempo com a família, ter vida social e mais um monte de atividades para dar conta. Elas simplesmente tornaram seus 45 a 60 minutos diários de exercícios suficientemente importantes para compor um plano. Algumas assistem a uma hora a menos de TV por noite. Outras, como eu, acordam uma hora mais cedo. Outras pedem ao parceiro que cuide dos filhos por uma hora depois do jantar, ou mesmo combinam de revezar os dias em que cada um cuida, para que os dois entrem em forma.

A conclusão é que se você quiser arrumar uma hora para fazer exercícios por três a cinco dias por semana, tenho certeza de que conseguirá.

P: ESTOU NOS 40/50. SERÁ QUE UM PROGRAMA COMO ESTE É BOM PARA MIM MESMO ASSIM?

R: Recebo toda semana pelo menos alguns e-mails de pessoas perguntando se é tarde demais para desenvolver músculos e ficar em forma.

A maioria delas fica contente e espantada quando explico que definitivamente *não é* tarde demais, e que trabalho constantemente com homens e mulheres em seus 50 e até 60 anos que estão ganhando músculos e força e ficando com o melhor físico que já tiveram.

Mas como aqueles com mais de 40 anos devem proceder com relação ao desenvolvimento muscular? É claro que não são capazes de treinar e alimentar-se como jovens de 20 anos, certo? Pois bem, você se espantaria ao saber que não há nem metade das diferenças que se imagina.

Uma das primeiras coisas que mostro às pessoas preocupadas com a possibilidade de a idade destruir o sonho de ficar em forma é um estudo da Universidade de Oklahoma. Nele, 24 universitários (de 18 a 22 anos) e 25 homens maduros (de 35 a 50 anos) fizeram a mesma ficha de musculação por oito semanas.

Os pesquisadores usaram absorciometria por dupla emissão de raios X (DEXA) para medir o antes e o depois, e verificaram que os homens maduros ganham tanta densidade óssea quanto os rapazes de idade universitária! Na verdade, os homens maduros ganharam em média um pouco mais, embora não o suficiente para ser estatisticamente relevante.

Os ganhos de força também foram comparáveis. Os homens maduros ganharam uma média de 6 kg de força no supino e 18 kg no *leg press*, enquanto os universitários ganharam uma média de 3 kg de força no supino e 25 kg no *leg press*.

Similarmente, pessoas com mais de 60 anos não ficam de fora da festa. Pesquisas mostram que elas também podem desenvolver quantidades significativas de massa muscular e força, e que fazê-lo é um ótimo meio de combater a espiral de declínio da saúde normalmente associada ao envelhecimento.

Essas descobertas estão de acordo com as minhas experiências trabalhando com centenas de homens e mulheres de 40 a 70 anos. Um por um, eles foram capazes de ganhar músculos visíveis, emagrecer e melhorar sua saúde e bem-estar em geral. A conclusão é que é possível ter um corpo ótimo em qualquer idade.

Se está na meia-idade e ficou entusiasmada de saber que ainda não é tarde demais, você provavelmente está se perguntando qual é o melhor caminho a seguir. Felizmente, a idade não muda muita coisa em termos de ficha, mas há algumas questões que você deve considerar:

SEÇÃO VII PERGUNTAS E RESPOSTAS, E CONSIDERAÇÕES FINAIS

EMBORA EU SEJA UM GRANDE PROPONENTE DA MUSCULAÇÃO PESADA, TALVEZ VOCÊ PRECISE PEGAR LEVE.

Exercícios multiarticulares de musculação com bastante carga são definitivamente o melhor modo de desenvolver músculos e força. Mas eles também exigem muito do corpo, tanto dos músculos quanto do sistema nervoso.

Não é preciso *ter medo* da musculação pesada, mesmo que você já tenha entrado nos 50 ou 60, mas se não tiver experiência com musculação, recomendo que comece seu treinamento na faixa de 12 a 15 repetições e permaneça nela até que esteja fazendo os exercícios com conforto.

Você pode, depois, passar para a faixa de 8 a 10 repetições e trabalhar nela até que esteja totalmente estável e confortável. Depois pode, com o tempo, incorporar a faixa de 4 a 6 repetições, mas não é obrigatório. Você precisa ver como o seu corpo reage.

NÃO IGNORE PROBLEMAS NAS COSTAS, NOS JOELHOS, OMBROS OU EM OUTRAS PARTES DO CORPO.

Se você tiver qualquer problema de coluna, faça levantamento terra apenas sob orientação de um fisioterapeuta. O mesmo vale para problemas de joelho e agachamento, bem como para problemas nos ombros e exercícios de pressão, como supino e desenvolvimento militar.

Contorne essas limitações: não tente atravessá-las, para não acabar lesionada e longe da academia por meses.

COMPROMETA-SE A DESCANSAR BASTANTE.

Embora nem de longe a idade prejudique o processo de recuperação tanto quanto alguns imaginam, ele de fato passa a demorar mais à medida que envelhecemos.

A solução é simples: durma bastante, coma quantidade suficiente de proteínas e tire uma semana de folga da musculação a cada seis ou sete semanas em vez das oito a dez habituais.

Isso é tudo no que diz respeito ao treinamento. Em termos de dieta, tenho boas notícias para você: não se preocupe com o seu metabolismo — ele passa muito bem.

Uma preocupação comum das pessoas de meia-idade é a desaceleração do metabolismo, que tornaria quase impossível a perda de peso ou o ganho de músculos.

Pois bem, é verdade que o envelhecimento causa certa desaceleração metabólica, mas boa parte dela é causada pela perda de músculos. Os músculos queimam calorias, e como perdemos massa muscular naturalmente à medida que envelhecemos, o corpo queima cada vez menos calorias ao longo do tempo.

No entanto, você pode reverter completamente esse processo com o treinamento habitual de força. Seu metabolismo pode ter exatamente a mesma robustez que tinha décadas atrás.

P: EU VIAJO MUITO. POSSO SEGUIR DIREITO ESTE PROGRAMA MESMO ASSIM?

R: Sem dúvida, mas para isso você precisa *planejar*. Hospede-se em hotéis que fiquem perto de uma academia adequada (praticamente todas as academias de hotel são inadequadas para o tipo de treinamento que você faz) e planeje os horários em que fará seu treino. Para a maioria dos viajantes, isso significa bem cedo pela manhã ou após o jantar. Leve os suplementos na bagagem e simplesmente faça sua ficha normal.

Se não conseguir frequentar a academia quando estiver viajando, sempre é possível fazer uma sequência de exercícios de peso corporal no quarto do hotel para manter a força.

Eu faço o seguinte:

Flexão de braços até a falha (unilateral se possível)
Descanso de 60 segundos
Tração na barra fixa com pegada supinada (levo comigo uma daquelas barras
portáteis que podem ser instaladas no batente da porta)
Descanso de 60 segundos
Agachamento por 30 segundos (unilateral se possível)
Sugado (*burpee*) por 30 segundos
Alpinista (*mountain climbers*) até a falha
Descanso de 90 segundos
Abdominal supra até a falha
Descanso de 60 segundos
Repita

Faço isso por 20 a 30 minutos, e acho um meio eficiente de manter minha força e tornar a transição de volta à musculação menos pesada.

Manter a dieta pode ser mais difícil quando viajamos, mas ainda é possível. Antes de chegar, procuro uma loja de alimentos saudáveis por perto e planejo o que vou consumir enquanto estiver viajando. Quando chego, compro tudo de que preciso.

SEÇÃO VII   PERGUNTAS E RESPOSTAS, E CONSIDERAÇÕES FINAIS

P: EU FICAVA MAIS DOLORIDA COM OUTROS PROGRAMAS DO QUE FICO COM ESTE. ISTO É RUIM?

R: A maioria acredita que dores musculares são um bom sinal — significa que os músculos estão crescendo.

Intuitivamente, faz sentido. Treinamos para causar danos aos músculos, e danos aos músculos levam a dores musculares, portanto, pouca ou nenhuma dor significa pouco ou nenhum dano e, assim, pouco ou nenhum ganho, certo?

Na verdade, não é tão simples.

Treinos que criam grandes quantidades de dores musculares não resultam necessariamente em crescimento muscular, e treinos que causam pouca ou nenhuma dor podem resultar em crescimento muscular significativo.

Por exemplo, se você fizer uma hora de corrida em declive, suas pernas vão ficar *muito* doloridas no dia seguinte, mas isso definitivamente não vai desenvolver pernas fortes e tonificadas. O alongamento que o crucifixo com halteres requer provavelmente causará dor, mas esse exercício é bem ruim para o ganho de músculos quando comparado a algo como o supino inclinado, que provavelmente causará menos dor.

Para citar pesquisadores da Universidade de Yokohama City:

> Devido à correlação em geral pobre entre a DMIT [dor muscular de início tardio] e outros indicadores, concluímos que a DMIT não reflete adequadamente o dano e a inflamação muscular induzida pelo exercício excêntrico, e mudanças em marcadores indiretos do dano e da inflamação muscular não são necessariamente acompanhados por DMIT.

Em outras palavras, músculos danificados não necessariamente doem, e músculos que doem não necessariamente foram muito danificados.

A fisiologia por trás disso ainda não é totalmente compreendida (o crescimento muscular é um processo *muito* complicado), mas um estudo da Universidade de Concórdia demonstrou que pelo menos parte da dor muscular vem do tecido conectivo mantendo as fibras musculares ligadas, não das próprias fibras.

Também sabemos que quanto mais expostos são os músculos a certos tipos de estímulo, menos doloridos eles ficam. Isso não significa, porém, que deixarão de ficar maiores e mais fortes.

Eu fico muito dolorido depois de um treino apenas se não o tiver feito na semana anterior. No meu programa habitual, só fico levemente dolorido, apesar de pegar *pesado* na academia.

Então, em suma, a questão da dor muscular é a seguinte: ela não diz muita coisa quanto aos ganhos que estamos tendo. Não pense que excesso de dor significa grande desenvolvimento muscular, e não se preocupe se não ficar dolorida.

P: MOSTREI ESTE LIVRO A UM INSTRUTOR, QUE NÃO GOSTOU DELE E DISSE QUE EU DEVIA FAZER OUTRA COISA. ELE ESTÁ CERTO?

R: Tenho certeza de que o instrutor está agindo de boa-fé e só quer ajudar, mas infelizmente a maioria dos instrutores simplesmente não sabe do que está falando. Por ironia, quase nenhum deles se encontra em muito boa forma e não tem muito a mostrar com relação a sucessos com clientes. Boa parte apenas ensina o que aprendeu em manuais, sem verificar se aqueles métodos são de fato os melhores para ficar em forma.

Se seguir o que escrevi neste livro, você *obterá* ganhos fantásticos — eu lhe garanto. Centenas de milhares de mulheres ao redor do mundo usam os princípios ensinados neste livro para ganhar músculos, perder gordura e ficar saudáveis. Os resultados falam por si.

P: NÃO É RECOMENDÁVEL TREINAR CADA GRUPO MUSCULAR DUAS OU TRÊS VEZES POR SEMANA?

R: Assim como o raio de repetições "ideal", a frequência de treino ótima é um tópico debatido acaloradamente. O que interessa é a intensidade e o volume de treino. Quanto mais leves os pesos e quanto menor o número de repetições, maior a frequência com que se pode treinar o grupo muscular.

No caso de *Malhar, Secar, Definir — Para Mulheres*, a carga sobre os músculos é pesada, com cerca de 50 a 60 repetições por treino, todas recrutando o máximo de fibras musculares (devido à carga). A não ser que consiga se recuperar de modo sobre-humano, você não será capaz de fazer esses treinos mais do que uma vez a cada 5 a 7 dias.

A raiz da questão é que *intensidade* e *volume* semanais são mais importantes que a frequência quando analisamos os ciclos de treino de 5 a 7 dias, e *todos* que seguem o programa obtêm ganhos rápidos de força e tamanho. Mesmo pessoas que fazem musculação há muito tempo.

SEÇÃO VII   PERGUNTAS E RESPOSTAS, E CONSIDERAÇÕES FINAIS

P: POSSO FAZER ESTE PROGRAMA EM CASA?

R: Sim.

Basta você ter uma gaiola funcional ou um *multipress* para fazer agachamento e supino, uma barra com anilhas, um conjunto de halteres (eu prefiro os ajustáveis) e um banco ajustável. Você também pode comprar um banco utilitário para fazer desenvolvimento militar sentada em vez de em pé.

Com esses equipamentos, você só não conseguirá fazer alguns exercícios, como puxada frontal e dorsal, puxada para tríceps, mergulho, *leg press* e elevação de pernas na vertical. Mas você pode substituí-los por outros exercícios "aprovados", como elevação na barra fixa com pegada supinada usando pesos, tríceps testa, mais supino e desenvolvimento militar com barra e halteres, mais agachamento e abdominal em suspensão.

Você também tem a opção de usar exercícios com o peso corporal, como discutido aqui [em inglês]:

https://www.muscleforlife.com/the-ultimate-bodyweight-workout-routine/?1

P: SÓ TENHO ACESSO A HALTERES. POSSO FAZER O PROGRAMA MESMO ASSIM?

R: Malhar só com halteres é mais difícil, porque não é possível fazer agachamento nem levantamento terra corretamente. Ainda que seja possível fazer supino e desenvolvimento militar, uma ficha ideal traz esses exercícios tanto com halteres quanto com barras.

Se eu conseguir convencê-la a obter os equipamentos domiciliares corretos ou a malhar na academia, você vai ficar feliz de tê-lo feito. Minhas recomendações de produtos de musculação para casa estão no relatório extra.

Contudo, se nenhum dos dois for possível, você pode focar nos exercícios com halteres fornecidos na seção de "exercícios aprovados" do livro. Por exemplo, um dia de peito ficaria assim:

Supino inclinado com halteres: aquecimento e 6 séries de 4 a 6 repetições

Supino reto com halteres: 3 a 6 séries de 4 a 6 repetições

Embora possa parecer redundante e ineficiente, este é um treino de peito excelente. Eu o fiz por quase seis meses alguns anos atrás, e foi uma ótima surpresa ver que meu peitoral respondeu muito bem.

Para o treino de perna, você pode trabalhar com exercícios como afundo com halteres, agachamento goblet e agachamento unilateral (pistol), que são difíceis mesmo sem peso.

Para as costas, recomendo fazer muitas remadas com halteres e trações na barra fixa com pegada supinada com peso, tanto aberta quanto fechada.

Você também tem a opção de incluir alguns exercícios modificados de peso corporal no programa, como discutido aqui [em inglês]: https://www.muscleforlife.com/the-ultimate-bodyweight-workout-routine/?1

P: DEVO TOMAR SUPLEMENTOS NOS MEUS DIAS DE FOLGA?

R: Sim. Ingira nos dias de folga tudo o que tomaria normalmente, exceto produtos pré-treino e/ou estimuladores de óxido nítrico.

P: ESTOU DOENTE. DEVO TREINAR MESMO ASSIM?

R: Eu entendo totalmente o desejo de fazer exercícios estando doente. Depois de estabelecer uma boa rotina de treino, é *realmente* horrível interferir nela.

A atividade física intensa, no entanto, só piorará a doença, porque deprime temporariamente o sistema imunológico, o que dá aos invasores mais tempo para causar estragos no corpo.

Feita essa ressalva, diga-se que estudos com animais mostraram que atividade física leve (20 a 30 minutos de corrida leve na esteira) realizada sob infecção do vírus da gripe melhora o sistema imune e acelera a recuperação.

Efeitos similares foram observados em estudos com humanos, e é por isso que eu recomendo a quem está doente não mais do que três sessões de 20 a 30 minutos de aeróbico leve (aquela que não a deixa sem fôlego para falar).

P: TENHO DIFICULDADE DE PREPARAR REFEIÇÕES SAUDÁVEIS AO LONGO DA SEMANA. O QUE DEVO FAZER?

R: Uma solução simples é preparar a comida toda em um dia por semana, dividi-la em porções e levar uma porção por dia para o trabalho. Esquente num forno convencional ou de micro-ondas por alguns minutos e está resolvido.

SEÇÃO VII   PERGUNTAS E RESPOSTAS, E CONSIDERAÇÕES FINAIS

P: MINHAS AMIGAS QUE NÃO ESTÃO EM FORMA SEMPRE QUEREM QUE EU COMA COISAS QUE NÃO SÃO SAUDÁVEIS QUANDO ESTOU COM ELAS. O QUE DEVO FAZER?

R: Não caia na armadilha que fez com que elas mesmos ficassem fora de forma. Quando for comer junto com pessoas que não se alimentam bem, você precisa tomar cuidado para não usar os maus hábitos alimentares delas como justificativa para imitá-las.

Lembre-se de que manter-se fiel à sua busca por um corpo mais saudável, mais disposto e mais bonito também pode inspirá-las a fazer a mesma coisa! Ou, se necessário, coma antes de sair com elas, ou só coma com elas quando estiver no dia de uma refeição infiel.

P: PRECISO IR ATÉ A FALHA EM TODAS AS SÉRIES?

R: Você não tem de ir até a falha completa toda série. Eu raramente vou.

O que eu almejo é alcançar o ponto em que me esforço para terminar uma repetição e sei que não conseguiria fazer mais uma sem ajuda (a repetição anterior à falha).

Se você sente que talvez pudesse conseguir e quer tentar de qualquer modo, sem problemas, mas você não precisa treinar assim todas as séries.

P: NUNCA CONSEGUI SEGUIR NENHUM PROGRAMA DE EXERCÍCIOS. POR QUE DEVERIA TENTAR O SEU?

R: Nada é mais irritante do que dar o sangue na academia todo santo dia e não notar nenhum resultado. Esse é, de longe, o principal motivo pelo qual as pessoas abandonam os programas de exercícios. Bem, o meu programa funciona. E, melhor ainda, os resultados vêm *rápido*.

Imagine, em três meses, perder 5 kg de gordura *e* ganhar um pouco de massa muscular, com seus amigos e sua família sempre comentando que você está com o corpo muito bom. Os caras começam a virar a cabeça quando você passa. Suas amigas perguntam qual foi a mágica que você descobriu. Você se sente forte e cheia de energia — melhor do que em muito tempo.

Pois bem, é perfeitamente possível chegar lá. Basta começar.

P: EU GOSTO DE ÁLCOOL. ISSO SERÁ PROBLEMA?

R: Como você sabe, o álcool bloqueia a oxidação de gordura, o que acelera a taxa com que o corpo armazena a gordura dos alimentos como gordura corporal.

Se você quiser beber fazendo dieta e perder peso ainda assim, não beba mais do que um dia por semana, e use as seguintes dicas para se proteger do armazenamento de gordura em excesso:

- Restrinja a sua ingestão de gordura no dia em que beber e não coma nada gorduroso enquanto bebe.

- Obtenha a vasta maioria das suas calorias a partir de proteína magra e carboidratos no dia do álcool (com a maior parte vindo de proteína).

- Passe longe de bebidas carregadas de carboidratos, como cerveja e coquetéis de frutas. Vinhos secos são uma boa escolha, assim como destilados.

Seguindo essas orientações, você poderá desfrutar de alguns drinques por semana sem ter de se sentir culpada nem estragar seu regime de emagrecimento.

Este livro possui 40 páginas de referências bibliográficas. Elas podem ser acessadas pelo site da Faro Editorial, no pé da página do livro. Escolhemos não colocá-las na versão impressa pois será uma economia de árvores, e de dinheiro para você, por um conhecimento que pode ser baixado gratuitamente.

RELATÓRIO EXTRA

Orientações exatas de treino e alimentação para ficar com o melhor corpo da sua vida... no seu primeiro ano! As pessoas não vão acreditar nos próprios olhos!

Agora você sabe de coisas que a maioria das mulheres jamais entenderá sobre o desenvolvimento de um corpo magro, escultural, forte e saudável, mas talvez tenha dúvidas sobre como montar um plano para as refeições diárias ou como combinar exercícios diferentes.

Bem, você gostaria de ter um programa de treinamento completo e detalhado para o próximo ano para ter certeza de que ficará maior, mais magra e mais forte do que nunca?

Eu já tratei disso! Criei um relatório totalmente gratuito para ajudá-la. Abordo nele questões como estas:

- As marcas de suplementos que recomendo e por quê. Já experimentei, ao longo de anos, praticamente todas as marcas que existem e encontrei aquelas que me parecem as melhores dentre as melhores de cada tipo de suplemento que recomendo.

- Os aparelhos de treino que são úteis, assim como as marcas que resistiram ao teste do tempo em minha opinião. Rasguei várias luvas e experimentei todo tipo de tira vagabunda, todo tipo de aparelho para medir gordura corporal concebível e muitos tipos de coqueteleiras, e quero lhe poupar o dinheiro e a frustração de comprar porcaria.

- Planos de treino completos para o primeiro ano todo. Basta você comparecer todo dia e fazer o que eu digo, e ganhará músculos mais rápido do que nunca.

- Vinte deliciosas receitas dos meus livros de culinária que podem ser encaixadas em qualquer tipo de plano de refeições! Nada de comer coisa sem gosto todo dia!

- Entre outras coisas!

Seguindo este programa, você vai desenvolver um corpo que lhe dará orgulho. Ele será um troféu para a sua dedicação, perseverança e resistência inabaláveis.

Minha missão é ajudá-la a chegar a esse momento. Isso é o que me deixa mais feliz.

Obrigado mais uma vez por ter lido meu livro. Se tiver qualquer pergunta ou encontrar qualquer dificuldade, mande-me um e-mail que farei o meu melhor para ajudar!

O programa de treinos você pode encontrar no site da Faro Editorial, na página do próprio livro (www.faroeditorial.com.br) e muito mais no meu site (em inglês) (www.muscleforlife.com).

Você me faria um favor?

Obrigado por ter comprado meu livro. Tenho certeza de que se seguir o que escrevi, você estará a caminho da maior sensação de bem-estar e da melhor aparência que já teve na vida.

Tenho um pequeno favor a lhe pedir. Você poderia tirar um minuto e escrever um depoimento sobre este livro no site da Amazon.com ou das livrarias locais? Eu leio todas as críticas que vejo e adoro receber *feedbacks* (esse é o verdadeiro retorno do meu trabalho: saber que estou ajudando pessoas).

Além disso, se tiver amigas ou parentes que possam vir a gostar deste livro, espalhe o amor e empreste-o para eles!

Obrigado mais uma vez. Espero ter notícias suas, e desejo-lhe tudo de bom!

Mike

DIETA DE ACADEMIA

SECAR, DEFINIR OU AUMENTAR A MASSA MUSCULAR?
QUAL É O SEU OBJETIVO?

NESTE LIVRO, apresento mais de 100 receitas voltadas para quem frequenta academia, pratica exercícios, deseja aumentar os músculos ou simplesmente quer reduzir medidas com o auxílio de uma dieta específica.

Para cada resultado você precisa de um grupo de nutrientes. No entanto, a maior dificuldade das pessoas é saber quais são esses alimentos e como prepará-los para que sejam eficientes e garantam os resultados esperados. Às vezes, basta um acompanhamento ou molho errado e você pode jogar por terra os planos de secar e definir.

No livro você encontrará os seguintes temas:

- Receitas de café da manhã para ganhar massa muscular.
- Receitas com frango e peru para secar, crescer ou definir, além de cinco marinados de dar água na boca!
- Receitas com carne, para ganhar massa muscular.
- Receitas com peixes, perfeitas para secar.
- Massas: excelente fonte de fibras e carboidratos de consumo lento.
- Saladas deliciosas com molhos saborosos e pouco calóricos.
- Shakes de proteína saborosos para as refeições após a malhação.
- Barras de proteína feitas em casa e lanches fantásticos!
- Sobremesas para comer sem culpa.
- E muito mais!

Com ele você vai conhecer algumas receitas presentes no meu livro.

E visite minha página para receber as novidades:
www.muscleforlife.com

Um forte abraço (como aprendi no Brasil),
Mike

ASSINE NOSSA NEWSLETTER E RECEBA
INFORMAÇÕES DE TODOS OS LANÇAMENTOS

www.faroeditorial.com.br

ESTA OBRA FOI IMPRESSA PELA
SERMOGRAF EM JUNHO DE 2018